dtv

Renée ist vierundfünfzig Jahre alt und lebt schon seit Jahrzehnten als Concierge in der Rue de Grenelle 7 in Paris. Sie ist klein, hässlich, hat Hühneraugen und ist seit längerem Witwe. Paloma ist zwölf, hat reiche Eltern und wohnt in demselben Stadtpalais.
Renée führt ein Doppelleben: Sie spielt die einfältige Concierge, in Wirklichkeit aber ist sie ungemein gebildet. Sie kennt die großen Werke der Literatur und Philosophie und blickt höchst wachsam auf die Welt und das oft eigenartige Treiben ihrer reichen Nachbarn.
Und Paloma? Altklug wie sie ist, hat sie beschlossen, erst gar nicht in die verlogene Welt der Erwachsenen einzutauchen. Sie will sich noch ein paar grundlegende Gedanken über die Welt machen – und sich an ihrem dreizehnten Geburtstag umbringen. Als jedoch Monsieur Ozu, ein japanischer Geschäftsmann, einzieht, verändert sich das Leben in dem Stadtpalais ganz überraschend. Hinreißend komisch, bitterböse und sehr berührend erzählen Paloma und Renée von ihrem Leben, von Büchern, Filmen, Mangas und ihrer Suche nach der Schönheit in der Welt.

»Muriel Barberys Parabel ist ein höchst vergnüglich zu lesendes, ausgesprochen gescheites Buch.«

Deutschlandradio Kultur

Muriel Barbery, geboren 1969, studierte Philosophie in Frankreich und lebt derzeit in Kyoto. Ihr Romandebüt ›Die letzte Delikatesse‹ erschien 2000 und wurde in vierzehn Sprachen übersetzt. ›Die Eleganz des Igels‹, ihr zweiter Roman, wurde in Frankreich und in vielen anderen Ländern ein großer Bestseller. Er ist inzwischen in über dreißig Sprachen übersetzt und vielfach ausgezeichnet worden.

Muriel Barbery

Die Eleganz des Igels

Roman

Aus dem Französischen
von Gabriela Zehnder

Deutscher Taschenbuch Verlag

Von Muriel Barbery
ist im Deutschen Taschenbuch Verlag erschienen:
Die letzte Delikatesse (13759)

Dieses Buch erscheint im Rahmen des Förderprogramms des französischen Außenministeriums, vertreten durch die Französische Botschaft in Berlin. *Cet ouvrage, publié dans le cadre du programme d'aide à la publication, bénéficie du soutien du ministère des Affaires Etrangères, représenté par le service culturel de l'Ambassade de France à Berlin.*
Der Verlag dankt dem Centre National du livre für die Druckkostenunterstützung. *Ouvrage publié avec le concours du Centre National du livre.*

Oktober 2009
Deutscher Taschenbuch Verlag GmbH & Co. KG,
München
www.dtv.de

Titel der französischen Originalausgabe:
›L'Élégance du hérisson‹
Für die deutschsprachige Ausgabe:

Umschlagkonzept: Balk & Brumshagen
Umschlagfotos: buchcover.com/Ekkehart Reinsch
Satz: Greiner & Reichel, Köln
Druck und Bindung: Druckerei C. H. Beck, Nördlingen
Gedruckt auf säurefreiem, chlorfrei gebleichtem Papier
Printed in Germany · ISBN 978-3-423-13814-7

Für Stéphane, mit dem ich dieses Buch geschrieben habe

Marx

(Einleitung)

1

Wer Begehrlichkeit sät

»Marx verändert mein Weltbild total«, erklärte mir heute morgen der kleine Pallières, der mich sonst nie anspricht.

Antoine Pallières, prosperierender Erbe einer alten Industriellendynastie, ist der Sohn einer meiner acht Arbeitgeber. Dieser letzte Aufstoßer der großen Unternehmerbourgeoisie – welche sich nur durch saubere und sittliche Schluckaufs fortzupflanzen pflegt – strahlte über seine Entdeckung und berichtete mir aus einem Reflex heraus davon, ohne auch nur zu erwägen, daß ich etwas verstehen könnte. Was sollen die arbeitenden Massen denn schon von Marx' Werk verstehen? Seine Lektüre ist schwierig, die Sprache gehoben, die Prosa subtil, die These komplex.

Und da verrate ich mich doch beinahe auf törichte Weise.

»Sollten ›Die deutsche Ideologie‹ lesen«, sage ich zu ihm, diesem Idioten im tannengrünen Dufflecoat.

Um Marx zu verstehen und zu verstehen, warum er unrecht hat, muß man ›Die deutsche Ideologie‹ lesen. Das Werk ist ein anthropologischer Sockel, auf dem später alle Ermahnungen an eine neue Welt aufgebaut wurden und auf den eine entscheidende Gewißheit geschraubt ist: Die Menschen, die sich vor lauter Begehren verlieren, täten gut daran, sich an ihre Bedürfnisse zu halten. In einer Welt, in der die *Hybris* der Begehrlichkeit geknebelt wird, kann eine neue gesellschaftliche Organisation entstehen, reingewaschen von den Kämpfen, den Unterdrückungen und den verderblichen Hierarchien.

»Wer Begehrlichkeit sät, erntet Unterdrückung«, bin ich ganz nahe daran zu murmeln, als hörte mir nur meine Katze zu.

Doch Antoine Pallières, dessen widerwärtiger, kümmerlicher Schnurrbart nichts Katzenhaftes an sich hat, schaut mich an, unschlüssig, wie er meine befremdenden Worte aufnehmen soll. Wie immer rettet mich die Unfähigkeit der Menschen zu glauben, was den Rahmen ihrer kleinen geistigen Gewohnheiten sprengt. Eine Concierge liest nicht ›Die deutsche Ideologie‹ und wäre demzufolge gar nicht imstande, die elfte These über Feuerbach zu zitieren. Überdies liebäugelt eine Concierge, die Marx liest, zwangsläufig mit der Subversion, die sich einem Teufel namens CGT* verschrieben hat. Daß sie es zur Erhebung des Geistes lesen könnte, ist eine Ungehörigkeit, auf die kein Bürger verfällt.

»Schönen Gruß an Ihre Frau Mutter«, brumme ich, während ich ihm die Tür vor der Nase zumache und hoffe, daß die Dysphonie der beiden Sätze von der Kraft jahrtausendealter Vorurteile überdeckt werde.

* *Confédération générale du travail*; französische Gewerkschaft

2

Die Wunder der Kunst

Ich heiße Renée. Ich bin vierundfünfzig Jahre alt. Seit siebenundzwanzig Jahren bin ich Concierge in der Rue de Grenelle 7, einem schönen herrschaftlichen Stadthaus mit Innenhof und Innengarten, aufgeteilt in acht exquisite Luxuswohnungen, alle bewohnt, alle gigantisch. Ich bin Witwe, klein, häßlich, mollig, ich habe Hühneraugen und, gewissen Morgenstunden zufolge, in denen er mich selbst stört, einen Mundgeruch wie ein Mammut. Ich habe nicht studiert, ich war immer arm, unauffällig und unbedeutend. Ich lebe allein mit meiner Katze, einem großen faulen Kater, dessen einzige nennenswerte Eigenheit darin besteht, an den Pfoten zu stinken, wenn er verstimmt ist. Weder er noch ich unternehmen große Anstrengungen, uns in die Reihe unserer Artgenossen einzugliedern. Da ich selten liebenswürdig, jedoch immer höflich bin, liebt man mich nicht, toleriert mich aber gleichwohl, weil ich dem, was sich in der gesellschaftlichen Überzeugung zum Paradigma der Concierge zusammengeballt hat, so genau entspreche, daß ich eines der mannigfaltigen Rädchen im Getriebe bin, das die große universelle Illusion in Bewegung hält, der zufolge das Leben einen leicht durchschaubaren Sinn hat. Und dann steht irgendwo geschrieben, daß Conciergen alt, häßlich und kratzbürstig sind, es steht ebenfalls in Flammenschrift am Frontispitz des gleichen einfältigen Firmaments eingraviert, daß besagte

Conciergen fette, wankelmütige Katzen haben, die den lieben langen Tag auf Kissen mit Häkelbezügen vor sich hin dösen.

Im gleichen Kapitel heißt es, daß Conciergen endlos fernsehen, während ihre fetten Katzen schlummern, und daß es im Eingang des Hauses nach Kohlsuppe oder Eintopf riechen muß. Ich habe das ungeheure Glück, Concierge in einer Luxusresidenz zu sein. Es war für mich derart erniedrigend, diese abstoßenden Gerichte kochen zu müssen, daß das Veto von Monsieur de Broglie, dem Ministerialrat vom ersten Stock, das er seiner Frau gegenüber wohl als »höflich, aber entschieden« bezeichnet hat und das bezweckte, diese plebejischen Gerüche aus der gemeinsamen Existenz zu verbannen, eine unendliche Erleichterung für mich bedeutete, die ich hinter einem scheinbar gezwungenen Gehorsam so gut wie möglich verbarg.

Das war vor siebenundzwanzig Jahren. Seither gehe ich jeden Tag zum Metzger und kaufe eine Scheibe Schinken oder eine Schnitte Kalbsleber, die ich in meinem Einkaufsnetz zwischen das Paket Nudeln und den Bund Karotten klemme. Willfährig stelle ich diese Lebensmittel der Armen zur Schau, die sich durch das schätzenswerte Merkmal auszeichnen, daß sie nicht riechen, da ich arm bin in einem Haus von Reichen. Mit ihnen nähre ich das gängige Klischee und gleichzeitig Leo, meinen Kater, der einzig von diesen Mahlzeiten fett ist, die eigentlich mir zugedacht wären, und der sich den Bauch geräuschvoll mit Schweinernem und Buttermakkaroni vollschlägt, während ich, ohne olfaktorische Beeinträchtigung und ohne jemandes Verdacht zu erregen, meine eigenen kulinarischen Neigungen befriedigen kann.

Verzwickter war die Sache mit dem Fernsehen. Zur Zeit meines verstorbenen Mannes nahm ich es hin, weil die

Ausdauer, mit der er sich dieser Beschäftigung widmete, mir selbst die lästige Aufgabe ersparte. In die Eingangshalle gelangten entsprechende Geräusche, und das reichte aus, um das Spiel der gesellschaftlichen Hierarchien aufrechtzuerhalten, über dessen – zumindest scheinbare – Fortführung ich mir nach Luciens Hinscheiden das Hirn zermartern mußte. Lebend enthob er mich der unbilligen Verpflichtung; tot entzog er mir seine Unbildung, unerläßliches Bollwerk gegen den Argwohn der andern.

Ich fand die Lösung dank einem unsichtbaren Klingelknopf.

Eine mit einem Infrarot-Mechanismus verbundene Klingel kündigt mir hinfort an, wenn jemand die Eingangshalle betritt, und unterrichtet mich von seiner Anwesenheit, obschon uns eine beträchtliche Distanz trennt. Bei solchen Gelegenheiten halte ich mich nämlich im hinteren Zimmer auf, demjenigen, in dem ich den Großteil meiner freien Zeit verbringe, und wo ich, abgeschirmt gegen die Geräusche und Gerüche, die mir meine Stellung aufzwingt, nach meinem Herzen leben kann, ohne daß mir die für jeden Wachposten unabdinglichen Informationen entgehen: wer kommt herein, wer geht hinaus, mit wem und zu welcher Zeit.

So hörten die Hausbewohner beim Durchqueren der Eingangshalle die gedämpften Töne, an denen man erkennt, daß ein Fernseher läuft, und reimten sich, mehr aus Phantasiemangel denn aus Phantasieüberschuß, das Bild einer Concierge zusammen, die sich behaglich vor dem Gerät räkelt. Abgeschieden in meinem Refugium hörte ich nichts, erfuhr aber, wenn jemand vorbeiging. Im Nebenzimmer, verborgen hinter dem weißen Musselin, informierte ich mich alsdann durch das der Treppe gegenüberliegende Bullauge diskret über die Identität des Vorbeigehenden.

Das Aufkommen der Videokassetten und später der Gott DVD veränderten die Dinge noch radikaler in Richtung meiner Glückseligkeit. Da es nicht sehr üblich ist, daß eine Concierge sich an ›Tod in Venedig‹ delektiert oder daß aus der Loge Musik von Mahler dringt, habe ich tief in die so mühevoll zusammengebrachten ehelichen Ersparnisse gegriffen und ein weiteres Gerät erworben, das ich in meinem Versteck installierte. Während der Fernseher der Loge als Garant für mein klandestines Leben sinnloses Zeug für Molluskenhirne plärrte, ohne daß ich ihn hörte, schwelgte ich mit Tränen in den Augen in den Wundern der Kunst.

Tiefgründiger Gedanke Nr. 1

Die Sterne verfolgen
Und dann im Goldfischglas
Enden

Von Zeit zu Zeit nehmen sich die Erwachsenen offenbar Zeit, sich hinzusetzen und die Katastrophe zu betrachten, die ihr Leben ist. Sie jammern dann, ohne zu verstehen, und wie Fliegen, die immer gegen die gleiche Scheibe stoßen, werden sie unruhig, sie leiden, verkümmern, sind deprimiert und fragen sich, welches Räderwerk sie dorthin geführt hat, wohin sie gar nicht wollten. Die intelligentesten machen sogar eine Religion daraus: ja, die verachtenswerte Leere der bürgerlichen Existenz! Es gibt Zyniker dieser Sorte, die an Papas Tisch speisen: »Unsere Jugendträume, wo sind sie geblieben?«, fragen sie mit ernüchterter und zufriedener Miene. »Sie sind verflogen, und das Leben ist ein Hundeleben.« Ich hasse diese falsche Klarsicht der Reife. In Wahrheit sind sie wie die anderen, Kinder, die nicht verstehen, was mit ihnen passiert ist, und die den Abgebrühten herauskehren, obschon sie eigentlich Lust haben zu weinen.

Dabei ist es ganz einfach zu verstehen. Was schiefläuft, ist, daß die Kinder an die Reden der Erwachsenen glauben und daß sie sich, wenn sie selbst erwachsen sind, rächen, indem sie ihre eigenen Kinder irreführen. »Das Leben hat einen Sinn, den die Erwachsenen gepachtet haben«, ist die universelle Lüge, an die alle glauben müssen. Wenn man im Erwachsenenalter merkt, daß das nicht stimmt, ist es zu spät. Das Rätsel bleibt bestehen, doch die ganze verfügbare Energie ist seit langem mit stupiden Aktivitäten verpufft. Es bleibt einem nur noch, sich so gut wie möglich zu betäuben, indem man versucht, vor sich selbst die Tatsache zu vertuschen, daß man in seinem Leben keinen Sinn sieht, und man macht seinen Kindern etwas vor im Versuch, sich selbst wirkungsvoller zu überzeugen.

Von den Personen, mit denen meine Familie Umgang pflegt, haben alle den gleichen Weg beschritten: eine Jugend, in der man seine Intelligenz gewinnbringend anzulegen versucht, in der man das Studienpotential wie eine Zitrone auspreßt und sich eine Spitzenposition sichert, und dann ein ganzes Leben, in dem man sich verblüfft fragt, warum derartige Hoffungen in einer so leeren Existenz gemündet haben. Die Leute meinen, sie verfolgen die Sterne, und dann enden sie wie Goldfische in einem Glas. Ich frage mich, ob es nicht einfacher wäre, den Kindern von Anfang an beizubringen, daß das Leben absurd ist. Das würde zwar die Kindheit um ein paar schöne Momente bringen, doch für den Erwachsenen wäre es ein beträchtlicher Zeitgewinn – ganz abgesehen davon, daß man sich mindestens ein Trauma ersparen würde, dasjenige des Goldfischglases.

Ich bin zwölf Jahre alt, ich wohne in der Rue de Grenelle 7 in einer Wohnung für Reiche. Meine Eltern sind reich, meine Familie ist reich, und meine Schwester und ich sind folglich potentiell reich. Mein Vater ist Abgeordneter, nachdem er Minister war, und er wird vermutlich als Präsident der Nationalversammlung enden und den Weinkeller des »Hôtel de Lassay« leeren. Meine Mutter … Nun, meine Mutter ist nicht gerade eine Leuchte, aber sie ist gebildet. Sie ist Doktor der Sprach- und Literaturwissenschaft. Sie schreibt die Einladungen für ihre Abendgesellschaften fehlerfrei und verbringt ihre Zeit damit, uns mit literarischen Verweisen auf die Nerven zu gehen (»Colombe, spiel nicht die Guermantes«, »Mäuschen, du bist eine echte Sanseverina«).

Trotz alldem, trotz dieses ganzen Glücks und dieses ganzen Reichtums, weiß ich schon lange, daß die Endstation das Goldfischglas ist. Warum ich das weiß? Der Zufall will, daß ich sehr intelligent bin. Außergewöhnlich intelligent sogar. Im Vergleich mit den Kindern meines Alters besteht ein Abgrund. Da ich keine große Lust habe, daß man auf mich aufmerksam wird, und da in einer Familie, in der die Intelligenz das Höchste ist, ein hochbegabtes Kind nie seine Ruhe hätte, versuche ich, meine Leistungen im Collège einzuschränken, doch selbst so bin ich immer noch Klassenbeste. Man könnte meinen, es sei ein leichtes, eine normale Intelligenz vorzuspielen, wenn man wie ich mit zwölf Jahren das Niveau einer *Khâgneuse** hat. Weit gefehlt! Man muß sich ganz schön anstrengen, um sich dümmer zu stellen, als man ist. Aber in gewisser Weise hindert es mich nicht daran, vor Langeweile umzukommen: Die ganze Zeit, die ich nicht damit zubringen muß, zu lernen und zu verstehen, verwende ich darauf, den Stil, die Antworten, die Vorgehensweisen, die Sorgen und die kleinen Fehler der normalguten Schüler nachzuahmen. Ich lese alles, was Constance Baret, die Zweite der Klasse, in Mathe, Französisch und Geschichte schreibt, und so lerne ich, was ich machen muß: in Französisch eine Folge von zusammenhängenden und richtig geschriebenen Wörtern, in Mathe die mechanische Wiedergabe von Operationen ohne Sinn und in Geschichte eine Folge von Tatsachen, die durch logische Elemente miteinander verbunden sind. Doch selbst verglichen mit den Erwachsenen bin ich viel schlauer als die meisten von ihnen. Das ist einfach so. Ich bin nicht sonderlich stolz darauf, denn es ist nicht

* Umgangssprache: Klasse, in der man sich nach dem Baccalauréat zur Aufnahmeprüfung für die »École normale supérieure«, eine Elitehochschule, vorbereitet.

mein Verdienst. Doch eines ist sicher, ins Goldfischglas gehe ich nicht. Das ist ein wohlüberlegter Entschluß. Selbst für jemanden, der so intelligent ist wie ich, so begabt fürs Lernen, so anders als die andern und den meisten auch so haushoch überlegen, ist das Leben schon vollständig vorgezeichnet, und es ist zum Weinen traurig: Niemand scheint an die Tatsache gedacht zu haben, daß, wenn die Existenz absurd ist, darin zu glänzen und Erfolg zu haben keinen höheren Wert hat, als darin zu scheitern. Es ist nur angenehmer. Wenn überhaupt: Ich glaube, der Scharfblick macht den Erfolg bitter, während die Mittelmäßigkeit immer noch auf etwas hoffen läßt.

Ich habe also meinen Entschluß gefaßt. Ich werde die Kindheit bald verlassen, und wenn ich auch genau weiß, daß das Leben eine Farce ist, glaube ich nicht, daß ich bis zum Schluß standhalten könnte. Im Grunde sind wir programmiert, an das zu glauben, was nicht existiert, weil wir Lebewesen sind, die nicht leiden wollen. So wenden wir unsere ganze Kraft auf, uns zu überzeugen, daß es Dinge gibt, die es wert sind, und daß das Leben daher einen Sinn hat. Ich mag noch so intelligent sein, ich weiß nicht, wie lange ich gegen diese biologische Tendenz werde ankämpfen können. Werde ich, wenn ich einmal in das Rennen der Erwachsenen eingestiegen bin, noch fähig sein, dem Gefühl der Absurdität die Stirn zu bieten? Ich glaube nicht. Daher habe ich meinen Entschluß gefaßt: Am Ende dieses Schuljahres, an meinem dreizehnten Geburtstag, am 16. Juni, werde ich Selbstmord begehen. Achtung, ich habe nicht vor, viel Aufhebens davon zu machen, als wäre es eine mutige Tat oder eine Herausforderung. Es liegt übrigens ganz in meinem Interesse, daß niemand Verdacht schöpft. Die Erwachsenen haben eine hysterische Beziehung zum Tod, das nimmt riesige Ausmaße an, man macht viel Theater darum, und dabei ist es doch das banalste Ereignis der Welt. Worauf es mir im Grunde ankommt, ist nicht die Sache an sich, sondern ihr Wie. Meine japanische Seite neigt natürlich zu Seppuku. Wenn ich sage meine japanische Seite, dann meine ich meine Liebe zu Japan. Ich bin in der vierten Klasse am Collège und habe natürlich Japanisch als zweite Sprache genommen. Der Japanischlehrer ist nicht gerade eine Offenbarung, er verschluckt die Wörter auf französisch und kratzt sich die ganze Zeit mit ratloser Miene den Kopf, aber wir haben ein Lehrbuch, das gar nicht so übel ist, und seit Beginn des Schuljahrs habe ich große Fortschritte gemacht. Ich hoffe, daß ich in ein paar Monaten meine Lieblingsmangas im Original lesen kann. Mama versteht nicht, daß ein so-begabtes-kleines-Mädchen-wie-du Mangas lesen kann. Ich habe mir nicht einmal die Mühe gemacht, ihr zu erklären, daß »Manga« auf japanisch lediglich »Comic« heißt. Sie glaubt, daß ich mich mit Subkultur vollsauge, und ich lasse sie in ihrem Glauben. Kurz, in ein paar Monaten kann ich Taniguchi vielleicht auf japanisch lesen. Doch das führt uns wieder zurück zur Sache: Es muß vor dem 16. Juni geschehen, denn am 16. Juni werde ich Selbstmord begehen. Aber kein Seppuku. Das wäre zwar voller Sinn und Schönheit, aber ... nun ... ich habe nicht die geringste Lust zu leiden. Ja, ich würde es geradezu verabscheuen zu leiden; ich finde, wenn man den Entschluß faßt zu sterben, gerade weil man der Meinung ist, daß es völlig normal ist, muß man das auf sanfte Art tun. Sterben soll ein behutsamer Übergang sein, ein gedämpftes Hinübergleiten in die Ruhe. Es gibt Leute, die begehen Selbstmord, indem sie sich aus dem Fenster des vierten Stocks stürzen oder Javelwasser trinken oder sich erhängen! Das ist völlig unsinnig! Ich finde es sogar obszön. Wozu dient sterben denn, wenn nicht dazu, nicht zu leiden? Ich habe meinen Abgang wohl geplant: Seit einem Jahr nehme ich jeden Monat eine Schlaftablette aus der Schachtel auf Mamas Nachttisch. Sie konsumiert so viele, daß sie es nicht einmal merken würde, wenn ich jeden Tag eine nähme, aber ich habe beschlossen, äußerst vorsichtig zu sein. Man soll nichts dem Zufall überlassen, wenn man einen Entschluß faßt, der wenig Aussichten hat, verstanden zu werden. Man macht sich keine Vorstellung, wie schnell die Leute die Pläne durchkreuzen, die einem am wichtigsten sind, im Namen von abgeschmackten Phrasen wie »der Sinn des Lebens« oder »die Liebe zum Menschen«. Ah ja, und dann: »die Heiligkeit der Kindheit«.

Ich gehe also ruhig auf das Datum des 16. Juni zu, und ich habe keine Angst. Es gibt höchstens ein paar Dinge, um die es mir leid tut, vielleicht. Aber so, wie die Welt ist, ist sie nicht für die Prinzessinnen gemacht. Doch nur weil man plant zu sterben, heißt das noch lange nicht, daß man dahinvegetieren soll wie ein schon angefaultes Gemüse. Ganz im Gegenteil. Wichtig ist nicht, daß man stirbt oder in welchem Alter man stirbt, sondern was man tut in dem Moment, wo man stirbt. Bei Taniguchi sterben die Helden beim Erklimmen des Everest. Da ich nicht die geringste Chance habe, mich vor dem 16. Juni am K2 oder an den Grandes Jorasses zu versuchen, ist mein persönlicher Everest eine intellektuelle Herausforderung. Ich habe mir zum Ziel gesetzt, mir möglichst viele tiefgründige Gedanken zu machen und sie in dieses Heft zu schreiben: Wenn schon nichts einen Sinn hat, soll der Geist sich wenigstens damit auseinandersetzen, oder? Doch da ich eine ausgeprägte japanische Seite besitze, habe ich eine Beschränkung hinzugefügt: Der tiefgründige Gedanke muß in Form eines kleinen Gedichts nach japanischer Art abgefaßt sein: in Form eines Haiku (Dreizeiler) oder eines Tanka (Fünfzeiler).

Mein Lieblingshaiku stammt von Basho.

Hütten der Fischer
Mit den Garnelen vermischt
Grillen!

Das ist kein Goldfischglas, nein, das ist Poesie!

Doch in der Welt, in der ich lebe, gibt es weniger Poesie als in einer japanischen Fischerhütte. Finden Sie es normal, daß vier Personen auf vierhundert Quadratmetern leben, während ganz viele andere, und unter ihnen vielleicht verwünschte Poeten, nicht einmal eine anständige Unterkunft haben und zu fünfzehnt eingepfercht auf zwanzig Quadratmetern hausen? Als diesen Sommer in den Nachrichten kam, daß Afrikaner umgekommen sind, weil in ihrem baufälligen Haus ein Treppenbrand ausgebrochen war, hat mich das auf eine Idee gebracht. Leute wie sie haben ihr Goldfischglas den ganzen Tag direkt vor der Nase, sie können ihm nicht entfliehen, indem sie sich etwas vormachen. Meine Eltern und Colombe hingegen stellen sich vor, daß sie im Ozean schwimmen, weil sie in ihren mit Möbeln und Bildern angefüllten vierhundert Quadratmetern leben.

Und so will ich am 16. Juni ihr Sardinengedächtnis ein wenig auffrischen: Ich werde die Wohnung anzünden (mit Zündwürfeln für den Barbecue). Achtung, ich bin keine Kriminelle: Ich mache es, wenn niemand zu Hause ist (der 16. Juni ist ein Samstag, und am Samstag nachmittag geht Colombe zu Tibère, Mama ins Yoga, Papa in seinen Club, und ich bleibe da), ich werde die Katzen durchs Fenster evakuieren, und ich werde die Feuerwehr frühzeitig genug benachrichtigen, damit es keine Opfer gibt. Dann gehe ich in aller Ruhe mit meinen Schlaftabletten zu Oma schlafen.

Ohne Wohnung und ohne Tochter denken sie vielleicht an all die toten Afrikaner, oder?

Kamelien

1

Eine Aristokratin

Am Dienstag und Donnerstag kommt Manuela, meine einzige Freundin, in meine Loge zum Tee. Manuela ist eine einfache Frau, deren Eleganz die zwanzig Jahre, die sie damit vertan hat, bei anderen Leuten dem Staub nachzustellen, nichts anhaben konnten. *Dem Staub nachstellen* ist übrigens eine recht schamhafte Raffung. Doch bei den Reichen nennt man die Dinge nicht beim Namen.

»Ich leere Abfalleimer voll Damenbinden«, sagt sie mir mit ihrer weichen Aussprache voller Sch-Laute, »ich wische vom Hund das Erbrochene auf, ich putze den Vogelkäfig, man würde nicht glauben, daß so kleine Vögel so viel Kaka machen, ich scheure die Toiletten. Der Staub? Wenns weiter nichts ist!«

Man muß sich vergegenwärtigen, daß Manuela, wenn sie um zwei Uhr zu mir herunterkommt, am Dienstag von den Arthens, am Donnerstag von den de Broglies, mit dem Wattestäbchen das blattvergoldete Klo poliert hat, das dessen ungeachtet genauso schmutzig und stinkend ist wie alle Lokusse der Welt, denn wenn es etwas gibt, was die Reichen widerwillig mit den Armen teilen, dann sind es die ekelerregenden Gedärme, die das, was sie verpestet, schließlich immer irgendwo ausscheiden.

So kann man vor Manuela den Hut ziehen. Mag sie auch geopfert werden auf dem Altar einer Welt, in der die undankbaren Aufgaben gewissen Leuten zugedacht sind, während andere die Nase rümpfen, ohne etwas zu tun, so läßt sie sich gleichwohl nicht von einer Neigung zur Raffiniertheit abhalten, die bei weitem alle Blattvergoldungen übertrifft, erst recht die sanitären.

»Um eine Nuß zu essen, muß man ein Tischtuch auflegen«, sagt Manuela, die aus ihrer alten Einkaufstasche ein helles Holzkörbchen hervorholt, aus dem karminrote Seidenpapierspiralen hervorgucken und aus dem sie, eingebettet wie in einer Schatulle, ein paar Mandelplätzchen befreit. Ich mache einen Kaffee, den wir nicht trinken werden, dessen Duft wir jedoch beide leidenschaftlich lieben, und schweigend schlürfen wir eine Tasse Grüntee und knabbern unsere Plätzchen dazu.

So, wie ich ein ständiger Verrat meines Archetypen bin, ist Manuela, ohne es zu wissen, eine Renegatin der portugiesischen Putzfrau. Denn die Tochter aus Faro, unter einem Feigenbaum geboren, nach sieben anderen und vor sechs weiteren, schon früh aufs Feld geschickt und genauso rasch mit einem bald ausgewanderten Maurer verheiratet, Mutter von vier Kindern, die dem Recht des Bodens nach französisch, dem Blick der Gesellschaft nach jedoch portugiesisch sind, die Tochter aus Faro also, einschließlich schwarzer Stützstrümpfe und Kopftuch, ist eine Aristokratin, eine echte, eine große, von der Art, die keine Abrede duldet, da ihre Aristokratie, direkt aufs Herz geprägt, aller Etiketten und Prädikate spottet. Was ist eine Aristokratin? Eine Frau, der die Vulgarität nichts anhaben kann, obschon sie von ihr umgeben ist.

Die Vulgarität ihrer angeheirateten Familie, die den Schmerz, schwach und ohne Zukunft geboren zu sein, in lautem, ordinärem Lachen erstickt; die Vulgarität einer Umgebung, die von der gleichen fahlen Trostlosigkeit geprägt ist wie das Neonlicht der Fabrik, zu der sich die Männer jeden Morgen aufmachen, so, wie man in die Hölle hinuntersteigt; die Vulgarität der Arbeitgeberinnen, deren ganzes Geld nicht die Nichtswürdigkeit zu verbergen vermag und die mit ihr reden wie mit einem grindigen, haarenden Hund. Doch man muß gesehen haben, wie Manuela mir wie einer Königin die Früchte ihrer Feinbäckerkunst darbietet, um die ganze Anmut zu erfassen, die in dieser Frau wohnt. Ja, wie einer Königin. Wenn Manuela erscheint, verwandeln sich meine Loge in einen Palast und unsere Naschereien der Parias in den Festschmaus von Monarchen. So, wie der Märchendichter das Leben in einen schillernden Fluß verwandelt, in dem Kummer und Öde versinken, verzaubert Manuela unser Leben in ein freundliches, heiteres Epos.

»Der junge Pallières hat mich auf der Treppe gegrüßt«, sagt sie plötzlich in das Schweigen hinein.

Ich brumme verachtungsvoll.

»Er liest Marx«, sage ich und zucke die Schultern.

»Marx?«, fragt sie, wobei sie das »X« wie ein »Sch« ausspricht, ein leicht feuchtes »Sch«, dem der Charme des klaren Himmels anhaftet.

»Den Vater des Kommunismus«, antworte ich.

Manuela stößt ein geringschätziges Geräusch aus.

»Die Politik«, sagt sie. »Ein Spielzeug für die kleinen Reichen, das sie niemandem ausleihen.«

Sie überlegt einen Moment mit gerunzelter Stirn.

»Nicht die gleiche Sorte Bücher wie sonst«, sagt sie.

Die Illustrierten, die die Jugendlichen unter ihrer Matratze versteckt halten, entgehen Manuelas Scharfblick nicht, und der junge Pallières schien eine Zeitlang eifrigen, wenn auch selektiven Gebrauch von ihnen zu machen, wie eine abgegriffene Seite mit dem unzweideutigen Titel »Die schalkhaften Marquisen« bewies.

Wir lachen und plaudern noch eine Weile über dieses und jenes, in der Seelenruhe alter Freundschaften. Diese

Augenblicke sind mir teuer, und es schnürt mir das Herz zusammen, wenn ich an den Tag denke, da Manuela ihren Traum verwirklichen und für immer in ihr Land zurückkehren wird und mich hier zurückläßt, einsam und hinfällig, ohne Gefährtin, die zweimal die Woche eine geheime Königin aus mir macht. Ich frage mich auch mit Besorgnis, was geschehen wird, wenn die einzige Freundin, die ich je hatte, und die einzige, die alles weiß, ohne je etwas gefragt zu haben, eine von allen verkannte Frau hinter sich läßt und diese mit ihrem Weggang in ein Leichentuch des Vergessens hüllt.

Schritte ertönen in der Eingangshalle, und dann hören wir deutlich das sybillinische Geräusch, das die Hand eines Mannes auf dem Knopf des Aufzugs macht, eines alten Aufzugs mit schwarzem Gitter und Pendeltüren, verkleidet mit Polster und Holz, in dem, wäre Platz dafür gewesen, früher ein Groom gestanden hätte. Ich kenne diesen Schritt; es ist der von Pierre Arthens, dem Gastronomiekritiker vom vierten Stock, einem Oligarchen der schlimmsten Sorte, der, aus der Art zu schließen, wie er die Augen zusammenkneift, wenn er auf der Schwelle meiner Behausung steht, wohl glaubt, daß ich in einer dunklen Höhle lebe, obschon ihn das, was er sieht, das Gegenteil lehrt.

Nun, ich habe sie gelesen, seine berühmten Kritiken.

»Davon verstehe ich nichts«, hat Manuela zu mir gesagt, für die ein guter Braten ein guter Braten ist und Schluß.

Da gibt es nichts zu verstehen. Es ist ein Jammer zu sehen, wie eine solche Feder aus lauter Blindheit vergeudet wird. In einer sprühenden Erzählweise – denn Pierre Arthens schreibt seine Kritiken, wie man eine Geschichte erzählt, und das allein hätte aus ihm ein Genie machen sollen – über eine Tomate zu schreiben, ohne die Tomate je zu *sehen* oder zu *erfassen*, ist ein gar klägliches Bravourstück. Kann man so begabt sein und gleichzeitig so blind, was die Ausstrahlungskraft der Dinge angeht?, habe ich mich oft gefragt, wenn ich ihn mit seiner großen, arroganten Nase an mir vorbeigehen sah. Es scheint so. Gewisse Leute sind unfähig zu erfassen, was das wahre Leben und der eigentliche Odem dessen ist, was sie betrachten, und verbringen eine ganze Existenz damit, über die Menschen zu harangieren, als wären es Automaten, und über die Dinge, als hätten sie keine Seele und ließen sich zusammenfassen in dem, was im Laufe von subjektiven Einfällen über sie gesagt werden kann.

Wie angezogen durch meine Gedanken, kehren die Schritte zurück, und Arthens klingelt an der Loge.

Ich stehe auf und achte darauf, mit den Füßen zu schlurfen, die in so standesgemäßen Hausschuhen stecken, daß einzig die Allianz von Baguette und Béret es in Sachen gängiger Klischees mit ihnen aufnehmen könnte. Ich weiß sehr wohl, daß ich damit den Meister, diese lebende Ode an die Ungeduld der großen Raubtiere, aufs äußerste reize, und das trägt bei zum Eifer, mit dem ich die Türe ganz langsam einen Spalt weit öffne, um eine Nase hinauszustrecken, die, so hoffe ich, rot ist und glänzt.

»Ich erwarte ein Paket vom Boten«, sagt er zu mir, Augen und Nasenlöcher zusammengekniffen. »Könnten Sie es mir sofort bringen, wenn es kommt?«

Heute nachmittag trägt Monsieur Arthens eine locker gebundene, getüpfelte Künstlerschleife, die um seinen Hals eines Adligen wallt und ihm überhaupt nicht steht, weil die Üppigkeit seiner Löwenmähne und die ätherische Bauschigkeit des Seidenstücks in ihrer Verbindung eine Art duftigen Tutu bilden, in dem die Virilität untergeht, mit welcher der Mann sich zu schmücken pflegt. Und Teufel, diese Künstlerschleife erinnert mich an etwas. Ich lächle beinahe, als es mir einfällt. Es ist diejenige von Legrandin. In ›Auf der Suche nach der verlorenen Zeit‹, dem Werk eines gewissen Marcel, eines anderen notorischen Conciergen, ist Legrandin ein Snob, der hin- und hergerissen wird zwischen zwei Welten, der Welt, in der er verkehrt, und derjenigen, zu der er sich Zutritt verschaffen möchte, ein pathetischer Snob, dessen Künstlerschleife von der Hoffnung bis zur Bitterkeit und von der Unterwürfigkeit bis zur Verachtung die intimsten Schwankungen des Trägers ausdrückt. So überläßt er es auf der Place de Combray, da er die Eltern des Erzählers nicht zu grüßen wünscht, aber dennoch an ihnen vorbeigehen muß, dem Schal, indem er ihn im Wind fliegen läßt, eine melancholische Stimmung anzuzeigen, die ihn der üblichen Grußworte enthebt.

Pierre Arthens, der seinen Proust kennt, den Conciergen gegenüber jedoch keinerlei besondere Nachsicht daraus geschöpft hat, räuspert sich ungeduldig.

Ich rufe Ihnen seine Frage in Erinnerung:

»Könnten Sie es mir sofort bringen?« (Das Paket vom Boten – die Pakete der Reichen nehmen nicht den üblichen Postweg.)

»Ja«, sage ich und schlage den Rekord der Knappheit, dazu ermutigt durch die seine sowie durch das Fehlen eines Bitteschön, was die Frageform im Konditional meiner Meinung nach nicht ganz zu entschuldigen vermag.

»Es ist äußerst zerbrechlich«, fügt er hinzu, »haben Sie die Güte und geben Sie acht«.

Die Verbindung des Imperativs und des »Haben Sie die Güte« ist auch nicht dazu angetan, mir zu gefallen, um so mehr, als er mich solcher syntaktischer Subtilitäten für unfähig hält und sie nur aus geschmäcklerischer Manier verwendet, ohne die Höflichkeit zu vermuten, daß ich mich dadurch beleidigt fühlen könnte. Es heißt, den

Grund des sozialen Sumpfs zu berühren, wenn man aus der Stimme eines Reichen heraushört, daß er sich nur an sein eigenes Ego wendet und, obschon die Wörter, die er ausspricht, technisch gesehen einem selbst gelten, gar nicht auf die Idee kommt, daß man sie verstehen könnte. »Wie zerbrechlich?«, frage ich also in einem wenig gewinnenden Ton.

Er seufzt ostentativ, und ich nehme in seinem Atem eine ganz leichte Note von Ingwer wahr.

»Es handelt sich um eine Inkunabel«, sagt er zu mir und durchbohrt meine Augen, die ich glasig werden zu lassen versuche, mit seinem Blick des stolzen Besitzers.

»Na dann, viel Vergnügen«, sage ich und setze eine angewiderte Miene auf. »Ich bringe es Ihnen, sobald der Bote da ist.«

Und ich schlage ihm die Tür vor der Nase zu.

Die Aussicht, daß Pierre Arthens heute abend an seiner Tafel als Bonmot die Entrüstung seiner Concierge zum besten gibt, weil er vor ihr eine Inkunabel erwähnt und sie vermutlich etwas Anstößiges darin gesehen hat, erheitert mich außerordentlich.

Gott weiß genau, wer von uns beiden sich mehr erniedrigt.

Tagebuch der Bewegung der Welt Nr. 1

In sich gesammelt bleiben
Ohne seine Shorts zu verlieren

Es ist sehr gut, regelmäßig einen tiefgründigen Gedanken zu haben, aber ich denke, das genügt nicht. Also, ich will sagen: Ich werde in ein paar Monaten Selbstmord begehen und das Haus anzünden, und so kann ich natürlich nicht davon ausgehen, daß ich Zeit habe, ich muß in der Frist, die mir bleibt, etwas Handfestes tun. Und vor allem habe ich mich einer kleinen Herausforderung gestellt: Wenn man Selbstmord begeht, muß man sicher sein, was man tut, und man kann die Wohnung nicht »für die Katz« anzünden. Wenn es also auf dieser Welt etwas gibt, das es wert ist zu leben, darf ich es nicht verpassen, denn wenn man einmal tot ist, ist es zu spät zur Reue, und zu sterben, weil man sich getäuscht hat, ist wirklich zu dumm.

Also, natürlich habe ich meine tiefgründigen Gedanken. Aber in meinen tiefgründigen Gedanken spiele ich schließlich die, die ich bin, nicht wahr, eine Intellektuelle (die sich über die anderen Intellektuellen lustig macht). Nicht immer sehr glorreich, aber sehr unterhaltend. Ich habe mir also gedacht, daß man diesen Aspekt »Ruhm des Geistes« mit einem anderen Tagebuch ausgleichen müßte, in dem vom Körper oder den Dingen die Rede wäre. Nicht die tiefgründigen Gedanken des Geistes, sondern die Meisterwerke der Materie. Etwas Körperliches, Greifbares. Aber auch etwas Schönes oder Ästhetisches. Außer der Liebe, der Freundschaft und der Schönheit der Kunst sehe ich nicht viel anderes, was das menschliche Leben nähren könnte. Die Liebe und die Freundschaft, da bin ich noch zu jung, um wirklich Anspruch darauf zu erheben. Aber die Kunst … wenn ich hätte leben sollen, wäre sie mein ganzes Leben gewesen. Also, wenn ich sage die Kunst, muß man mich recht verstehen: Ich spreche nicht nur von den Meisterwerken der Großen. Nicht einmal für Vermeer hänge ich am Leben. Das alles ist erhaben, aber es ist tot. Nein, ich denke an die Schönheit in der Welt, an das, was uns in der Bewegung des Lebens erheben kann. Das ›Tagebuch der Bewegung der Welt‹ wird also der Bewegung der Leute, der Körper oder, wenn es wirklich nichts zu sagen gibt, sogar der Dinge gewidmet sein, um darin etwas zu finden, was genügend ästhetisch ist, um dem Leben einen Wert zu geben. Anmut, Schönheit, Harmonie, Intensität. Wenn ich etwas finde, werde ich den Entschluß vielleicht nochmals überdenken: Wenn ich in Ermangelung eines schönen Gedankens für den Geist eine schöne Bewegung des Körpers finde, dann werde ich vielleicht denken, daß das Leben lebenswert ist.

In Wirklichkeit ist mir die Idee eines doppelten Tagebuchs (eines für den Geist, das andere für den Körper) gestern gekommen, weil Papa im Fernsehen ein Rugbymatch anschaute. Bisher schaute ich in solchen Fällen vor allem Papa an. Ich mag es, ihn anzusehen, wenn er die Hemdsärmel hochgekrempelt und die Schuhe ausgezogen hat und es sich auf dem Sofa bequem macht, mit einem Bier und Wurst, und wenn er das Match anschaut und vermittelt: »Seht nur, welcher Mann ich auch sein kann.« Es kommt ihm natürlich nicht in den Sinn, daß ein Stereotyp (sehr seriöser Herr Minister der Republik) plus ein anderes Stereotyp (netter Kerl dazu, der kaltes Bier mag) ein Stereotyp hoch zwei ergibt. Kurz, am Samstag ist Papa früher als sonst nach Hause gekommen, hat seine Mappe hingeschmissen, die Schuhe ausgezogen, die Hemdsärmel hochgekrempelt, in der Küche ein Bier geholt und sich in einen Sessel vor dem Fernseher sinken lassen, worauf er zu mir gesagt hat: »Bring mir bitte ein bißchen Wurst, mein Spatz, ich möchte den Haka nicht verpassen.« Den Haka verpassen, von wegen! Ich hatte reichlich Zeit, die Wurst in Scheiben zu schneiden und sie ihm zu bringen, und noch immer kam Werbung. Mama saß in prekärem Gleichgewicht auf einer Armlehne des Sofas, um deutlich zu machen, daß sie nichts mit der Sache anfangen konnte (von der stereotypen Familie möchte ich bitte die Karte der Betschwester-Linksintellektuellen), und lag Papa mit einer komplizierten Geschichte eines Abendessens in den Ohren, in der es darum ging, zwei zerstrittene Paare einzuladen, um sie wieder zu versöhnen. Wenn man Mamas psychologische Subtilität kennt, kann einen das Vorhaben zum Lachen bringen. Kurz, ich habe Papa seine Wurst gebracht, und da ich wußte, daß Colombe in ihrem Zimmer war und angeblich aufgeklärte Musik aus dem 5. Arrondissement hörte, habe ich mir gesagt: Na ja, warum auch nicht, sehen wir uns einen kleinen Haka an. In meiner Erinnerung war der Haka ein leicht grotesker Tanz, den die Spieler der neuseeländischen Mannschaft vor dem Match aufführen. So eine Art Einschüchterungsgehabe wie bei den großen Affen. Ebenso ist in meiner Erinnerung das Rugby ein plumpes Spiel, mit Burschen, die sich dauernd ins Gras werfen und wieder aufstehen, um ein paar Schritte weiter erneut hinzufallen und sich ineinander zu verkeilen.

Die Werbung ist schließlich zu Ende gegangen, und nach einem Vorspann mit lauter auf dem Rasen hingelümmelten dicken Kerlen kam das Stadion mit der Offstimme der Kommentatoren ins Bild und dann eine Großaufnahme der Kommentatoren (Sklaven des Eintopfs) und dann wieder das Stadion. Die Spieler erschienen auf dem Spielfeld, und da hat es mich langsam gepackt. Ich habe am Anfang nicht recht verstanden, es waren die gleichen Bilder wie sonst, aber sie hatten eine neue Wirkung auf mich, es war wie eine Art Prickeln, eine Erwartung, ein »Ich-halte-den-Atem-an«. Papa, der neben mir saß, hatte schon sein erstes Bier gekippt und schickte sich an, in der deftigen Manier fortzufahren, indem er Mama, die eben von ihrer Armlehne herabgestiegen war, bat, ihm ein neues zu bringen. Ich hielt den Atem an. Was ist los?, fragte ich mich, während ich auf den Bildschirm schaute und nicht wußte, was ich sah und was mir ein solches Prickeln verursachte.

Ich habe es begriffen, als die neuseeländischen Spieler mit ihrem Haka begannen. Unter ihnen war ein sehr großer Maori, ein ganz junger. An ihm war mein Blick von Anfang an hängengeblieben, zunächst vermutlich wegen seiner Größe, aber dann wegen seiner Art, sich zu bewegen. Eine äußerst merkwürdige Art von Bewegung, sehr flüssig, aber vor allem sehr konzentriert, das heißt sehr auf sich selbst konzentriert. Wenn sich die Leute bewegen, bewegen sich die meisten von ihnen in Abhängigkeit von dem, was um sie herum ist. Genau in dem Moment, da ich das schreibe, kommt Constitution vorbei, mit dem Bauch, der am Boden nachschleift. Diese Katze hat keinen festen Plan im Leben, und doch geht sie auf etwas zu, einen Sessel vermutlich. Und das sieht man an ihrer Art, sich zu bewegen: Sie geht *auf etwas zu*. Mama ging eben vorbei in Richtung Eingangstür, sie geht einkaufen, und tatsächlich ist sie schon draußen, ihre Bewegung nimmt sich selbst vorweg. Ich weiß nicht genau, wie ich es erklären soll, aber wenn wir uns fortbewegen, werden wir durch diese Bewegung *auf etwas zu* gewissermaßen aufgelöst: Man ist gleichzeitig da und wiederum nicht da, weil man schon dabei ist, anderswohin zu gehen, wenn Sie verstehen, was ich meine. Wenn man sich nicht weiter auflösen will, darf man sich überhaupt nicht mehr bewegen. Entweder du bewegst dich und bist nicht mehr ganz oder du bist ganz und kannst dich nicht mehr bewegen. Doch schon als ich ihn aufs Spielfeld kommen sah, hatte ich bei diesem Spieler etwas anderes gespürt. Das Gefühl zu sehen, wie er sich bewegte, ja, aber daß er gleichzeitig stehenblieb. Verrückt, wie? Als der Haka begann, habe ich vor allem ihm zugeschaut. Es war klar, daß er nicht wie die anderen war. Übrigens hat Eintopf Nr. 1 gesagt: »Und Somu, der gefährliche Schlußspieler der Neuseeländer, beeindruckt uns immer wieder gleichermaßen durch seine hünenhafte Gestalt. Zwei Meter null sieben, hundertachtzehn Kilo, elf Sekunden auf hundert Meter, ein schönes Baby, wahrhaftig, Madame!« Alle waren wie hypnotisiert von ihm, aber niemand schien wirklich zu wissen warum. Dabei ist es während dem Haka ganz offenkundig geworden: Er bewegte sich, er machte die gleichen Bewegungen wie die anderen (sich mit den Handflächen auf die Schenkel schlagen, rhythmisch auf den Boden hämmern, die Ellbogen berühren und dabei die ganze Zeit dem Gegner mit der Miene eines gereizten Kriegers in die Augen sehen), doch während die Bewegungen der anderen auf ihre Gegner ausgerichtet waren und auf das ganze Stadion, das ihnen zuschaute, blieben die Bewegungen dieses Spielers auf ihn selbst gerichtet, blieben konzentriert auf ihn, und das verlieh ihm eine unglaubliche Präsenz und Intensität. Daraus bezog der Haka, der ein Kriegsgesang ist, seine ganze Kraft. Was die Kraft des Soldaten ausmacht, ist nicht die Energie, die er aufbietet, um den anderen einzuschüchtern, indem er ihm jede Menge Signale übermittelt, sondern die Kraft, die er in sich zu konzentrieren vermag, während er ganz bei sich selbst bleibt. Der Maori-Spieler wurde zu einem Baum, zu einer großen, unzerstörbaren Eiche mit tiefen Wurzeln, mit einer mächtigen Ausstrahlung, und alle spürten es. Und doch hatte man die Gewißheit, daß die große Eiche Somu auch fliegen konnte, daß sie genauso schnell wäre wie der Wind, trotz oder dank ihrer großen Wurzeln.

Ich habe das Match daraufhin sehr aufmerksam angeschaut,

wobei ich immer das gleiche suchte: verdichtete Momente, in denen ein Spieler zu seiner eigenen Bewegung wurde, ohne sich auflösen zu müssen, indem er *auf etwas zu* ging. Und ich habe solche Momente gesehen! In allen Spielphasen habe ich sie gesehen: im Gedränge, mit einem deutlich erkennbaren Zentrum, einen Spieler, der zu seinen Wurzeln fand und zu einem soliden kleinen Anker wurde, welcher der Gruppe seine Kraft gab; in den Entwicklungsphasen, mit einem Spieler, der die richtige Geschwindigkeit fand, indem er nicht länger ans Ziel dachte, sondern sich auf seine eigene Bewegung konzentrierte, und der wie im Stand der Gnade lief, mit dem Ball dicht am Körper; in der Trance der Torjäger, die sich vom Rest der Welt absonderten, um die perfekte Bewegung des Fußes zu finden. Doch keiner erreichte die Perfektion des großen Maori-Spielers. Als dieser den ersten neuseeländischen Versuch erzielte, ist Papa mit offenem Mund ganz benommen dagesessen und hat sein Bier vergessen. Er hätte ärgerlich sein müssen, weil er doch die französische Mannschaft unterstützte, doch statt dessen sagte er: »Was für ein Spieler!«, während er sich mit einer Hand über die Stirne fuhr. Die Kommentatoren hatten eine leicht trockene Kehle, aber sie konnten nicht verbergen, daß man da wirklich etwas Schönes gesehen hatte: einen Spieler, der lief, ohne sich zu bewegen, und der dabei alle hinter sich ließ. Es waren die anderen, die wilde und ungeschickte Bewegungen zu machen schienen und die trotzdem unfähig waren, ihn einzuholen.

Da habe ich mir gesagt: Siehe da, ich war fähig, unbewegte Bewegungen in der Welt zu erkennen; lohnt es sich, dafür weiterzumachen? In diesem Moment hat ein französischer Spieler in einem sogenannten Paket seine Shorts verloren, und plötzlich fühlte ich mich völlig deprimiert, weil dabei alle Tränen lachten, einschließlich Papa, der sich ein weiteres kleines Bier genehmigte, und das trotz zwei Jahrhunderten Protestantismus in der Familie. Für mich war es wie eine Entwürdigung.

Das heißt also nein, es reicht nicht. Es würde schon andere Bewegungen brauchen, um mich zu überzeugen. Aber zumindest hat es mich auf den Gedanken gebracht.

2

Von Kriegen und Kolonien

Ich habe nicht studiert, sagte ich als Einleitung zu diesen Zeilen. Das stimmt nicht ganz. Doch meine jugendliche Lernzeit endete mit dem Volksschulabschluß, vor dem ich darauf geachtet hatte, daß man nicht auf mich aufmerksam wurde – geängstigt durch den Verdacht, den Monsieur Servant, der Lehrer, hegte, wie ich wußte, seit er mich ertappt hatte, als ich, noch keine zehn Jahre alt, gierig seine Zeitung verschlang, in der nur von Kriegen und Kolonien die Rede war.

Warum? Meinen Sie wirklich, es hätte anders kommen können? Ich weiß es nicht. Diese Frage ist etwas für die Seher vergangener Zeiten. Sagen wir, daß mich der Gedanke, in einer Welt von Wohlhabenden zu kämpfen, ich, das mittellose Mädchen ohne Schönheit und ohne Reiz, ohne Vergangenheit und ohne Ehrgeiz, ohne Lebensart und ohne Glanz, ermüdet hat, bevor ich es auch nur versucht hatte. Ich wünschte mir nur eines: daß man mich in Ruhe lasse, ohne allzuviel von mir zu verlangen, und daß mir ein paar Augenblicke pro Tag die Freiheit vergönnt sei, meinen Hunger zu stillen.

Dem, der den Appetit nicht kennt, erscheint das erste Nagen des Hungers wie ein Schmerz und eine Erleuchtung zugleich. Ich war ein apathisches und nahezu verkrüppeltes Kind, mit einem Rücken so krumm, daß er fast einem Buckel glich, und das dem Leben nur durch die Unkenntnis standhielt, daß es einen anderen Weg geben könnte. Meine Interesse- und Lustlosigkeit war fast grenzenlos; nichts sprach mich an, nichts regte mich an, und wie ein schwacher Strohhalm im unergründlichen Spiel der Wellen kannte ich nicht einmal den Wunsch, dem ein Ende zu setzen.

Bei uns zu Hause wurde nicht geredet. Die Kinder schrien, und die Erwachsenen gingen ihren Beschäftigungen nach, wie sie es in der Einsamkeit getan hätten. Wir aßen uns satt, wenn die Kost auch einfach war, wir wurden nicht mißhandelt, und unsere Armeleutekleider waren sauber, so daß wir, mochten wir uns ihrer auch schämen, nicht unter der Kälte litten. Aber wir sprachen nicht miteinander.

Die Offenbarung fand statt, als ich mit fünf Jahren zum ersten Mal zur Schule ging und die Überraschung und den Schrecken erlebte, eine Stimme zu hören, die sich an mich richtete und meinen Vornamen aussprach.

»Renée?«, fragte die Stimme, während ich eine freundliche Hand spürte, die sich auf die meine legte.

Es war im Korridor, wo man die Kinder, für den ersten Schultag und weil es regnete, zusammengepfercht hatte.

»Renée?«, modulierte die Stimme, die von oben kam, und die freundliche Hand fuhr fort, meinen Arm in einer mir unverständlichen Sprache leicht und zärtlich zu drücken.

Ich hob den Kopf, in einer ungewohnten Bewegung, die mich fast schwindlig machte, und begegnete einem Blick.

Renée. Es handelte sich um mich. Zum ersten Mal wandte sich jemand mit meinem Vornamen an mich. Dort, wo meine Eltern Gesten oder Brummen gebrauchten, bahnte sich eine Frau, deren helle Augen und lächelnden Mund ich jetzt betrachtete, einen Weg zu meinem Herzen, und indem sie meinen Namen aussprach, trat sie in eine Nähe zu mir, die ich mir bis dahin nicht einmal hatte vorstellen können. Ich schaute um mich herum auf eine Welt, die plötzlich in Farben getaucht war. In einem schmerzhaften Aufblitzen nahm ich den Regen wahr, der draußen fiel, die Fenster, an denen das Wasser herunterlief, den Geruch der nassen Kleider, die Enge des Korridors, ein dünner Schlauch, in dem die Kinderschar vibrierte, die Patina der Garderobe mit den Messingknöpfen, an denen übereinandergeschichtet Pelerinen aus schlechtem Tuch aufgehängt waren – und die Höhe der Decken, so hoch wie der Himmel für einen Kinderblick.

Meine trübsinnigen Augen auf die ihren gerichtet, klammerte ich mich an die Frau, die mir eben zur Geburt verholfen hatte.

»Renée«, hob die Stimme wieder an, »willst du deine Jacke ausziehen?«

Und mit festem Griff, damit ich nicht hinfiel, zog sie mich mit der Flinkheit langer Erfahrung aus.

Man glaubt zu Unrecht, daß das Erwachen des Bewußtseins mit der Stunde unserer ersten Geburt zusammenfällt, vielleicht deshalb, weil wir uns keinen anderen Zustand des Lebendigseins als diesen vorzustellen vermögen. Uns scheint, daß wir immer gesehen und gefühlt haben, und aufgrund dieses Glaubens betrachten wir die Geburt als den entscheidenden Moment, in dem auch das Bewußtsein geboren wird. Daß ein kleines Mädchen namens Renée, ein funktionstüchtiger perzeptiver Mechanismus, ausgestattet mit dem Sehvermögen, dem Hörvermögen, dem Geruchssinn, dem Geschmacks- und dem Tastsinn, fünf Jahre lang in der völligen Unbewußtheit seiner selbst und des Universums leben konnte, widerlegt diese vorschnelle Theorie. Denn damit das Bewußtsein entstehen kann, braucht es einen Namen.

Nun zeigte sich aber, daß durch das Zusammentreffen

von unglücklichen Umständen niemand daran gedacht hatte, mir den meinen zu geben.

»Was für hübsche Augen«, fuhr die Lehrerin fort, und ich wußte intuitiv, daß sie nicht log, daß meine Augen in diesem Augenblick aus dieser Schönheit heraus leuchteten und daß sie, das Wunder meiner Geburt widerspiegelnd, wie tausend Lichter funkelten.

Ich begann zu zittern und suchte in den ihren das geheime Einverständnis, das jede geteilte Freude erzeugt.

In ihrem sanften und wohlwollenden Blick las ich lediglich Mitgefühl.

Zur Stunde, da ich endlich geboren wurde, empfand man nur Mitleid mit mir.

Ich war wie besessen.

Da mein Hunger nicht im Spiel sozialer Interaktionen gestillt werden konnte, die meine Stellung undenkbar machte, würde dies durch Bücher geschehen – und ich verstand es dann später, dieses Mitgefühl in den Augen meiner Retterin, denn hat man je ein Armeleutekind gesehen, das in das Arkadien der Sprache eindringt und sich mit den anderen in ihr übt? Zum ersten Mal berührte ich ein Buch. Ich hatte gesehen, wie die Großen der Klasse darin unsichtbaren Spuren folgten, als wären sie von der gleichen Kraft getrieben, und wie sie, sich in die Stille versenkend, aus dem toten Papier etwas schöpften, das lebendig schien.

Ich habe zu lesen gelernt, ohne daß jemand etwas davon wußte. Die Lehrerin buchstabierte den anderen Kindern noch jedes Wort vor, als ich schon lange um die Solidarität wußte, die die Schriftzeichen webt, um ihre unendlichen Verbindungen und die wundervollen Töne, die mich geadelt hatten an diesem Ort, am ersten Tag, als sie meinen Vornamen ausgesprochen hatte. Niemand bemerkte etwas. Ich las wie eine Besessene, heimlich zunächst, und dann, als mir die normale Zeit des Lernens abgelaufen zu sein schien, vor aller Augen, wobei ich jedoch sorgfältig verbarg, welches Vergnügen und welches Interesse ich dabei empfand.

Das schwachsinnige Kind war zu einer hungrigen Seele geworden.

Mit zwölf Jahren ging ich von der Schule ab und arbeitete zu Hause und auf dem Feld an der Seite meiner Eltern und meiner Brüder und Schwestern. Mit siebzehn heiratete ich.

3

Ein Pudel als Totem

In der kollektiven Vorstellung besitzt das Conciergepaar, ein miteinander verschmolzenes Duo, zusammengesetzt aus so unbedeutenden Wesen, daß erst ihr Zusammenschluß sie zu etwas macht, fast mit Sicherheit einen Pudel. Pudel sind bekanntlich eine Hundeart mit Lockenfell, gehalten von rechtsextremen Rentnern, sehr einsamen Damen, die ihre ganze Liebe auf sie übertragen, oder von Conciergen, die in ihren finsteren Logen hocken. Sie können schwarz oder aprikosenfarben sein. Die aprikosenfarbenen sind zänkischer als die schwarzen, die wiederum weniger gut riechen. Alle Pudel bellen gehässig bei der geringsten Gelegenheit, besonders aber, wenn nichts passiert. Sie trippeln ihren Herrchen steifbeinig hinterher, ohne den Rest ihres kleinen Wurstrumpfs zu bewegen. Vor allem haben sie boshafte schwarze Äuglein, die in nichtssagenden Augenhöhlen liegen. Die Pudel sind häßlich und dumm, fügsam und angeberisch. Pudel eben.

So scheint das Conciergepaar, versinnbildlicht durch seinen Totemhund, der Leidenschaften wie Liebe und Verlangen zu entbehren und, wie das Totem selbst, dazu verurteilt, häßlich, dumm, fügsam und angeberisch zu bleiben. Mögen sich in gewissen Romanen Prinzen in Arbeiterinnen verlieben oder Prinzessinnen in Galeerensklaven, zwischen einem Conciergen und einem anderen Conciergen, selbst entgegengesetzten Geschlechts, ereignen sich nie Romanzen, wie sie den anderen passieren und die es wert wären, irgendwo erzählt zu werden.

Wir haben nicht nur nie einen Pudel besessen, ich glaube sogar sagen zu können, daß unsere Ehe ein Erfolg war. Mit meinem Mann war ich ganz ich selbst. Mit Wehmut denke ich an die Sonntagmorgen zurück, jene gesegneten Morgen der freien Tage, wenn er in der Stille der Küche seinen Kaffee trank, während ich las.

Ich hatte ihn mit siebzehn Jahren geheiratet, nachdem er mir kurz, aber korrekt den Hof gemacht hatte. Er arbeitete in der Fabrik wie meine älteren Brüder und kam bisweilen am Abend auf einen Kaffee oder einen Schnaps zu uns. Leider war ich häßlich. Das wäre nicht unbedingt maßgebend gewesen, wenn ich häßlich in der Art der anderen gewesen wäre. Doch meine Häßlichkeit hatte die Grausamkeit, daß sie nur mir gehörte und daß sie, mir jede Frische raubend, noch bevor ich zur Frau herangewachsen war, mich schon mit fünfzehn Jahren derjenigen gleichen ließ, die ich mit fünfzig sein würde. Mein krummer Rücken, meine plumpe Taille, meine kurzen Beine, meine nach außen gerichteten Füße, meine üppige Körperbehaarung, meine verwischten Gesichtszüge, ohne Konturen und ohne Anmut, hätten mir verziehen werden können zugunsten des Charmes, den selbst die unansehnlichste Jugend besitzt – doch statt dessen haftete mir schon mit zwanzig der Geruch der alten Schachtel an.

Als dann die Absichten meines zukünftigen Mannes deutlicher wurden und es mir nicht mehr möglich war, sie zu übersehen, vertraute ich mich ihm an, wobei ich zum ersten Mal offen zu jemand anderem als mir selbst sprach, und gestand ihm, wie sehr mich der Gedanke erstaunte, daß er den Wunsch haben konnte, mich zu heiraten.

Ich war aufrichtig. Ich hatte mich seit langem an die Aussicht gewöhnt, ein einsames Leben zu führen. Arm und häßlich und überdies intelligent zu sein, verdammt einen in unserer Gesellschaft zu düsteren Lebenswegen ohne Illusionen, an die man sich besser frühzeitig gewöhnt. Der Schönheit verzeiht man alles, sogar die Vulgarität. Die Intelligenz erscheint nicht mehr als gerechter Ausgleich, eine Entschädigung der Natur an die weniger Begünstigten ihrer Kinder, sondern als überflüssiges Spielzeug, das den Wert des Kleinods erhöht. Die Häßlichkeit hingegen ist immer schon schuldig, und diesem tragischen Schicksal geweiht zu sein war für mich um so schmerzlicher, als ich nicht dumm war.

»Renée«, antwortete er mir mit dem ganzen Ernst, zu dem er fähig war, und im Laufe dieser langen Tirade erschöpfte sich die ganze Redseligkeit, die er später nie mehr aufbieten würde, »Renée, ich will keines dieser naiven Geschöpfe zur Frau, die einen liederlichen Lebenswandel führen und unter ihrem niedlichen Puppengesicht nicht mehr Hirn als ein Spatz haben. Ich will eine treue Gefährtin, eine gute Ehefrau, eine gute Mutter und gute Hausfrau. Ich will eine friedliche und zuverlässige Gefährtin, die mir zur Seite steht und mich unterstützt. Als Gegenleistung kannst du von mir Ernsthaftigkeit bei der Arbeit, Ruhe zu Hause und Zärtlichkeit im richtigen Moment erwarten. Ich bin kein schlechter Kerl, und ich werde mein Bestes tun.«

Und das tat er.

Klein und dürr wie ein Ulmenstrunk, hatte er indessen ein angenehmes, meist lächelndes Gesicht. Er trank nicht, rauchte nicht, priemte nicht, wettete nicht. Zu Hause, nach der Arbeit, sah er fern, blätterte in Anglerzeitschriften oder spielte mit seinen Freunden aus der Fabrik Karten. Er war sehr sozial und lud gerne ein. Am Sonntag ging er angeln. Ich für meinen Teil kümmerte mich um den Haushalt, denn er war dagegen, daß ich ihn bei anderen machte.

Es fehlte ihm nicht an Intelligenz, obschon diese nicht von der Art war, die die Gesellschaft wertschätzt. Seine Stärken beschränkten sich auf die manuellen Geschäfte, doch entfaltete er darin ein Talent, das nicht nur mit motorischen Fähigkeiten zu tun hatte, und obschon er ungebildet war, ging er an alles mit jener Erfindungsgabe heran, die in den unbedeutenden kleinen Arbeiten die Fleißigen von den Künstlern unterscheidet und im Gespräch zeigt, daß Wissen nicht alles ist. Nachdem ich mich sehr früh mit der Existenz einer Nonne abgefunden hatte, schien es mir daher sehr gnädig, daß der Himmel mir, der geheirateten Frau, einen Gefährten mit so liebenswürdigem Benehmen beschert hatte, der, wenn auch kein Intellektueller, so doch ein findiger Kopf war.

Es hätte auch ein Grelier sein können.

Bernard Grelier ist einer der wenigen Menschen in der Rue de Grenelle 7, bei dem ich keine Angst habe, mich zu verraten. Ob ich ihm sage: ›Krieg und Frieden‹ ist die Inszenierung einer deterministischen Sichtweise der Geschichte« oder: »Sie täten gut daran, die Türangeln des Müllraums zu ölen«, er legt ins eine nicht mehr Sinn als ins andere. Ich frage mich sogar, durch welches ungeklärte Wunder die zweite Aufforderung bei ihm eine Aktion auszulösen vermag. Wie kann man etwas machen, das man nicht versteht? Diese Art von Anweisung verlangt vermutlich keine rationale Verarbeitung, und wie jene Stimuli, die im geschlossenen Kreis im Rückenmark zirkulieren und den Reflex auslösen, ohne das Hirn zu bemühen, ist vielleicht der Befehl zu ölen nur eine mechanische Beanspruchung, die die Glieder in Bewegung setzt, ohne daß der Geist dabei mitwirkt.

Bernard Grelier ist der Mann von Violette Grelier, der »Gouvernante« der Arthens'. Dreißig Jahre zuvor als einfaches Mädchen für alles in ihren Dienst getreten, war sie aufgestiegen, je reicher die Familie wurde, und nun, da sie als Gouvernante über ein lächerliches Reich regierte, bestehend aus der Putzfrau (Manuela), dem gelegentlichen Majordomus (einem Engländer) und dem Laufburschen (ihrem Mann), hatte sie für das kleine Volk die gleiche Verachtung übrig wie ihre großbürgerlichen Arbeitgeber. Sie schwatzte den lieben langen Tag drauflos, machte sich mit wichtiger Miene an allen Ecken und Enden zu schaffen, wies, wie im Versailles der besten Zeiten, die Dienerschaft zurecht und lag Manuela mit dozierenden Reden über die Liebe zur sorgfältig gemachten Arbeit und den Verfall der guten Manieren in den Ohren.

»Sie hat Marx nicht gelesen«, sagte Manuela einmal zu mir. Die Triftigkeit dieser Feststellung einer portugiesischen Hausangestellten, die doch wenig bewandert ist im Studium der Philosophen, verblüffte mich. Nein, Violette Grelier hatte Marx mit Sicherheit nicht gelesen, weil er nämlich auf keiner der Listen mit Reinigungsmitteln für das Tafelsilber der Reichen aufgeführt war. Um den Preis dieser Bildungslücke erbte sie einen Alltag, der gespickt war mit endlosen Katalogen zum Thema Stärke und leinene Geschirrtücher.

Ich war also gut verheiratet.

Überdies hatte ich meinem Mann schon bald meinen sehr großen Fehler gestanden.

Tiefgründiger Gedanke Nr. 2

Die Katze hienieden
Modernes Totem
Und bisweilen dekorativ

Bei uns jedenfalls trifft das zu. Wenn Sie unsere Familie verstehen wollen, brauchen Sie sich nur die Katzen anzusehen. Unsere beiden Katzen sind zwei dicke Luxuskrokettenwänste, die keinerlei interessante Interaktionen mit den Menschen haben. Sie schleppen sich von einem Sessel zum anderen, wobei sie überall Haare hinterlassen, und niemand scheint begriffen zu haben, daß sie nicht die geringste Zuneigung für jemanden empfinden. Der einzige Nutzen der Katzen liegt darin, daß sie bewegliche Dekorationsgegenstände darstellen, ein Konzept, das ich intellektuell interessant finde, doch der Bauch der unseren hängt zu sehr, als daß es auf sie angewendet werden könnte.

Meine Mutter, die den ganzen Balzac gelesen hat und Flaubert bei jedem Abendessen zitiert, demonstriert tagtäglich, wie sehr das angeeignete Wissen eine gewaltige Hochstapelei ist. Man braucht sie nur mit den Katzen zu sehen. Sie ist sich deren dekorativen Potentials vage bewußt, und doch versteift sie sich darauf, wie mit Personen mit ihnen zu sprechen, was ihr bei einer Lampe oder einer etruskischen Statuette nicht im Traum einfallen würde. Kinder glauben offenbar bis zu einem fortgeschrittenen Alter, daß alles, was sich bewegt, eine Seele hat und zu einer Absicht fähig ist. Meine Mutter ist kein Kind mehr, aber sie kann sich offenbar nicht vorstellen, daß Constitution und Parlement nicht mehr Verstand haben als ein Staubsauger. Ich gebe zu, der Unterschied zwischen dem Staubsauger und ihnen liegt darin, daß eine Katze Lust und Schmerz empfinden kann. Doch bedeutet das, daß sie deswegen eher fähig ist, mit dem Menschen zu *kommunizieren*? Keineswegs. Es sollte uns nur veranlassen, sie besonders vorsichtig zu behandeln, wie einen sehr zerbrechlichen Gegenstand. Wenn ich höre, wie meine Mutter sagt: »Constitution ist eine sehr stolze und zugleich sehr sensible kleine Katze«, während die andere auf dem Sofa herumlümmelt, weil sie zu viel gefressen hat, kann ich nur lachen. Wenn man jedoch über die Hypothese nachdenkt, derzufolge die Funktion der Katze darin besteht, ein modernes Totem zu sein, eine Art emblematische und schützende Verkörperung des Heims, die mit Wohlwollen widerspiegelt, was die Mitglieder des Hauses sind, wird es offenkundig. Meine Mutter macht aus den Katzen das, was sie gerne möchte, das wir sein sollen und das wir absolut nicht sind. Niemand ist weniger stolz und sensibel als die drei nachgenannten Mitglieder der Familie Josse: Papa, Mama und Colombe. Sie sind vollkommen willenlos und betäubt, ohne jede Emotion.

Kurz, meiner Ansicht nach ist die Katze ein modernes Totem. Man kann sagen, was man will, man kann große Reden schwingen über die Evolution, die Zivilisation und jede Menge anderer Wörter mit »tion«, der Mensch ist seit seinen Anfängen nicht weit vorangekommen: Er glaubt immer noch, daß er nicht zufällig hier ist und daß mehrheitlich wohlwollende Götter über sein Schicksal wachen.

4

Den Kampf verweigert

Ich habe so viele Bücher gelesen …

Und doch bin ich, wie alle Autodidakten, nie sicher, was ich von ihnen verstanden habe. An einem Tag scheint mir, ich umfasse mit einem einzigen Blick die Gesamtheit des Wissens, als würden plötzlich unsichtbare Verzweigungen entstehen und meine zusammenhangslosen Lektüren miteinander verweben – und dann entzieht sich mir unvermittelt der Sinn, entgeht mir das Wesentliche, und ich kann die gleichen Zeilen immer wieder lesen, sie entgleiten mir jedes Mal etwas mehr, während ich mir wie eine alte Närrin vorkomme, die ihren Magen voll wähnt, weil sie aufmerksam die Speisekarte gelesen hat. Die Verbindung dieser Fähigkeit und dieser Blindheit ist offenbar das Merkmal des Autodidaktismus. Er enthält dem Lernenden die sicheren Führer vor, für die jede gute Bildung sorgt, doch gewährt er ihm dafür eine Freiheit und eine Synthese im Denken, wo die offiziellen Diskurse Schranken errichten und das Abenteuer verbieten.

Was dieses Thema angeht, so sitze ich heute morgen ratlos in der Küche, ein kleines Buch vor mir. Ich erlebe einen jener Momente, wo der Wahnsinn meines einsamen Unterfangens mich packt und wo ich, nahe daran aufzugeben, fürchte, endlich meinen Meister gefunden zu haben.

Einen Meister mit Namen Husserl, ein Name, den man

keinem Haustier und keiner Schokoladenmarke gibt, da er an etwas Ernstes, Abweisendes und leicht Preußisches denken läßt. Doch das tröstet mich nicht. Ich bin der Ansicht, daß mein Schicksal mich besser als jeden anderen gelehrt hat, den negativen Einflüssen des globalen Denkens zu widerstehen. Ich kann Ihnen sagen: Wenn Sie sich bis jetzt vorgestellt haben, daß ich, von der Häßlichkeit über das Conciergeamt bis hin zur Witwenschaft und zum Alter, ein armseliges Etwas geworden bin, das sich in sein erbärmliches Los geschickt hat, dann mangelt es Ihnen an Phantasie. Ich habe den Rückzug angetreten, gewiß, und den Kampf verweigert. Doch in der Sicherheit meines Geistes gibt es kaum eine Herausforderung, die ich nicht annehmen könnte. Unbemittelt dem Namen, der Stellung und dem Äußeren nach, bin ich in meinem Verstand eine unbesiegte Göttin.

Edmund Husserl, ein Name für einen Staubsauger ohne Sack, wie ich beschließe, bedroht also den Fortbestand meines privaten Olymps.

»Gut, gut, gut, gut«, sage ich und atme tief durch, »für jedes Problem eine Lösung, nicht wahr?«, und Ermutigung heischend sehe ich den Kater an.

Der Undankbare antwortet nicht. Er hat soeben eine riesige Scheibe Rillettes verschlungen und kolonisiert jetzt, von großem Wohlwollen beseelt, den Sessel.

»Gut, gut, gut, gut«, wiederhole ich blöde, und ratlos betrachte ich erneut das lächerliche Büchlein.

›Cartesianische Meditationen – Eine Einleitung in die Phänomenologie‹. Am Titel des Werks und bei der Lektüre der ersten Seiten begreift man schnell, daß es nicht möglich ist, an Husserl, den Philosophen der Phänomenologie, heranzugehen, wenn man vorher nicht schon Descartes und Kant gelesen hat. Doch ebenso schnell wird klar, daß sich die Pforten zur transzendentalen Phänomenologie noch lange nicht öffnen, nur weil man Descartes und Kant beherrscht.

Schade. Ich empfinde für Kant nämlich eine glühende Bewunderung, aus dem zweifachen Grund, daß sein Denken ein bewundernswertes Konzentrat aus Genie, Rigorosität und Wahnsinn ist, und daß, so spartanisch seine Prosa auch sein mag, ich keinerlei Schwierigkeiten hatte, den Sinn zu ergründen. Die Kantischen Texte sind großartige Texte, und der Beweis dafür ist ihre Tauglichkeit, den Mirabellentest zu bestehen.

Der Mirabellentest besticht durch seine entwaffnende Eindeutigkeit. Er bezieht seine Stärke aus einer allgemeingültigen Feststellung: Während der Mensch in die Frucht beißt, versteht er endlich. Was versteht er? Alles. Er versteht das langsame Heranreifen eines Menschengeschlechts, das zum Überleben bestimmt ist und dann eines schönen Abends die Lust erahnt; die Nichtigkeit aller künstlichen Begierden, die vom ursprünglichen Streben nach den Tugenden der einfachen und erhabenen Dinge ablenken; die Sinnlosigkeit langer Worte; den langsamen und schrecklichen Verfall der Welten, dem niemand entgeht; und trotz alledem den wunderbaren Hochgenuß der Sinne, wenn sie darauf hinwirken, den Menschen die Freuden und die erschreckende Schönheit der Kunst zu lehren.

Der Mirabellentest findet in meiner Küche statt. Ich lege die Frucht und das Buch auf den Resopaltisch, und während ich in die erste hineinbeiße, versenke ich mich auch in das zweite. Wenn jeder dem mächtigen Ansturm des anderen standhält, wenn es der Mirabelle nicht gelingt, mich am Text zweifeln zu lassen, und wenn der Text der Frucht nichts anzuhaben vermag, dann weiß ich, daß ich es mit einem wichtigen, und sagen wir es ruhig, außergewöhnlichen Unternehmen zu tun habe, so wenige Werke gibt es, die, lächerlich und blasiert, wie sie sind, sich in der einzigartigen Schmackhaftigkeit der kleinen goldenen Kugeln nicht auflösen.

»Ich bin aufgeschmissen«, sage ich jetzt zu Leo, denn meine Kenntnisse in Sachen Kantsche Lehre zählen wenig im Hinblick auf den Abgrund der Phänomenologie.

Es bleibt mir nichts anderes übrig, ich muß zur Bibliothek und versuchen, eine Einführung in die Sache aufzutreiben. Normalerweise misstraue ich solchen Glossen oder Raffungen, die den Leser in die Ketten eines scholastischen Denkens legen. Doch die Lage ist zu ernst, als daß ich mir den Luxus leisten könnte zu zaudern. Die Phänomenologie entzieht sich mir, und das ist mir unerträglich.

Tiefgründiger Gedanke Nr. 3

Die Starken
Bei den Menschen
Tun nichts
Sie reden
Und reden

Dieser tiefgründige Gedanke stammt von mir, aber er ist aus einem anderen tiefgründigen Gedanken heraus entstanden. Einer von Papas Gästen hat ihn gestern abend beim Essen formuliert: »Diejenigen, die etwas tun können, tun etwas, diejenigen, die nichts tun können, unterrichten, diejenigen, die nicht unterrichten können, unterrichten die Unterrichtenden, und diejenigen, die die Unterrichtenden nicht unterrichten können, machen Politik.« Alle schienen das sehr originell zu finden, doch aus zweifelhaften Gründen. »Wie wahr!«, sagte Colombe, die eine Spezialistin der falschen Selbstkritik ist. Sie gehört zu denen, die glauben, daß Wissen Macht und Vergebung bedeutet. Wenn ich weiß, daß ich zu einer selbstzufriedenen Elite gehöre, die aus übertriebener Arroganz das Gemeingut verschleudert, entgehe ich der Kritik und ernte doppelt soviel Prestige. Auch Papa neigt dazu, so zu denken, obwohl er weniger blöd ist als meine Schwester. Er glaubt noch, daß es etwas gibt, das Pflicht heißt, und obwohl das meiner Meinung nach eine Illusion ist, bewahrt es ihn vor dem

Schwachsinn des Zynismus. Lassen Sie mich erklären: Es gibt keinen schlimmeren Wolkenschieber als den Zyniker. Weil er noch mit aller Kraft glaubt, daß die Welt einen Sinn hat, und weil er nicht ohne die Albernheiten der Kindheit auskommt, nimmt er die entgegengesetzte Haltung ein. »Das Leben ist eine Hure, ich glaube an nichts mehr und ich werde es bis zur Übelkeit auskosten«, lautet die Parole des verstimmten Naiven. Das ist ganz meine Schwester. Sie mag ja an der Hochschule sein, aber sie glaubt trotzdem noch an den Weihnachtsmann, und zwar nicht etwa, weil sie ein gutes Herz hat, sondern weil sie völlig kindisch ist. Sie grinste albern, als Papas Kollege seinen schönen Satz von sich gab, in der Art »ich beherrsche das narrative Verfahren der unendlichen Spiegelung«, und das hat mir bestätigt, was ich seit langem denke: Colombe ist eine totale Katastrophe.

Aber ich glaube, daß dieser Satz ein echter tiefgründiger Gedanke ist, gerade weil er nicht stimmt, jedenfalls nicht ganz stimmt. Er drückt nicht das aus, was man am Anfang glaubt. Ich garantiere Ihnen, die Welt würde anders aussehen, wenn man in der gesellschaftlichen Hierarchie proportional zu seiner Inkompetenz aufsteigen würde. Doch das Problem liegt woanders. Was dieser Satz sagen will, ist nicht, daß die Inkompetenten einen Platz an der Sonne haben, sondern daß nichts härter und ungerechter ist als die menschliche Realität: Die Menschen leben in einer Welt, in der die Wörter und nicht die Taten Macht haben, in der die Beherrschung der Sprache die höchste Kompetenz ist. Das ist schrecklich, denn im Grunde sind wir Primaten und darauf programmiert zu essen, zu schlafen, uns fortzupflanzen, unser Territorium zu erobern und zu sichern, und die Begabtesten darin, die Animalischsten unter uns, ziehen immer den kürzeren im Rennen mit den anderen, mit jenen, die zu reden verstehen, jedoch unfähig wären, ihren Garten zu verteidigen, einen Hasen für das Essen nach Hause zu bringen oder korrekt zu zeugen. Die Menschen leben in einer Welt, in der die Schwachen herrschen. Das ist eine schreckliche Beleidigung für unsere animalische Natur, eine Art Perversion, ein krasser Widerspruch.

5

Trauriges Los

Nach einem Monat frenetischer Lektüre beschließe ich mit einer lebhaften Erleichterung, daß die Phänomenologie eine Hochstapelei ist. So, wie die Kathedralen immer jenes Gefühl nahe der Ohnmacht in mir ausgelöst haben, das man gegenüber dem Ausdruck dessen empfindet, was die Menschen zum Ruhme von etwas nicht Existierendem bauen, erregt die Phänomenologie bei mir ungläubiges Staunen beim Gedanken, daß so viel Intelligenz einem so fruchtlosen Unternehmen hat dienen können. Da wir November schreiben, habe ich leider keine Mirabelle zur Hand. In solchen Fällen, elf Monate pro Jahr, um ehrlich zu sein, greife ich auf schwarze Schokolade zurück (70 %). Doch ich kenne das Ergebnis des Tests im voraus. Hätte ich die Muße, an diesem süßen Urmeter zu knabbern, ich würde mir geräuschvoll auf die Schenkel schlagen beim Lesen, und bei einem so schönen Kapitel wie »Enthüllung des Zwecksinnes der Wissenschaft durch Einleben in sie als noematisches Phänomen« oder »Entfaltung der konstitutiven Probleme des transzendentalen Ego selbst« könnte ich, in meinem behaglichen Lehnstuhl mitten ins Herz getroffen, sogar umkommen vor Lachen, während mir Mirabellensaft oder ein Schokoladenrinnsal aus den Mundwinkeln sickert.

Wenn man an die Phänomenologie herangehen will, muß man sich bewußt sein, daß sie sich in zwei Fragen zusammenfassen läßt: Wie ist das menschliche Bewußtsein beschaffen? Was kennen wir von der Welt?

Nehmen wir die erste.

Da deutet und debattiert man, von »Erkenne dich selbst« bis hin zu »Ich denke, also bin ich«, seit Jahrtausenden unablässig dieses lächerliche Vorrecht des Menschen, nämlich das Bewußtsein, das er von seiner eigenen Existenz hat, und insbesondere die Fähigkeit dieses Bewußtseins, sich selbst zum Gegenstand zu nehmen. Wenn es ihn irgendwo juckt, kratzt sich der Mensch und ist sich bewußt, daß er dabei ist, sich zu kratzen. Fragt man ihn: Was tust du?, so antwortet er: Ich kratze mich. Treibt man die Befragung weiter (bist du dir bewußt, daß du dir bewußt bist, daß du dich kratzest?), so antwortet er immer noch mit ja, und desgleichen bei allen Bist-du-dir-bewußt, die man hinzufügen kann. Doch juckt es den Menschen weniger, weil er weiß, daß er sich kratzt und sich dessen bewußt ist? Wirkt sich das reflexive Bewußtsein günstig auf die Art des Juckens aus? Keine Spur. Zu wissen, daß es juckt, und sich bewußt zu sein, daß man sich bewußt ist, es zu wissen, ändert rein gar nichts an der Tatsache, daß es juckt. Zusätzlicher Nachteil, man muß die Klarsicht aushalten, die sich aus diesem traurigen Los ergibt, und ich wette zehn Pfund Mirabellen, daß das eine Unannehmlichkeit verstärkt, die bei meiner Katze mit einer simplen Bewegung der vorderen Pfote aus der Welt geschafft wird. Doch es erscheint den Menschen so außergewöhnlich – denn kein anderes Tier ist dazu fähig, und dadurch entrinnen wir der tierischen Natur –, daß ein Wesen wissen kann, daß es weiß, daß es dabei ist, sich zu kratzen, daß viele diesen Vorrang des menschlichen Bewußtseins als Ausdruck von etwas Göttlichem in uns betrachten, das sich dem kalten Determinismus, dem alle physischen Dinge unterworfen sind, entzieht.

Die ganze Phänomenologie fußt auf dieser Gewißheit: Unser reflexives Bewußtsein, Zeichen unserer ontologischen Würde, ist die einzige Entität in uns, die es wert ist, daß man sie erforscht, weil sie uns vor dem biologischen Determinismus rettet.

Niemand scheint sich der Tatsache bewußt zu sein, daß alles vorher Gesagte nichtig ist, da wir nun einmal dem kalten Determinismus der physischen Dinge unterworfene Tiere *sind*.

6

Kutten

Also zur zweiten Frage: Was kennen wir von der Welt?

Auf diese Frage antworten die Idealisten wie Kant.

Was antworten sie?

Sie antworten: Nicht viel.

Der Idealismus ist die Position, die vertritt, daß wir nur das kennen können, was sich unserem Bewußtsein zeigt, dieser halb-göttlichen Wesenheit, die uns vor der tierischen Natur errettet. Wir kennen von der Welt das, was unser Bewußtsein über sie sagen kann, weil es sich ihm zeigt – und nicht mehr.

Nehmen wir ein Beispiel aufs Geratewohl, eine sympathische Katze namens Leo. Warum? Weil ich finde, daß es einfacher ist mit einer Katze. Und ich frage Sie: Wie können Sie sicher sein, daß es sich um eine Katze handelt, und überhaupt wissen, was eine Katze ist? Eine gesunde Antwort bestände darin, die Tatsache geltend zu machen, daß Ihre Wahrnehmung des Tiers, ergänzt durch einige begriffliche und sprachliche Mechanismen, es Ihnen ermöglicht, dieses Wissen zu bilden. Doch die idealistische Antwort besteht darin, anzuführen, daß es unmöglich sei zu wissen, ob das, was wir von der Katze wahrnehmen und erfassen, ob das, was unserem Bewußtsein als Katze erscheint, auch wirklich dem entspricht, was die Katze in ihrem tiefsten Wesen ist. Vielleicht ist meine Katze, die ich gegenwärtig als fettleibigen Vierfüßer mit bebenden

Schnurrhaaren erfasse und die ich in meinem Geist in eine mit dem Schild »Katze« versehene Schublade einordne, in Wirklichkeit und in ihrem eigentlichen Wesen eine Kugel aus grünem Leim, die nicht miau macht. Doch meine Sinne sind so eingestellt, daß dies für mich nicht erkennbar ist und der widerliche Haufen grünen Leims meinen Ekel und mein argloses Vertrauen narrt und sich meinem Bewußtsein in der Erscheinung eines gefräßigen und seidigen Haustiers darbietet.

Das ist der Kantsche Idealismus. Wir kennen von der Welt nur die *Vorstellung*, die sich unser Bewußtsein von ihr macht. Doch es gibt eine noch deprimierendere Theorie als diese, eine Theorie, die noch erschreckendere Perspektiven auftut als die, ein Stück grünen Schleims zu streicheln, ohne sich darüber klar zu sein, oder am Morgen seine eigentlich für den Toaster bestimmen Brotschnitten in eine pustulöse Höhle zu schieben.

Es gibt den Idealismus von Edmund Husserl, der mich fortan an eine Marke von Kutten für Priester denken läßt, die sich von einem obskuren Schisma der Baptistenkirche haben verführen lassen.

In dieser Theorie existiert nur die Apprehension, die geistige Erschließung der Katze. Und die Katze? Nun, man kommt ohne sie aus. Keinerlei Bedarf nach der Katze. Wofür auch? Welche Katze? Hinfort gestattet sich die Philosophie, sich nur noch der Wollust des reinen Geistes hinzugeben. Die Welt ist eine unzugängliche Realität, und zu versuchen, sie kennenzulernen, wäre vergeblich. Was kennen wir von der Welt? Nichts. Da alles Wissen nur die Selbst-Erforschung des reflexiven Bewußtseins durch sich selbst ist, kann man die Welt zum Teufel schicken.

Das ist die Phänomenologie: die »Wissenschaft dessen, was dem Bewußtsein erscheint«. Wie sieht der Tagesablauf eines Phänomenologen aus? Er steht auf, ist sich bewußt, unter der Dusche einen Körper einzuseifen, dessen Existenz jeder Grundlage entbehrt, ist sich bewußt, »genichtete« Brotschnitten zu essen, in Kleider zu schlüpfen, die wie leere Parenthesen sind, sich in sein Büro zu begeben und sich einer Katze zu bemächtigen.

Es kümmert ihn wenig, ob diese Katze existiert oder nicht existiert und was sie in ihrem eigentlichen Wesen ist. Was unentscheidbar ist, interessiert ihn nicht. Dagegen ist unleugbar, daß seinem Bewußtsein eine Katze erscheint, und dieses Inerscheinungtreten ist es, was ihn beschäftigt.

Ein recht komplexes Inerscheinungtreten übrigens. Dass man das Funktionieren der bewußtseinsmäßigen Apprehension einer Sache, deren Existenz an sich belanglos ist, in solchem Maße ausführen kann, ist eigentlich bemerkenswert. Wissen Sie, daß unser Bewußtsein nicht unmittelbar wahrnimmt, sondern komplizierte Serien von Synthesen vollzieht, die imstande sind, unseren Sinnen mittels aufeinanderfolgender Profilerstellung verschiedene Objekte erscheinen zu lassen, wie zum Beispiel eine Katze, einen Besen oder eine Fliegenklatsche, was weiß Gott nützlich ist? Machen Sie die Übung, Ihre Katze anzusehen und sich zu fragen, wie es kommt, daß Sie wissen, wie sie vorne und hinten und unten und oben beschaffen ist, obschon Sie sie gegenwärtig nur von vorn wahrnehmen. Ihr Bewußtsein hat, ohne daß Sie auch nur darauf geachtet haben, ganz offensichtlich die verschiedenen Wahrnehmungen Ihrer Katze unter allen möglichen Blickwinkeln zusammengefaßt und schließlich dieses vollständige Bild der Katze geschaffen, das Ihre augenblickliche Sicht Ihnen nie preisgibt. Das gleiche gilt für die Fliegenklatsche, die Sie immer nur auf einer Seite wahrnehmen, wenn Sie sie im Geiste auch sehr wohl als Ganzes visualisieren können, und von der sie, oh Wunder, ohne sie umzudrehen, wissen, wie sie auf der anderen Seite beschaffen ist.

Man wird zugeben, daß dieses Wissen ganz nützlich ist. Man kann sich nicht vorstellen, daß Manuela eine Fliegenklatsche benützt, ohne sogleich ihr Wissen über die verschiedenen zu deren Apprehension notwendigen Profile zu mobilisieren. Man kann sich übrigens ohnehin nicht vorstellen, daß Manuela eine Fliegenklatsche benützt, aus dem einfachen Grund, weil es in den Wohnungen der Reichen gar keine Fliegen gibt. Weder Fliegen noch Syphilis, noch üble Gerüche, noch Familiengeheimnisse. Bei den Reichen ist alles sauber, glatt, gesund und folglich gefeit gegen die Tyrannei der Fliegenklatschen und die öffentliche Schmach.

Das also ist die Phänomenologie: ein einsamer und endloser Monolog des Bewußtseins mit sich selbst, ein Autismus in Reinform, den nie eine echte Katze behelligt.

7

Im konföderierten Süden

»Was lesen Sie da?«, fragt mich Manuela, die außer Atem von einer Madame de Broglie kommt, die das Diner, das sie heute abend gibt, schwindsüchtig gemacht hat. Als sie vom Auslieferer sieben Dosen Petrossian-Kaviar entgegennahm, schnaufte sie wie Darth Vader.

»Eine Anthologie von volkstümlichen Gedichten«, sage ich und schließe das Kapitel Husserl für immer.

Manuela ist heute guter Laune, ich sehe es genau. Sie packt schwungvoll ein Körbchen mit Financiers aus, die noch von den weißen Krönchen umgeben sind, in denen sie gebacken wurden, setzt sich und glättet mit der flachen Hand sorgfältig das Tischtuch, Auftakt zu einer Ankündigung, die sie entzückt.

Ich stelle sorgfältig die Tassen auf, setzte mich meinerseits und warte.

»Madame de Broglie ist nicht zufrieden mit ihren Trüffeln«, beginnt sie.

»Ach ja?«, sage ich höflich.

»Sie riechen nicht«, fügt sie maliziös hinzu, als wäre dieser Mangel eine persönliche und schwerwiegende Beleidigung für sie.

Wir kosten diese Information ihrem Wert gemäß aus, und mit Vergnügen stelle ich mir Bernadette de Broglie in ihrer Küche vor, verstört und mit zerzaustem Haar, wie sie sich abmüht, einen Absud von Steinpilz- und Pfifferlingsaft auf die Abweichler zu sprühen in der lächerlichen, aber verrückten Hoffnung, sie mögen schließlich doch noch etwas ausströmen, was einen Hauch von Wald vermitteln könnte.

»Und Neptun hat ans Bein von Monsieur Saint-Nice gepinkelt«, fährt Manuela fort. »Das arme Tier mußte sich stundenlang zurückhalten, und als Monsieur die Leine hervorgeholt hat, konnte es nicht länger warten und hat im Entree auf sein Hosenbein gemacht.«

Neptun ist der Cockerspaniel der Eigentümer des dritten Stocks rechts. Der zweite und dritte Stock sind als einzige in zwei Wohnungen (zu je zweihundert Quadratmetern) aufgeteilt. Im ersten Stock wohnen die de Broglies, im vierten die Arthens', im fünften die Josses und im sechsten die Pallières'. Im zweiten sind die Meurisses und die Rosen. Im dritten die Saint-Nices und die Badoises. Neptun ist der Hund der Badoises, oder genauer gesagt von Mademoiselle Badoise, die in Assas Rechtswissenschaft studiert und mit anderen Cockerspanielbesitzern, die in Assas Rechtswissenschaft studieren, Rallyes organisiert.

Ich hege eine große Sympathie für Neptun. Ja, wir schätzen uns sehr, wohl kraft des heimlichen Einverständnisses, das daraus erwachsen ist, daß die Gefühle des einen dem anderen unmittelbar zugänglich sind. Neptun spürt, daß ich ihn mag; seine verschiedenen Gelüste sind für mich leicht durchschaubar. Das Reizvolle der Sache liegt darin, daß er sich darauf versteift, ein Hund zu sein, während sein Frauchen einen Gentleman aus ihm machen möchte. Wenn er am Ende, am alleräußersten Ende seiner Leine aus fahlrotem Leder in den Hof hinausgeht, schielt er begehrlich nach den Pfützen aus schlammigem Wasser, die sich dort träge ausbreiten. Kaum zieht sein Frauchen mit einem scharfen Ruck an seinem Joch, läßt er auch schon sein Hinterteil auf den Boden nieder und leckt sich ohne große Umstände die Attribute. Athene, das lächerliche Whippet-Weibchen der Meurisses, bringt ihn dazu, die Zunge wie ein lüsterner Satyr hängenzulassen und im voraus zu röcheln, den Kopf mit Phantasien gefüllt. Das besonders Komische an den Cockerspaniels ist ihr wiegender Gang, wenn sie zum Scherzen aufgelegt sind; man könnte meinen, unter ihren Pfoten seien kleine Sprungfedern befestigt, die sie nach oben schnellen lassen – doch ganz sanft, ohne Ruck. Dabei werden auch die Pfoten und die Ohren bewegt, wie ein Boot beim Schlingern, und der Cockerspaniel, ein liebenswertes, über das Festland kreuzendes kleines Schiff, verleiht diesen städtischen Örtlichkeiten eine maritime Note, auf die ich ganz versessen bin.

Und schließlich ist Neptun ein großer Vielfraß, zu allem bereit für die Überreste einer Rübe oder einen Kanten trockenes Brot. Wenn sein Frauchen am Müllraum vorbeigeht, zieht er wie ein Verrückter in Richtung desselben, mit hängender Zunge und stürmisch wedelndem Schwanz. Diane Badoise gerät darüber in Verzweiflung. Es scheint, daß für diese vornehme Seele ihr Hund hätte sein sollen wie die jungen Mädchen der guten Gesellschaft von Savannah, im konföderierten Süden der Vorkriegszeit, die nur einen Mann finden konnten, wenn sie vorgaben, keinen Appetit zu haben.

Statt dessen spielt Neptun den ausgehungerten Yankee.

Tagebuch der Bewegung der Welt Nr. 2

Bacon für den Cockerspaniel

Im Haus gibt es zwei Hunde: das Whippet-Weibchen der Meurisses, das einem mit einer beigefarbenen Lederschicht überzogenen Skelett gleicht, und einen rotbraunen Cockerspaniel, der Diane Badoise gehört, der Tochter des aufgeblasenen Anwalts, einer blonden Magersüchtigen, die Burberry-Regenmäntel trägt. Das Whippet-Weibchen heißt Athene und der Cockerspaniel Neptun. Nur für den Fall, daß Sie nicht begriffen haben, in welcher Art Residenz ich wohne. Bei uns gibt's keinen Fido und keinen Rex. Gut, gestern sind die beiden Hunde sich also in der Eingangshalle begegnet, und ich hatte Gelegenheit, einem äußerst interessanten Ballett beizuwohnen. Ich übergehe die Hunde, die sich den Hintern beschnupperten. Ich weiß nicht, ob der von Neptun schlecht riecht, aber Athene hat einen Satz nach hinten gemacht, während er seinerseits an einem Rosenstrauß mit einem großen, blutigen Steak drin zu schnuppern schien.

Nein, was interessant war, das waren die beiden Menschen am andern Ende der Leinen. Denn in der Stadt sind es die Hunde, die ihren Meister an der Leine führen, wenn auch niemand zu verstehen scheint, daß die Tatsache, sich freiwillig einen Hund aufgebürdet zu haben, den man zweimal pro Tag spazieren führen muß, egal ob es regnet, stürmt oder schneit, soviel bedeutet wie sich selbst eine Leine um den Hals gebunden zu haben. Kurz, Diane Badoise und Anne-Hélène Meurisse (das gleiche Modell mit fünfundzwanzig Jahren Abstand) sind sich in der Eingangshalle begegnet, jede am Ende ihrer Leine. Das ist jeweils ein Getue! Sie stellen sich genauso unbeholfen an, wie wenn sie Flossen an den Händen und Füßen hätten, denn sie schaffen es nicht, das einzige zu tun, was in dieser Lage wirkungsvoll wäre: erkennen, was vor sich geht, um es verhindern zu können. Doch da sie tun, als würden sie vornehme Plüschtiere ohne jeden unangebrachten Trieb spazierenführen, können sie ihre Hunde nicht gut anschreien, sie sollen aufhören, sich den Hintern zu beschnuppern oder die Nüsse zu lecken.

Es hat sich also folgendes zugetragen: Diane Badoise ist mit Neptun aus dem Aufzug gekommen und Anne-Hélène Meurisse wartete mit Athene genau davor. Sie haben ihre Hunde also sozusagen aufeinander losgelassen, und wie hätte es anders sein können, Neptun ist ausgerastet. Es kommt ja nicht alle Tage vor, daß man gemütlich aus dem Aufzug spaziert und plötzlich mit der Nase vor Athenes Hinterteil steht. Colombe geht uns seit einer ganzen Weile mit dem *Kairos* auf die Nerven, einem griechischen Begriff, der mehr oder weniger »der günstige Augenblick« bedeutet, jene Sache, die Napoleon ihrer Meinung nach zu ergreifen verstand, denn natürlich ist meine Schwester eine Spezialistin in Sachen Militärstrategie. Gut, der Kairos ist also in etwa die Intuition des Augenblicks. Nun, ich kann Ihnen sagen, Neptun hatte seinen Kairos direkt vor der Nase, und er hat nicht gezögert: Er ist nach alter Husarenmanier draufgestiegen. »Oh mein Gott!«, hat Anne-Hélène Meurisse gesagt, als wäre sie selbst das Opfer der Schmach. »Oh nein!«, hat Diane Badoise ausgerufen, als würde die ganze Schande auf sie zurückfallen, dabei möchte ich eine Rolle Smarties wetten, daß es ihr nicht im Traum eingefallen wäre, auf Athenes Hinterteil zu steigen. Und sie haben beide gleichzeitig begonnen, mit den Leinen an ihren Hunden zu ziehen, doch da gab es ein Problem, und das hat zu einer interessanten Bewegung geführt.

Diane hätte nämlich nach oben ziehen sollen und die andere nach unten, was die beiden Hunde voneinander getrennt hätte, doch statt dessen sind sie seitlich ausgewichen, und weil es vor dem Aufzug eng ist, sind sie sehr schnell auf ein Hindernis gestoßen: die eine auf das Aufzugsgitter, die andere auf die linke Wand, und da hat Neptun, der beim ersten Zerren an der Leine aus dem Gleichgewicht geraten war, einen neuen Anlauf genommen und hat sich erst recht an Athene angekoppelt, die verschreckt die Augen rollte und heulte. An diesem Punkt haben die Menschen die Strategie geändert und versucht, ihre Hunde zu weniger engen Räumlichkeiten zu zerren, um das Manöver bequemer wiederholen zu können. Doch die Sache eilte: Es kommt bekanntlich ein Moment, da sind die Hunde nicht mehr zu trennen. Sie haben also Gas gegeben und zusammen »Oh mein Gott oh mein Gott« geschrieen, während sie an ihren Leinen zerrten, als würde ihre Tugend daran hängen. Doch in der Hast ist Diane Badoise ausgeglitten und hat sich den Knöchel verstaucht. Und da kommt die interessante Bewegung: Ihr Knöchel ist nach außen geknickt und gleichzeitig hat sich ihr ganzer Körper in die gleiche Richtung verschoben, außer ihrem Pferdeschwanz, der in die entgegengesetzte Richtung schwang.

Ich kann Ihnen sagen, es war großartig: man hätte meinen können ein Bacon. Seit ewigen Zeiten hängt ein eingerahmter Bacon auf der Toilette meiner Eltern, mit jemandem, der auf der Toilette sitzt, und zwar à la Bacon, irgendwie gepeinigt eben und nicht sehr appetitlich. Ich habe immer gedacht, daß sich das vermutlich auf den ruhigen Verlauf des Vorgangs auswirkt, aber gut, hier hat jeder seine eigene Toilette, und so habe ich mich nie beklagt. Aber als Diane Badoise sich völlig verrenkt hat, während sie sich den Knöchel verstauchte, wobei sie mit den Knien, den Armen und dem Kopf merkwürdige

Winkel bildete, das Ganze gekrönt vom horizontalen Pferdeschwanz, hat mich das sogleich an Bacon erinnert. Finen ganz kleinen Augenblick lang glich sie einem Hampelmann, es gab einen lauten Knacks, und während einiger Tausendstelsekunden (es ist nämlich alles sehr schnell gegangen, aber da ich jetzt auf die Bewegungen des Körpers achte, habe ich es wie in Zeitlupe gesehen) glich Diane Badoise einer Figur von Bacon. Von dieser Beobachtung bis zu dem Schluß, dieses Ding hänge seit all den Jahren nur deshalb in der Toilette meiner Eltern, um mir zu erlauben, diese merkwürdige Bewegung gebührend zu würdigen, war es nur ein Schritt. Dann ist Diane auf die Hunde gefallen, und damit war das Problem gelöst, denn indem Athene zu Boden gedrückt wurde, ist sie Neptun entkommen. Es folgte ein kleines, kompliziertes Ballett, bei dem Anne-Hélène Diane zu Hilfe kommen wollte, während sie gleichzeitig versuchte, ihre Hündin vom lüsternen Ungeheuer fernzuhalten, und Neptun, vollkommen gleichgültig gegenüber den Schreien und dem Schmerz seines Frauchens, weiterhin in Richtung seines Rosensteaks zerrte. Doch in diesem Augenblick kam Madame Michel aus ihrer Loge, und ich habe Neptuns Leine geschnappt und ihn außer Reichweite gebracht.

Er war fürchterlich enttäuscht, der Ärmste. Er hat sich daher hingesetzt und begonnen, seine Nüsse zu lecken, wobei er laut schlürfte, was die Verzweiflung der armen Diane noch steigerte. Madame Michel hat die SAMU* angerufen, weil der Knöchel langsam einer Wassermelone glich, und dann hat sie Neptun heimgebracht, während Anne-Hélène Meurisse bei Diane blieb. Ich bin nach Hause gegangen und habe mir gesagt: Also, ein Bacon in natura, ist er es wert?

Ich habe beschlossen, daß er es nicht ist: Denn Neptun ist nicht nur um seinen Happen, sondern auch um seinen Spaziergang gekommen.

* *Service d'aide médicale d'urgence*; Notaufnahme

8

Prophetin der modernen Eliten

Heute morgen, als ich France Inter hörte, entdeckte ich zu meiner Überraschung, daß ich nicht bin, was ich zu sein glaubte. Ich hatte bisher die Gründe für meinen kulturellen Eklektizismus meiner Stellung als proletarische Autodidaktin zugeschrieben. Wie ich schon andeutete, habe ich jede Sekunde meines Lebens, die der Arbeit abgelistet werden konnte, damit verbracht zu lesen, Filme anzusehen und Musik zu hören. Doch diese Raserei im Verschlingen der Kulturgegenstände schien mir an einer schweren Geschmacksverirrung zu leiden, nämlich der rücksichtslosen Vermischung von respektablen Werken mit solchen, die es viel weniger waren.

Wahrscheinlich ist mein Eklektizismus im Bereich der Lektüre am wenigsten groß, obschon die Vielfalt meiner Interessen dort am ausgeprägtesten ist. Ich habe Werke zur Geschichte, Philosophie, Volkswirtschaft, Soziologie, Psychologie, Pädagogik und Psychoanalyse und natürlich und vor allem Werke der Literatur gelesen. Erstere haben mich interessiert; letztere sind mein ganzes Leben. Meine Katze heißt Leo wegen Tolstoi. Die vorherige hörte auf Dongo wegen Fabrice del. Die erste trug den Namen Karenina wegen Anna, aber ich rief sie nur Kare, aus Angst, daß man mich entlarvte. Abgesehen vom Stendhalschen Seitensprung gilt meine Vorliebe eindeutig dem Rußland vor 1910, doch ich schmeichle mir, einen summa summarum beachtlichen Teil der Weltliteratur gelesen zu haben, wenn man die Tatsache bedenkt, daß ich ein Mädchen vom Land bin, dessen Karriereerwartungen sich selbst übertroffen und bis hin zum Conciergeamt in der Rue de la Grenelle 7 geführt haben, und wo man doch hätte meinen können, daß ein solches Schicksal zum ewigen Kult von Barbara Cartland verurteilt. Wohl habe ich eine schuldhafte Vorliebe für Kriminalromane – doch ich halte jene, die ich lese, für hohe Literatur. Es ist für mich an gewissen Tagen besonders hart, mich von der Lektüre eines Connelly oder eines Mankell losreißen zu müssen, um auf das Klingeln von Bernard Grelier oder Sabine Pallières zu antworten, deren Sorgen so gar nicht zu den Meditationen von Harry Bosch, dem jazzfanatischen Polizisten der LAPD, passen, insbesondere, wenn sie mich fragen:

»Sagen Sie mal, warum riecht man die Abfälle bis in den Hof hinaus?«

Daß Bernard Grelier und die Erbin einer alten Bankiersfamilie sich um dieselben trivialen Dinge sorgen und gleichzeitig elementare Regeln der Höflichkeit mißachten können, wirft ein neues Licht auf die Menschheit.

Beim Kapitel Film hingegen kommt mein Eklektizismus voll zur Entfaltung. Ich liebe die amerikanischen ›Blockbusters‹ und die Werke des Autorenkinos. Tatsächlich habe ich lange vorzugsweise amerikanische oder englische Unterhaltungsfilme konsumiert, mit Ausnahme einiger ernster Werke, die ich mit meinem ästhetisierenden Auge betrachtete, denn mein leidenschaftliches und empathisches Auge hatte nur zu der Unterhaltung eine Beziehung. Greenaway löst bei mir Bewunderung, Interesse und Gähnen aus, während ich jedesmal heule wie ein Schloßhund, wenn Melly und Mama nach dem Tod von Bonnie Blue die Treppe der Butlers hinaufsteigen, und ich ›Blade Runner‹ für ein Meisterwerk der hochstehenden Unterhaltung halte. Lange habe ich es als Verhängnis angesehen, daß die siebte Kunst schön, stark und einschläfernd, das Unterhaltungskino hingegen oberflächlich, erheiternd und erschütternd ist.

Heute zum Beispiel zapple ich vor Ungeduld beim Gedanken an das Geschenk, das ich mir gemacht habe. Es ist die Frucht einer beispielhaften Geduld, die lange hinausgeschobene Erfüllung des Wunsches, einen Film wiederzusehen, den ich zum ersten Mal an Weihnachten 1989 gesehen habe.

9

Roter Oktober

An Weihnachten 1989 war Lucien schwer krank. Wenn wir auch noch nicht wußten, wann der Tod kommen würde, waren wir doch verbunden durch die Gewißheit seines unmittelbaren Bevorstehens, eingebunden in uns selbst und verbunden miteinander durch dieses unsichtbare Band. Wenn die Krankheit in einem Haus Einzug hält, bemächtigt sie sich nicht nur eines Körpers, sondern webt zwischen den Herzen ein düsteres Netz, in dem die Hoffnung erstickt. Wie ein Spinnenfaden, der sich um unsere Pläne und unseren Atem wickelte, verschlang die Krankheit Tag für Tag unser Leben. Wenn ich von draußen nach Hause kam, hatte ich das Gefühl, in eine Gruft zu treten, und mir war immer kalt, von einer Kälte, die durch nichts gemildert wurde, so daß mir in den letzten Zeiten, wenn ich neben Lucien schlief, schien, sein Köper sauge alle Wärme auf, die der meine anderswo hatte entziehen können.

Die Krankheit, im Frühjahr 1988 diagnostiziert, zerfraß ihn siebzehn Monate lang und raffte ihn am Heiligabend 1989 dahin. Von der alten Madame Meurisse wurde bei den Bewohnern des Hauses eine Kollekte organisiert, und man hinterlegte in meiner Loge einen schönen Blumenkranz, mit einem Band geschmückt, das keine Aufschrift trug. Als einzige kam sie zur Beisetzung. Sie war eine fromme, kalte und verkniffene Frau, doch in ihrem strengen und ein wenig schroffen Benehmen lag etwas Aufrichtiges, und als sie, ein Jahr nach Lucien, starb, dachte ich bei mir, daß sie eine achtbare Frau gewesen war und sie mir fehlen würde, obschon wir in fünfzehn Jahren kaum ein Wort miteinander gewechselt hatten.

»Sie hat das Leben ihrer Schwiegertochter bis zuletzt vergiftet. Friede ihrer Seele, sie war eine heilige Frau«, hatte Manuela – die für die junge Madame Meurisse einen Racineschen Haß hegte – als Trauerrede hinzugefügt.

Außer Cornélia Meurisse samt ihrer Hutschleier und Rosenkränze erschien Luciens Krankheit niemandem als etwas, das Interesse verdiente. Die Reichen haben das Gefühl, daß die kleinen Leute, vielleicht, weil deren Lebensluft, ohne den Sauerstoff des Geldes und der Lebensart, dünner ist, die menschlichen Emotionen mit geringerer Intensität und größerer Indifferenz erleben. Da wir Conciergen waren, schien festzustehen, daß der Tod für uns wie eine Selbstverständlichkeit im Lauf der Dinge war, während er für die Begüterten im Gewand der Ungerechtigkeit und des Dramas dahergekommen wäre. Ein Concierge, der aus dem Leben scheidet, ist eine leichte Einbuchtung im Gang des Alltags, eine biologische Gewißheit, mit der keinerlei Tragödie verbunden ist, und für die Besitzer, die ihm jeden Tag im Treppenhaus oder auf der Schwelle der Loge begegneten, war Lucien eine Nicht-Existenz, die zu einem Nichts zurückkehrte, aus dem sie nie herausgetreten war, ein Tier, das, weil es ein Halb-Leben lebte, ohne Prunk und Raffinessen, im Moment des Todes wohl auch nur eine halbe Auflehnung empfand. Daß wir, wie alle anderen, die Hölle durchlitten und, das Herz von Wut überwältigt, je mehr das Leiden unser Leben zugrunde richtete, uns endgültig in uns selbst auflösten, im Aufruhr von Angst und Schrecken, die der Tod allen einflößt, kam an solcher Stätte niemandem in den Sinn.

An einem Morgen, drei Wochen vor Weihnachten, als ich gerade vom Einkaufen zurückkam, mit einer ganzen Tasche voll Rüben und Lunge für die Katze, fand ich Lucien angekleidet vor, bereit zum Ausgehen. Er hatte sogar seinen Schal umgebunden und stand da und wartete auf mich. Ihn so anzutreffen, nachdem ich erlebt hatte, wie allein der Gang vom Zimmer zur Küche ihn aller Kräfte beraubte und in eine erschreckende Blässe hüllte, nach Wochen, in denen ich ihn nie einen Schlafanzug ablegen gesehen hatte, der mir wie das eigentliche Kleid des Thanatos erschien – ihn so anzutreffen, mit glänzenden Augen und schelmischer Miene, den Kragen seines Wintermantels bis zu den merkwürdig rosigen Wangen hochgeschlagen, ließ mich beinahe in Ohnmacht fallen.

»Lucien!«, rief ich aus und wollte schon auf ihn zueilen, um ihn zu stützen, ihn hinzusetzen, ihn auszuziehen, all das, was die Krankheit mich an unbekannten Gesten gelehrt hatte, Gesten, die in der letzten Zeit die einzigen geworden waren, die ich zu machen verstand, ich wollte schon meine Einkaufstasche abstellen, ihn umfassen, an mich drücken, ihn tragen und all diese Dinge mehr, als ich mit stockendem Atem innehielt, ein sonderbares Gefühl der Ausdehnung im Herzen.

»Es reicht gerade noch«, sagte Lucien zu mir, »die Vorstellung beginnt um ein Uhr.«

In der Wärme des Kinos, den Tränen nahe, glücklich, wie ich es nie zuvor gewesen war, hielt ich ihm eine Hand, die zum ersten Mal seit Monaten leicht warm war. Ich wußte, daß ein unverhoffter Energieschub ihn von seinem Lager hatte aufstehen lassen, ihm die Kraft verliehen hatte, sich anzukleiden, das Verlangen in ihm geweckt hatte auszugehen, den Wunsch, einmal noch dieses eheliche Vergnügen mit mir zu teilen, und ich wußte auch, es war das Zeichen, daß nur noch wenig Zeit blieb, der Stand der Gnade, der dem Ende vorausgeht, doch das kümmerte mich nicht und ich wollte nur davon profitieren, von diesen dem Joch der Krankheit geraubten Augenblicken, von seiner warmen Hand in der meinen und den Wellen des Vergnügens, die uns beide durchliefen, denn, dem Himmel sei Dank, es war ein Film, dessen Zauber wir miteinander teilen konnten.

Ich glaube, er starb gleich danach. Sein Körper hielt noch drei Wochen stand, doch sein Geist war am Ende der Vorstellung gegangen, weil er wußte, daß es besser war so, weil er mir im dunklen Kinoraum adieu gesagt hatte, ohne allzu schmerzliches Bedauern, denn er hatte auf diese Weise seinen Frieden gefunden, im Vertrauen auf das, was wir uns ohne Worte gesagt hatten, während wir gemeinsam auf die helle Leinwand schauten, auf der eine Geschichte erzählt wurde.

Ich akzeptierte es.

›Jagd auf Roter Oktober‹ war der Film unserer letzten Umarmung. Wer die Kunst des Erzählens verstehen möchte, muß ihn gesehen haben; man fragt sich, weshalb die Universitäten sich darauf versteifen, die Erzählprinzipien anhand von Propp, Greimas* oder anderen Wälzern zu lehren, statt in einen Vorführraum zu investieren. Anfang, Plot, Aktante, Peripetien, Helden und ein paar weitere Zutaten: ein Sean Connery in der Uniform eines russischen U-Bootkapitäns und ein paar gut plazierte Flugzeugträger, mehr braucht es nicht.

Nun habe ich aber, sagte ich, heute morgen auf France Inter erfahren, daß diese Verseuchung meines Strebens nach rechtmäßiger Kultur durch andere Neigungen zur

* Französische Erzählforscher

unrechtmäßigen Kultur kein Stigma meiner niederen Herkunft und meines einsamen Zugangs zum Wissen und zum Geist darstellt, sondern ein zeitgenössisches Merkmal der führenden intellektuellen Klassen ist. Wie ich das erfahren habe? Aus dem Mund eines Soziologen, von dem ich brennend gern gewußt hätte, ob er selbst gerne gewußt hätte, daß eine Concierge in Hausschuhen von Dr. Scholl soeben eine heilige Ikone aus ihm gemacht hatte. Während er die Evolution der kulturellen Gepflogenheiten von Intellektuellen erklärte, die einstmals von früh bis spät in hohe Bildung eingetaucht waren und mittlerweile zu Polen des Synkretismus geworden sind, durch die die Grenze zwischen der echten und der falschen Kultur unwiederbringlich verwischt wird, beschrieb er einen Professor für klassische Philologie, der einst Bach gehört, Mauriac gelesen und Studiofilme angeschaut hätte, und der heute Händel und MC Solaar hört, Flaubert und John Le Carré liest, sich einen Visconti und den letzten *Die hard* anschaut und am Mittag Hamburger und am Abend Sashimis ißt.

Es ist immer äußerst verwirrend, dort einen vorherrschenden sozialen Habitus zu entdecken, wo man das Zeichen der eigenen Einzigartigkeit zu sehen glaubte. Verwirrend und vielleicht sogar kränkend. Daß ich, Renée, vierundfünfzig Jahre alt, Concierge und Autodidaktin, trotz meiner Abgeschiedenheit in einer standesgemäßen Loge, trotz einer Isolierung, die mich vor den Makeln der Masse hätte schützen sollen, trotz dieser schändlichen Quarantäne, die ich mir auferlegt habe und in der ich nichts von den Entwicklungen der weiten Welt mitbekomme, daß ich, Renée, Zeuge des gleichen Wandels sein soll, der die gegenwärtigen Eliten bewegt – zusammengesetzt aus jungen Pallières', die sich auf die Elitehochschule vorbereiten, Marx lesen und gemeinsam ins Kino gehen, um sich ›Terminator‹ anzusehen, oder aus jungen Badoises, die in Assas Rechtswissenschaft studieren und bei ›Notting Hill‹ schluchzen –, ist ein Schock, von dem ich mich nur schwer erhole. Denn für den, der auf die Chronologie achtet, zeigt es sich ganz deutlich, daß ich dieses Jungvolk nicht nachäffe, sondern ihnen mit meinen eklektischen Gepflogenheiten zuvorgekommen bin.

Renée, Prophetin der zeitgenössischen Eliten.

»Nun gut, nun gut, warum auch nicht«, sage ich mir, während ich aus meiner Einkaufstasche die Leberschnitte der Katze hervorhole und dann, darunter, sorgfältig in anonymes Plastik verpackt, zwei kleine Meerbarben ausgrabe, die ich zu marinieren und alsdann in mit Koriander gesättigtem Zitronensaft zu kochen gedenke.

Und da passiert es.

Tiefgründiger Gedanke Nr. 4

Pflege
Die Pflanzen
Die Kinder

Wir haben hier eine Aufwartefrau, die kommt für drei Stunden pro Tag, doch um die Pflanzen kümmert sich Mama. Und das ist ein unglaublicher Zirkus. Sie hat zwei Gießkannen, eine für das Wasser mit dem Düngemittel, eine für das kalkfreie Wasser, sowie einen Zerstäuber mit mehreren Positionen für »gezieltes Sprühen«, »Regensprühen« oder »Nebelsprühen«. Jeden Morgen nimmt sie sich die zwanzig Pflanzen der Wohnung vor und läßt ihnen die entsprechende Behandlung angedeihen. Und sie murmelt dabei eine Menge Dinge vor sich hin, völlig gleichgültig gegenüber dem Rest der Welt. Während Mama sich um ihre Pflanzen kümmert, können Sie zu ihr sagen, was Sie wollen, sie schenkt dem nicht die geringste Aufmerksamkeit. Zum Beispiel: »Ich habe vor, mir heute einen Schuß zu setzen und eine Überdosis zu nehmen«, erhält zur Antwort: »Die Kentia wird gelb an den Blatträndern, zuviel Wasser, das ist gar nicht gut.«

Schon haben wir ein Paradigma: Wenn du dein Leben verpfuschen willst, weil du nichts hörst von dem, was die anderen dir sagen, kümmere dich um die Grünpflanzen. Doch nicht genug damit. Wenn Mama Wasser auf die Blätter der Pflanzen sprüht, sehe ich genau die Hoffnung, die sie leitet. Sie denkt, es sei eine Art Balsam, der in die Pflanze eindringen und ihr bringen wird, was sie braucht, um zu gedeihen. Das gleiche gilt für das Düngemittel, das sie in kleinen Stäbchen in die Erde steckt (um genau zu sein, in die Mischung aus Erde – Humus – Sand – Torf, die sie eigens für jede Pflanze in der Gärtnerei an der Porte d'Auteuil zusammenstellen läßt). Mama nährt also ihre Pflanzen, wie sie ihre Kinder genährt hat: Wasser und Düngemittel für die Kentia-Palme, grüne Bohnen und Vitamin C für uns. Und das ist der Kern des Paradigmas: Konzentrieren Sie sich auf den Gegenstand, führen Sie ihm Nahrungselemente zu, die von außen nach innen gehen und die, indem sie sich im Innern ausbreiten, ihn wachsen und gedeihen lassen. Ein Spritzer auf die Blätter, und schon ist die Pflanze für das Leben gerüstet. Man betrachtet sie mit einer Mischung aus Besorgnis und Hoffnung, man ist sich der Zerbrechlichkeit des Lebens bewußt, man sorgt sich wegen der Unfälle, die passieren können, doch gleichzeitig hat man die Genugtuung, getan zu haben, was zu tun war, seine Ernährerrolle gespielt zu haben: Man fühlt sich beruhigt, man ist für einige Zeit in Sicherheit. So sieht Mama das Leben: als eine Folge von Beschwörungsakten, die genauso wirkungslos sind wie ein Spritzer mit dem Zerstäuber, und die die kurze Illusion von Sicherheit verleihen.

Es wäre so viel besser, wenn wir unsere Unsicherheit miteinander teilen würden, wenn wir alle zusammen ins Innere von uns selbst gehen würden, um uns zu sagen, daß grüne Bohnen und Vitamin C, auch wenn sie einen ordentlich nähren, weder das Leben retten noch die Seele stärken.

10

Eine Katze namens Grévisse

Chabrot klingelt an meiner Loge.

Chabrot ist der persönliche Arzt von Pierre Arthens. Er ist ein ewig braungebrannter alter Beau, der sich vor dem Maître windet wie der Regenwurm, der er ist, und der mich in zwanzig Jahren nie gegrüßt und nie auch nur zum Ausdruck gebracht hat, daß er mich wahrnahm. Ein interessantes phänomenologisches Experiment bestände darin, die Gründe dafür zu untersuchen, warum bei manchen etwas nicht ins Bewußtsein dringt, was bei anderen ins Bewußtsein dringt. Daß sich mein Bild dem Schädel von Neptun einprägen und sich gleichzeitig dem von Chabrot entziehen kann, ist in der Tat sehr spannend.

Doch heute morgen scheint Chabrot seine ganze Bräune verloren zu haben. Seine Wangen hängen, die Hand zittert und die Nase … läuft. Ja, sie läuft. Chabrot, der Arzt der Mächtigen, hat eine triefende Nase. Obendrein spricht er meinen Namen aus.

»Madame Michel.«

Vielleicht handelt es sich nicht um Chabrot, sondern um einen außerirdischen Imitationskünstler, dessen Nachrichtendienst zu wünschen übrig läßt, denn der echte Chabrot belastet sich nicht mit Informationen, die eine per definitionem anonyme Untergebene betreffen.

»Madame Michel«, wiederholt Chabrots mißratene Imitation, »Madame Michel.«

Ja ja, wir wissen es allmählich. Ich heiße Madame Michel.

»Ein schreckliches Unglück ist geschehen«, fährt Triefnase fort, die, sapperlot, schnieft, statt sich zu schneuzen.

Na, so was. Er zieht die Nase geräuschvoll hoch und schickt den Nasenschleim dorthin zurück, woher er gar nie gekommen ist, und aufgrund der Schnelligkeit der Aktion bin ich gezwungen, den hektischen Kontraktionen seines Adamsapfels zu folgen, die die Passage besagten Nasenschleims erleichtern. Das ist abstoßend, vor allem aber verwirrend.

Ich sehe nach rechts, nach links. Die Eingangshalle ist leer. Wenn mein E. T. feindliche Absichten hat, bin ich verloren.

Er fängt sich wieder, wiederholt sich.

»Ein schreckliches Unglück, ja, ein schreckliches Unglück. Monsieur Arthens liegt im Sterben.«

»Im Sterben«, sage ich, »wirklich im Sterben?«

»Wirklich im Sterben, Madame Michel, wirklich im Sterben. Es verbleiben ihm achtundvierzig Stunden.«

»Aber ich habe ihn gestern morgen gesehen, er erfreute sich bester Gesundheit!«, sage ich verblüfft.

»Leider, Madame, leider. Wenn das Herz streikt, ist es wie ein Fallbeil. Am Morgen machen Sie Luftsprünge, am Abend sind Sie im Grab.«

»Wird er zu Hause sterben, geht er nicht ins Krankenhaus?«

»Oooooh, Madame Michel«, sagt Chabrot zu mir und schaut mich dabei mit dem gleichen Ausdruck an wie Neptun, wenn er an der Leine ist, »wer möchte schon im Krankenhaus sterben?«

Zum ersten Mal in zwanzig Jahren empfinde ich Chabrot gegenüber ein unbestimmtes Gefühl der Sympathie.

Im Grunde genommen, sage ich mir, ist auch er ein Mensch, und letztlich sind wir alle gleich.

»Madame Michel«, fährt Chabrot fort, und ich bin ganz benommen von dieser Fülle von Madame Michel nach zwanzig Jahren ohne Anrede, »bestimmt werden viele Leute den Maître noch sehen wollen vor … vorher. Doch er will niemanden empfangen. Er möchte nur Paul sehen. Können Sie die unliebsamen Besucher hinauskomplimentieren?«

Ich bin hin- und hergerissen. Ich stelle fest, daß man, wie üblich, meine Anwesenheit nur zu bemerken scheint, um mir Arbeit zuzuweisen. Doch schließlich, sage ich mir, bin ich dazu da. Ich stelle auch fest, daß Chabrot sich auf eine Art ausdrückt, für die ich eine Schwäche habe – könnten Sie die unliebsamen Besucher hinauskomplimentieren? –, und das verwirrt mich. Diese höfliche Altmodischkeit gefällt mir. Ich bin eine Sklavin der Grammatik, sage ich mir, ich hätte meine Katze Grévisse* nennen sollen. Dieser Kerl mißfällt mir, aber seine Sprache ist köstlich. Und dann, »wer möchte schon im Krankenhaus sterben?«, hat der alte Beau gefragt. Niemand. Weder Pierre Arthens noch Chabrot, noch ich, noch Lucien. Mit dieser harmlosen Frage hat Chabrot uns alle zu Menschen gemacht.

»Ich werde tun, was ich kann«, sage ich. »Aber ich kann sie nicht gut bis hin zum Treppenhaus verfolgen oder ihnen gar die Tür weisen.«

»Nein«, sagte er zu mir. »Aber Sie können sie entmutigen. Sagen Sie ihnen, der Maître habe seine Tür verschlossen.«

Er schaut mich merkwürdig an.

Ich muß aufpassen, ich muß sehr aufpassen. In letzter Zeit lasse ich mich gehen. Da gab es den Zwischenfall mit dem jungen Pallières, jene alberne Art, ›Die deutsche

* Standardwerk der französischen Grammatik

Ideologie‹ zu erwähnen, die diesem, wäre er auch nur halb so intelligent wie eine Auster, eine Menge verfänglicher Dinge hätte verraten können. Und nun schmelze ich vor einem UV-gerösteten Greis dahin und vergesse jede Disziplin, nur weil dieser sich in veralteten Wendungen ergeht.

Ich ersticke den Funken, der in meinen Augen aufgeflackert ist, und nehme den glasigen Blick einer jeden guten Concierge an, die bereit ist, ihr Bestes zu tun, ohne jedoch die Leute bis hin zum Treppenhaus zu verfolgen oder ihnen gar die Tür zu weisen.

Der merkwürdige Ausdruck in Chabrots Gesicht verschwindet.

Um jede Spur meiner Übertretung zu verwischen, erlaube ich mir eine kleine Häresie.

»Ist es *ein* Art von Infarkt?«, frage ich.

»Ja«, sagt Chabrot, »es ist ein Infarkt.«

Pause.

»Danke«, sagt er zu mir.

»Keine Ursache«, antworte ich ihm und mache die Tür zu.

Tiefgründiger Gedanke Nr. 5

Das Leben
Von allen
Dieser Militärdienst

Ich bin sehr stolz auf diesen tiefgründigen Gedanken. Colombe hat mir erlaubt, auf ihn zu kommen. Sie war also zumindest einmal von Nutzen in meinem Leben. Ich hätte nicht gedacht, daß ich das würde sagen können, bevor ich sterbe.

Zwischen Colombe und mir besteht seit jeher Krieg, denn für Colombe ist das Leben eine ständige Schlacht, bei der man gewinnen muß, indem man den anderen zerstört. Sie kann sich nicht in Sicherheit fühlen, wenn sie den Gegner nicht erdrückt und sein Territorium drastisch zurückgestutzt hat. Eine Welt, in der es Platz gibt für die anderen, ist ihren blödsinnigen Kriegerinnenkriterien zufolge eine gefährliche Welt. Gleichzeitig braucht sie die anderen für eine kleine, aber wesentliche Aufgabe: Jemand muß schließlich ihre Stärke anerkennen. Sie verbringt also nicht nur ihre Zeit mit dem Versuch, mich mit allen möglichen Mitteln zu erdrücken, sondern sie möchte darüber hinaus, daß ich ihr, das Messer an der Kehle, sage, daß sie die Beste sei und ich sie liebe. Das ergibt Tage, die mich zum Wahnsinn treiben. Um das Maß voll zu machen, hat Colombe, die nicht das geringste Unterscheidungsvermögen besitzt, aus einem unerfindlichen Grund begriffen, daß das, was ich im Leben am meisten fürchte, der Lärm ist. Ich glaube, sie hat die

Entdeckung zufällig gemacht. Sie wäre nie von selbst auf den Gedanken gekommen, daß jemand Stille brauchen könnte. Daß die Stille dazu dient, ins *Innere* zu gehen, daß sie notwendig ist für jene, die nicht nur am Leben draußen interessiert sind, kann sie vermutlich nicht verstehen, denn ihr Inneres ist genauso chaotisch und laut wie das Draußen der Straße. Jedenfalls hat sie verstanden, daß ich Stille brauche, und unglücklicherweise liegt mein Zimmer neben ihrem. Und so macht sie den lieben langen Tag Lärm. Sie schreit am Telefon, sie stellt die Musik ganz laut (und das bringt mich wirklich um), sie schlägt die Türen zu, sie kommentiert laut alles, was sie macht, einschließlich so spannender Dinge wie sich die Haare bürsten oder in einer Schublade einen Bleistift suchen. Kurz, da sie bei mir in nichts anderes eindringen kann, weil ich für sie menschlich vollkommen unzugänglich bin, dringt sie in meinen akustischen Raum ein, und sie vergiftet mir das Leben von früh bis spät. Wohlgemerkt, man muß eine sehr armselige Vorstellung von einem Territorium haben, um so weit zu kommen; mir ist der Ort, an dem ich bin, egal, vorausgesetzt, ich kann mich in meinem Kopf ungehindert bewegen. Doch Colombe begnügt sich nicht damit, diese Tatsache zu ignorieren; sie verwandelt sie in eine Philosophie: »Meine Schwester ist eine Nervensäge und eine intolerante und neurasthenische kleine Person, die die anderen haßt und lieber auf einem Friedhof wohnen würde, wo alle tot sind – während ich eine offene, fröhliche und lebhafte Natur bin.« Wenn ich etwas hasse, dann sind es die Leute, die ihre Ohnmacht oder ihre Psychoknackse in ein Credo umwandeln. Mit Colombe bin ich bedient.

Doch Colombe begnügt sich seit ein paar Monaten nicht mehr damit, die schrecklichste Schwester der Welt zu sein. Sie ist dazu noch so geschmacklos, beunruhigende Verhaltensweisen zu zeigen. Das habe ich nun wirklich nicht nötig: zum einen ein aggressives Abführmittel zur Schwester, und darüber hinaus das Schauspiel ihrer kleinen Miseren. Seit ein paar

Monaten ist Colombe von zwei Dingen besessen: Ordnung und Sauberkeit. Angenehme Folge: Vom Zombie, der ich war, werde ich zum Schmutzfink; sie schreit mich den ganzen Tag lang an, weil ich in der Küche Krümel zurückgelassen habe oder weil heute morgen ein Haar in der Dusche war. Doch sie hat es nicht nur auf mich abgesehen. Alle werden von früh bis spät von ihr bedrängt, weil Unordnung herrscht oder Krümel herumliegen. Ihr Zimmer, das ein unglaublicher Suk war, ist klinisch steril geworden: alles tadellos tipptopp, kein Stäubchen, jeder Gegenstand an einem ganz bestimmten Platz, und wehe, wenn Madame Grémond sie nicht wieder exakt so hinstellt, nachdem sie geputzt hat. Es sieht aus wie in einem Krankenhaus. Es stört mich nicht unbedingt, daß Colombe so ordnungsfanatisch geworden ist. Aber was ich nicht ertrage, ist, daß sie weiterhin das coole Mädchen spielt. Da ist ein Problem, aber alle tun so, als sähen sie es nicht, und Colombe gibt weiterhin vor, die einzige von uns beiden zu sein, die eine »epikureische« Einstellung zum Leben hat. Ich kann Ihnen jedoch versichern, daß es alles andere als epikureisch ist, dreimal pro Tag zu duschen und wie eine Schwachsinnige zu schreien, weil eine Nachttischlampe drei Zentimeter verschoben worden ist.

Was ist Colombes Problem? Das weiß ich nicht. Vielleicht hat sie sich vor lauter Ich-will-euch-alle-erdrücken in einen Soldaten verwandelt, im eigentlichen Sinn des Wortes. Und so macht sie alles mit methodischer Sturheit, sie poliert, sie putzt, wie in der Armee. Der Soldat ist bekanntlich besessen von Ordnung und Sauberkeit. Er braucht das, um gegen die Unordnung der Schlacht anzukämpfen, gegen den Schmutz des Krieges und gegen all die zerstückelten Menschen, die zurückbleiben. Doch ich frage mich, ob Colombe nicht ein Extremfall ist, der die Norm aufzeigt. Gehen wir nicht alle so an das Leben heran, wie man seinen Militärdienst leistet? Wir tun, was wir können, und warten darauf, daß wir entlassen werden oder der Kampf beginnt. Einige scheuern die Stube, andere liegen auf der faulen Haut, vertreiben sich die Zeit mit Kartenspielen, machen Geschäfte, spinnen Intrigen. Die Offiziere kommandieren, das Fußvolk gehorcht, doch jeder durchschaut diese Komödie abseits der Öffentlichkeit: eines Morgens muss wohl oder übel jeder sterben, Offiziere wie Soldaten, Idioten genauso wie Schlauköpfe, die Schwarzhandel mit Zigaretten treiben oder mit Toilettenpapier spekulieren.

En passant serviere ich Ihnen die Hypothese des Feld-Wald-und-Wiesen-Psychiaters: Colombe ist so chaotisch in ihrem Innern, so leer und gleichzeitig so überfüllt, daß sie versucht, Ordnung in sich selbst zu schaffen, indem sie ihr Zimmer aufräumt und saubermacht. Lustig, was? Ich habe schon lange begriffen, daß Psychiater Spaßvögel sind, die glauben, die Metapher sei etwas für große Weise. In Wirklichkeit ist sie jedem Sechstkläßler zugänglich. Doch man muß nur zuhören, wenn Mamas Psychologenfreunde sich über das geringste Wortspiel hermachen, und man muß auch gehört haben, welchen Blödsinn Mama von ihrer Therapie mit nach Hause bringt, denn sie erzählt jeder und jedem von ihren Sitzungen beim Psychiater, als sei sie ins Disneyland gegangen: von der Attraktion »mein Familienleben«, dem Eispalast »mein Leben mit meiner Mutter«, der Achterbahn »mein Leben ohne meine Mutter«, dem Gruselkabinett »mein Sexualleben« (mit gedämpfter Stimme, damit ich es nicht höre) und zum Schluß vom Teufelsrad »mein Leben als Frau vor den Wechseljahren«.

Doch was mir bei Colombe oft angst macht, ist, daß ich den Eindruck habe, sie empfinde nichts. Alles, was Colombe an Gefühlen zeigt, ist so sehr gespielt, so falsch, daß ich mich frage, ob sie etwas spürt. Und das macht mir manchmal angst. Sie ist vielleicht vollkommen krank, sie versucht vielleicht um jeden Preis, etwas Authentisches zu spüren, und so wird sie vielleicht eine verrückte Tat begehen. Ich sehe schon die Schlagzeilen in den Zeitungen: »Der Nero der Rue de la Grenelle:

Eine junge Frau zündet die Wohnung der Familie an. Nach den Gründen für ihre Tat gefragt, antwortet sie: Ich wollte ein Gefühl empfinden.«

Na ja, ich übertreibe ein wenig. Und es steht mir nun wirklich nicht zu, die Pyromanie anzuprangern. Aber trotzdem, als ich sie heute morgen schreien hörte, weil auf ihrem grünen Mantel Katzenhaare waren, habe ich mir gesagt: Mein armes Mädchen, der Kampf ist von vornherein verloren. Es würde dir besser gehen, wenn du das wüßtest.

11

Die Betrüblichkeit der mongolischen Aufstände

Jemand klopft sachte an die Tür der Loge. Es ist Manuela, die man für den Rest des Tages beurlaubt hat.

»Der Maître liegt im Sterben«, sagt sie zu mir, ohne daß ich feststellen kann, wieviel Ironie sie der Reprise von Chabrots Lamento beimischt. »Sie sind nicht beschäftigt, wir würden den Tee jetzt nehmen?«

Diese Zwanglosigkeit in der Zeitenfolge, dieser Gebrauch des Konditionals in der Frageform ohne Inversion des Verbs, diese Freiheit, die sich Manuela mit der Syntax nimmt, weil sie nur eine arme Portugiesin ist, die zur Sprache des Exils gezwungen ist, haben den gleichen Duft des Altmodischen wie die kontrollierten Wendungen von Chabrot.

»Ich bin auf der Treppe Laura begegnet«, sagt sie und setzt sich mit gerunzelter Stirn. »Sie hielt sich am Geländer fest, als ob sie Lust gehabt hätte zu pinkeln. Als sie mich gesehen hat, ist sie fortgegangen.«

Laura ist die jüngere Tochter der Arthens, ein nettes Mädchen, das selten zu Besuch kommt. Clémence, die Ältere, ist eine schmerzliche Inkarnation der Frustration, eine Frömmlerin, dazu ausersehen, Mann und Kinder bis zum Ende trübseliger, mit Messen, Kirchgemeindefesten und Kreuzstickereien gespickter Tage anzuöden. Jean, der Benjamin, ist rauschgiftsüchtig und auf dem besten Weg, ein Wrack zu werden. Als Kind war er ein hübsches

Kerlchen mit staunenden Augen, das immer hinter dem Vater hertrippelte, als hinge sein Leben davon ab, doch als er mit den Drogen begann, fand eine spektakuläre Veränderung statt: Er bewegte sich nicht mehr. Nach einer Kindheit, die er damit verschwendet hatte, vergeblich hinter Gott herzulaufen, hatten sich seine Bewegungen geradezu verwickelt, er bewegte sich nun ruckweise vorwärts, wobei er auf der Treppe, vor dem Aufzug und im Hof immer längere Pausen einschaltete, und bisweilen schlief er sogar auf meiner Fußmatte oder vor dem Müllraum ein. Als er einmal mit stuporösem Eifer endlos vor der Rabatte der Teerosen und Zwergkamelien verharrte, hatte ich ihn gefragt, ob er Hilfe brauchte, und es war mir durch den Kopf gegangen, daß er immer mehr Neptun glich, mit seinen ungepflegten lockigen Haaren, die ihm über die Schläfen und seine tränenden Augen herabhingen, unter denen eine feuchte, bebende Nase saß.

»Oh, oh nein«, hatte er mir geantwortet, wobei er seine Worte mit den gleichen Pausen skandierte, die seine Bewegungen begleiteten.

»Möchten Sie sich nicht wenigstens hinsetzen?«, hatte ich ihm vorgeschlagen.

»Sich hinsetzen?«, hatte er erstaunt wiederholt. »Oh, oh nein, warum?«

»Um sich ein wenig auszuruhen«, hatte ich gesagt.

»Ah jaaaa«, hatte er geantwortet. »Oh, oh nein.«

Ich überließ ihn also der Gesellschaft der Kamelien und überwachte ihn durchs Fenster. Nach einer sehr langen Weile riß er sich von seiner Blumenbetrachtung los und schleppte sich zu meiner Loge. Ich öffnete, bevor er am Klingeln scheiterte.

»Ich geh ein bißchen weiter«, sagte er zu mir, ohne mich zu sehen, mit seinen flauschigen Ohren, die sich vor seinen Augen verfingen. Und dann, mit einer offensichtlichen Kraftanstrengung: »Jene Blumen … wie heißen sie?«

»Die Kamelien?«, fragte ich überrascht.

»Kamelien …«, wiederholte er langsam, »Kamelien …« »Na dann, vielen Dank, Madame Michel«, sagte er schließlich mit einer Stimme, die wieder erstaunlich fest klang.

Und er machte sich davon. Ich sah ihn wochenlang nicht mehr, bis zu jenem Novembermorgen, als er an meiner Loge vorbeiging und ich ihn nicht wiedererkannte, so tief war er gestürzt. Ja, der Niedergang … Wir sind alle dazu verurteilt, aber wenn ein junger Mann vorzeitig den Punkt erreicht, von dem er sich nicht mehr erheben wird, zeigt er sich so deutlich und so schonungslos, daß sich das Herz vor Mitleid zusammenzieht. Jean Arthens war nur noch ein gemarterter Körper und schleppte sich in einem Leben dahin, das auf der Schneide war. Ich fragte mich mit Schrecken, wie es ihm gelingen würde, die einfachen Handgriffe auszuführen, die die Bedienung des Aufzugs verlangt, als Bernard Grelier, der plötzlich auftauchte und ihn auffing und wie eine Feder emporhob, mir ein Eingreifen ersparte. Ich hatte kurz das Bild dieses reifen, schwachsinnigen Mannes vor Augen, der den Körper eines massakrierten Kindes in den Armen trug, dann verschwanden sie im Schlund der Treppe.

»Aber Clémence wird kommen«, sagt Manuela, die, es ist unglaublich, immer meinen Gedankengängen folgt.

»Chabrot hat mir aufgetragen, sie zu bitten, wieder zu gehen«, sage ich nachdenklich. »Er will nur Paul sehen.«

»Die Baronin hat sich aus Kummer in ein Geschirrtuch geschneuzt«, fügt Manuela hinzu, womit sie Violette Grenier meint.

Ich bin nicht erstaunt. Zur Stunde, da alles zu Ende geht, tritt die Wahrheit wohl oder übel zutage. Das Geschirrtuch gehört zu Violette Grenier wie die Seide zu

Pierre Arthens, und gefangen in seinem Schicksal, ohne weitere Ausweichmöglichkeit, muß sich ihm jeder stellen und am Schluß das sein, was er im Grunde immer gewesen ist, ganz gleich, in welcher Illusion er sich auch hat wiegen wollen. Der Umgang mit der Feinwäsche berechtigt genausowenig zu dieser, wie der Kranke zur Gesundheit berechtigt ist.

Ich schenke den Tee ein, und wir genießen ihn schweigend. Wir haben ihn noch nie am Morgen zusammen getrunken, und dieser Bruch im Protokoll unseres Rituals hat einen seltsamen Reiz.

»Wie angenehm«, murmelt Manuela.

Ja, es ist angenehm, denn wir kosten eine doppelte Gabe, die Gabe, durch diese Zäsur im Gang der Dinge die Unwandelbarkeit eines Rituals gefestigt zu sehen, das wir gemeinsam geprägt haben, damit es sich Nachmittag für Nachmittag in die Realität einkapsle und ihr Sinn und Substanz verleihe, und das, indem es an diesem Morgen übertreten wird, plötzlich seine ganze Kraft erhält – doch wir kosten auch, wie wir es mit einem wertvollen Nektar getan hätten, das wunderbare Geschenk dieses ungehörigen Morgens, wo die mechanischen Gesten einen neuen Impuls erfahren, wo trinken, abstellen, erneut einschenken, das Aroma einsaugen und genüßlich schlürfen dem Erlebnis einer neuen Geburt gleichkommt. Jene Momente, in denen sich uns durch die Kraft eines Rituals, das wir mit um so größerem Vergnügen weiterführen werden, da wir gegen es verstoßen haben, die Verkettung unserer Existenz enthüllt, sind die magischen Einschübe, die das Herz an den Rand der Seele bringen, denn kurz, aber intensiv, ist plötzlich ein bißchen Ewigkeit gekommen, die Zeit zu befruchten. Draußen tobt die Welt oder schläft ein, Kriege werden entfacht, die Menschen leben und sterben, Nationen gehen zugrunde, andere tauchen auf und versinken ihrerseits bald wieder, und in diesem ganzen Lärm und dieser ganzen Raserei, in diesen Ausbrüchen und dieser Brandung, während die Welt sich dreht, in Flammen aufgeht, sich zerfetzt und neu geboren wird, wogt das menschliche Leben.

Trinken wir also eine Tasse Tee.

Wie Kakuzo Okakura, der Autor von ›Das Buch vom Tee‹, der über den Aufstand der mongolischen Volksstämme im 13. Jahrhundert nicht so sehr deshalb betrübt war, weil er Tod und Verzweiflung gebracht, sondern weil er die wichtigste der Früchte der Song-Kultur, die Kunst des Tees, zerstört hatte, weiß ich, daß er kein zweitrangiges Getränk ist. Wenn er zum Ritual wird, bildet er den Kern der Fähigkeit, in den kleinen Dingen Größe zu sehen. Wo ist die Schönheit angesiedelt? In den großen Dingen, die, wie die anderen, verurteilt sind zu sterben, oder in den kleinen, die, ohne Anspruch auf etwas zu erheben, wie einen Edelstein ein Stück Unendlichkeit in den Augenblick einzufügen vermögen?

Die Teezeremonie, diese präzise Erneuerung der gleichen Handgriffe und des gleichen genußvollen Kostens, dieser Zugang zu einfachen, authentischen und raffinierten Empfindungen, diese einem jedem gegebene Freiheit, für wenig Geld ein Aristokrat des Geschmacks zu werden – denn der Tee ist genauso das Getränk der Reichen wie das der Armen –, die Teezeremonie also hat die außergewöhnliche Macht, in die Absurdität unserer Leben eine Lichtung aus beschaulicher Harmonie zu zaubern. Ja, die Welt ist auf die Leere ausgerichtet, die verlorenen Seelen beweinen die Schönheit, die Bedeutungslosigkeit kreist uns ein. Trinken wir also eine Tasse Tee. Stille tritt ein, man hört den Wind draußen blasen, die Herbstblätter rascheln und fliegen davon, die Katze schläft in einem warmen Licht. Und in jedem Schluck verklärt sich die Zeit.

Tiefgründiger Gedanke Nr. 6

Was trinkst du
Was liest du
Beim Frühstück
Und ich weiß wer
Du bist

Jeden Morgen trinkt Papa zum Frühstück einen Kaffee und liest die Zeitung. Mehrere Zeitungen, um genau zu sein: ›Le Monde‹, ›Le Figaro‹, ›Libération‹, und einmal die Woche ›L'Express‹, ›Les Echos‹, ›Times Magazine‹ und ›Courrier International‹. Doch ich sehe genau, daß die größte Befriedigung für ihn die erste Tasse Kaffee mit ›Le Monde‹ ist. Er vertieft sich eine gute halbe Stunde lang in die Lektüre. Um von dieser halben Stunde profitieren zu können, muß er wirklich sehr früh aufstehen, denn seine Tage sind vollkommen ausgefüllt. Doch jeden Morgen, sogar wenn er eine Nachtsitzung hatte und nur zwei Stunden geschlafen hat, steht er um sechs Uhr auf und liest seine Zeitung, während er seinen schön starken Kaffee trinkt. Auf diese Weise baut sich Papa jeden Tag neu auf. Ich sage »baut sich auf«, weil ich denke, daß es jedesmal ein neues Gebäude ist, als wäre in der Nacht alles niedergebrannt und als müßte man wieder ganz von vorne anfangen. So lebt man sein Menschenleben in unserer Welt: Man muß seine Identität als Erwachsener ständig neu aufbauen, dieses wacklige und vergängliche und so zerbrechliche Gefüge, das die Verzweiflung umhüllt und das sich vor dem Spiegel die Lüge erzählt, an die man glauben will. Für Papa sind die Zeitung und der Kaffee der Zauberstab, der ihn in einen wichtigen Mann verwandelt. Wie den Frosch in einen Prinzen. Man muß sagen, daß er eine große Befriedigung darin findet: Ich sehe ihn nie so ruhig und entspannt wie vor seinem Sechsuhrkaffee. Aber der Preis, den er dafür bezahlt! Der Preis, den man dafür bezahlt, ein falsches Leben zu führen! Wenn die Masken fallen, weil eine Krise eintritt – und sie tritt immer ein bei den Sterblichen –, ist die Wahrheit schrecklich! Sehen Sie sich Monsieur Arthens an, den Gastronomiekritiker vom vierten Stock, der im Sterben liegt. Heute mittag kam Mama nach dem Einkaufen in die Wohnung gestürmt, und kaum war sie im Entree, posaunte sie in die Luft hinaus: »Pierre Arthens liegt im Sterben!« Die Luft, das waren Constitution und ich. Ich kann Ihnen gleich sagen, daß es ein Flop war. Mama, die leicht zerzaust war, blickte enttäuscht drein. Als am Abend Papa nach Hause kam, hat sie sich auf ihn gestürzt, um ihm die Neuigkeit mitzuteilen. Papa schien überrascht: »Das Herz? Einfach so, so schnell?«, hat er gefragt.

Ich muß sagen, daß Monsieur Arthens ein wirklich böser Mensch ist. Papa ist nur ein kleiner Junge, der den öden Erwachsenen spielt. Doch Monsieur Arthens … ein Böser erster Wahl. Wenn ich sage böse, meine ich nicht boshaft, grausam oder despotisch, obwohl er auch davon etwas hat. Nein, wenn ich sage »ein wirklich böser Mensch«, will ich sagen, daß er ein Mann ist, der alles, was es vielleicht Gutes in ihm gibt, so sehr verleugnet hat, daß man ihn für eine Leiche halten könnte, auch wenn er noch lebt. Denn die echten Bösen hassen alle, das ist sicher, aber vor allem hassen sie sich selbst. Spüren Sie es nicht, wenn jemand Selbsthaß empfindet? Es führt ihn dazu, tot zu werden, während er noch lebt, und die schlechten Gefühle zu betäuben, aber auch die guten, um den Ekel vor sich selbst nicht zu spüren.

Pierre Arthens, das ist sicher, war ein wirklich böser Mensch. Man sagt, er sei der Papst der Gastronomiekritik und der Champion in der Welt der französischen Küche gewesen. Also, das erstaunt mich nun gar nicht. Wenn Sie meine Meinung hören wollen, die französische Küche ist erbärmlich. So viel Genie, so viel Mittel, so viel Aufwand für ein Resultat, das so schwer ist ... Saucen, Farcen und Backwaren, bis einem der Bauch platzt! So was von schlechtem Geschmack ... Und wenn sie nicht schwer ist, dann ist sie fürchterlich zeremoniell: Man stirbt vor Hunger mit drei stilisierten Radieschen und zwei Jakobsmuscheln in Algengelee auf Tellern, die Zen sein sollen und mit Kellnern, die etwa so fröhlich aussehen wie Totengräber. Am Samstag sind wir in ein oberschickes Restaurant dieser Art, Napoleon's Bar, gegangen. Es war eine Familienfeier zu Colombes Geburtstag, die die Gerichte mit der ihr eigenen Anmut ausgewählt hat: irgend etwas Prätentiöses mit Kastanien, Lamm mit Kräutern, deren Name unaussprechbar war, ein Sabayon mit Grand Marnier (der Gipfel der Scheußlichkeit). Das Sabayon ist das Sinnbild der französischen Küche: etwas, das leicht sein soll, und an dem der erstbeste Christ erstickt. Ich habe keine Vorspeise genommen (ich erspare Ihnen Colombes Bemerkungen über meine dämliche Magersucht), und dann habe ich für dreiundsechzig Euro Meerbarbenfilets an Currysauce gegessen (mit knackigen Zucchini- und Karottenwürfeln unter dem Fisch) und dann für vierunddreißig Euro eine Nachspeise, die mir das am wenigsten Schlimme auf der Karte zu sein schien: ein Fondant aus Bitterschokolade. Ich kann Ihnen sagen: Für das Geld hätte ich lieber ein Jahresabonnement bei McDo gehabt. Dort ist der schlechte Geschmack wenigstens nicht prätentiös. Und ich lasse mich gar nicht erst über die Ausstattung des Lokals und die Dekoration des Tischs aus. Wenn die Franzosen sich von der »Empire«-Tradition mit weinroten Tapeten und einer Menge Goldverzierungen abheben wollen, machen sie auf Krankenhausstil. Man setzt sich auf Le Corbusier-Stühle (»von Corbu«, sagt Mama), man ißt von weißem Geschirr mit geometrischen Formen à la Sowjetbürokratie, und man trocknet sich auf der Toilette die Hände mit Frottierhandtüchern, die so fein sind, daß sie keine Feuchtigkeit aufsaugen. Klarheit, Schlichtheit ist etwas anderes. »Aber was hättest du denn essen wollen?«, hat mich Colombe gereizt gefragt, weil ich es nicht schaffte, meine erste Meerbarbe aufzuessen. Ich habe nicht geantwortet. Weil ich es nicht weiß. Ich bin ja schließlich nur ein kleines Mädchen. Doch in den Mangas scheinen die Figuren anders zu essen. Es scheint einfach, erlesen, maßvoll, köstlich. Man ißt, wie man ein schönes Gemälde anschaut oder in einem schönen Chor singt. Es ist weder zu viel noch zu wenig: maßvoll, im wahren Sinn des Wortes. Vielleicht täusche ich mich vollkommen; doch die französische Küche erscheint mir alt und prätentiös, während die japanische Küche ... ja also, weder jung noch alt scheint. Sondern unvergänglich und göttlich.

Kurz, Monsieur Arthens liegt im Sterben. Ich frage mich, was er jeweils machte am Morgen, um in seine Rolle des Bösen zu schlüpfen. Vielleicht einen ganz starken Kaffee, während er die Konkurrenz las, oder ein amerikanisches Frühstück mit Würsten und Bratkartoffeln. Was machen wir am Morgen? Papa liest die Zeitung und trinkt Kaffee dazu, Mama trinkt Kaffee und blättert dabei in Katalogen, Colombe trinkt Kaffee und hört France Inter und ich, ich trinke Schokolade und lese dabei Mangas. Gegenwärtig lese ich Mangas von Taniguchi, einem Genie, der mich viel über die Menschen lehrt.

Doch gestern habe ich Mama gefragt, ob ich Tee trinken dürfe. Mamie trinkt Schwarztee zum Frühstück, Tee mit Bergamottegeschmack. Auch wenn ich ihn nicht besonders finde, scheint er immer noch netter als der Kaffee, der ein Getränk für Böse ist. Doch gestern abend hat Mama im Restaurant einen Jasmintee bestellt und hat mich probieren lassen. Ich habe das so gut gefunden, geradezu gemacht für mich, daß ich heute morgen gesagt habe, ich wolle in Zukunft Jasmintee zum Frühstück trinken. Mama hat mich mit einem merkwürdigen Ausdruck angeschaut (ihrem Ausdruck »schlecht ausgeschiedene Schlafmittel«) und hat dann gesagt ja ja, mein Mäuschen, du bist jetzt alt genug.

Tee und Manga gegen Kaffee und Zeitung: die Eleganz und der Zauber gegen die traurige Aggressivität der Machtspiele der Erwachsenen.

12

Schattenkomödie

Nachdem Manuela sich verabschiedet hat, gehe ich allerlei spannenden Beschäftigungen nach: Haushalt besorgen, den Fußboden in der Eingangshalle scheuern, Mülltonnen auf die Straße stellen, Prospekte einsammeln, Blumen gießen, das Fressen der Katze zurichten (unter anderem eine Scheibe Schinken mit einer hypertrophen Speckschwarte), meine eigene Mahlzeit zubereiten – kalte chinesische Nudeln mit Tomaten, Basilikum und Parmesan –, Zeitung lesen, Rückzug in mein Refugium, um einen sehr schönen dänischen Roman zu lesen, Krisenmanagement in der Eingangshalle, weil Lotte, die Enkelin der Arthens', Clémences älteste Tochter, vor meiner Loge weint, Granpy wolle sie nicht sehen.

Um einundzwanzig Uhr bin ich fertig, und plötzlich fühle ich mich alt und sehr deprimiert. Der Tod macht mir keine Angst, schon gar nicht der von Pierre Arthens, aber das Unerträgliche ist das Warten, diese schwebende Leere des Noch-Nicht, das uns die Sinnlosigkeit der Schlachten spüren läßt. Ich setze mich in die Küche, hinein in die Stille, ohne Licht, und koste das bittere Gefühl der Absurdität. Meine Gedanken schweifen langsam ab. Pierre Arthens ... Rücksichtsloser Despot, versessen auf Ruhm und Ehre, und doch bis zum Schluß darum bemüht, mit seinen Worten einer nicht faßbaren Schimäre nachzujagen, hin- und hergerissen zwischen dem Streben nach

Kunst und dem Hunger nach Macht … Wo liegt letztlich die Wahrheit? In der Macht oder in der Kunst? Heben wir nicht kraft angelernter Reden die Schöpfungen des Menschen in den Himmel, während wir den Durst nach Herrschaft, der uns alle antreibt – uns alle, ja, einschließlich einer armen Concierge in ihrer bescheidenen Loge, die, mag sie auf die sichtbare Macht auch verzichtet haben, in ihrem Geist nichtsdestoweniger Machtträume verfolgt –, des Verbrechens trügerischer Eitelkeit bezichtigen?

Wie verläuft also das Leben? Tapfer bemühen wir uns Tag für Tag, unsere Rolle in dieser Schattenkomödie zu spielen. Primaten, die wir sind, besteht der Hauptteil unserer Aktivität darin, unser Territorium zu erhalten und zu unterhalten, auf daß es uns Schutz gewähre und unser Selbstgefühl hebe, auf der hierarchischen Leiter der Sippe aufzusteigen oder nicht abzusteigen und, sowohl zum Vergnügen als auch der verheißenen Nachkommenschaft willen, auf alle möglichen Arten Unzucht zu treiben – und sei es in der Phantasie. So setzen wir einen nicht unbedeutenden Teil unserer Energie dazu ein, den anderen einzuschüchtern oder zu verführen, da diese beiden Strategien allein das territoriale, hierarchische und sexuelle Streben sichern, das unseren *conatus* anregt. Doch nichts von alledem gelangt in unser Bewußtsein. Wir sprechen von Liebe, von Gut und Böse, von Philosophie und Kultur, und wir haken uns an diesen ehrenwerten Ikonen fest wie die durstige Zecke an einem großen warmen Hund.

Doch bisweilen erscheint uns das Leben als eine Schattenkomödie. Wie aus einem Traum gerissen, sehen wir uns beim Handeln zu, und fassungslos darüber, wieviel Energie die Wahrung unserer primitiven Bedürfnisse verlangt, fragen wir uns verblüfft, wo die Kunst geblieben ist.

Unser besessenes Fratzenreißen und Augenzwinkern erscheint uns plötzlich als der Gipfel der Belanglosigkeit, unser behagliches Nest, Frucht einer zwanzigjährigen Verschuldung, als eine sinnlose barbarische Sitte, und unsere so hart errungene und so ewig prekäre Position auf der gesellschaftlichen Leiter als plumpe Eitelkeit. Was unsere Nachkommenschaft anbelangt, so betrachten wir sie mit einem neuen und entsetzten Auge, denn ohne die Fassade des Altruismus erscheint der Akt des Sich-Fortpflanzens zutiefst unangebracht. Bleiben nur die sexuellen Freuden; doch mitgerissen vom Strom der Urnöte gehen sie unter, denn die Gymnastik ohne die Liebe paßt nicht in den Rahmen dessen, was man uns gelehrt hat.

Die Ewigkeit entzieht sich uns.

An jenen Tagen, da auf dem Altar unserer innersten Natur alle romantischen, politischen, intellektuellen, metaphysischen und moralischen Überzeugungen, die man uns in Jahren der Unterweisung und Erziehung einzuprägen versucht hat, ins Wanken geraten, versinkt die Gesellschaft, ein von großen hierarchischen Wellen durchflutetes territoriales Gebiet, im Nichts des Sinns. Keine Reichen und Armen mehr, keine Denker, Forscher, Entscheidungsträger, Sklaven, keine Guten und Bösen, keine Erfinderischen und Gewissenhaften, Gewerkschafter und Individualisten, Progressisten und Konservativen; es gibt nur noch primitive Hominiden, deren Fratzen und Lächeln, Gangart und Putz, Sprache und Kode, eingetragen auf der genetischen Karte des Durchschnittsprimaten, nichts anderes bedeuten als: die Rangstufe halten oder sterben.

An diesen Tagen haben Sie ein verzweifeltes Bedürfnis nach Kunst. Sie verspüren das brennende Verlangen, an Ihre geistigen Illusionen anzuknüpfen, Sie haben den glühenden Wunsch, etwas möge Sie vom biologischen

Schicksal erretten, damit Poesie und Größe nicht ganz aus dieser Welt verbannt seien.

Dann trinken Sie eine Tasse Tee oder sehen sich einen Film von Ozu an, um sich aus dem Reigen der Gefechte und Schlachten zurückzuziehen, die zu den unserem herrschsüchtigen Geschlecht vorbehaltenen Bräuchen gehören, und um diesem leidenschaftlichen Theater den Stempel der Kunst und ihrer wichtigsten Werke aufzuprägen.

13

Ewigkeit

Um einundzwanzig Uhr lege ich also eine Kassette mit einem Film von Ozu in den Videorekorder, ›Die Munakata-Schwestern‹. Es ist mein zehnter Ozu in diesem Monat. Warum? Weil Ozu ein Genie ist, das mich vor dem biologischen Schicksal errettet.

Alles begann damit, daß ich Angela, der jungen Bibliothekarin, eines Tages anvertraute, daß ich die frühen Filme von Wim Wenders gerne mochte, und sie mir sagte: »Ah, und haben Sie ›Tokyo-Ga‹ gesehen?« Und wenn man ›Tokyo-Ga‹ gesehen hat, diesen außergewöhnlichen Dokumentarfilm über Ozu, dann hat man natürlich Lust, Ozu kennenzulernen. Ich habe also Ozu kennengelernt, und zum ersten Mal in meinem Leben hat mich die Filmkunst zum Lachen und zum Weinen gebracht wie echte Unterhaltung.

Ich lasse die Kassette laufen und schlürfe einen Jasmintee. Ab und zu gehe ich zurück, dank diesem profanen Rosenkranz, den man Fernbedienung nennt.

Und da kommt eine wunderbare Szene.

Der Vater, gespielt von Chishu Ryu, Ozus Kultschauspieler, der Ariadnefaden in seinem Werk, ein wunderbarer Mann, der Wärme und Bescheidenheit ausstrahlt, der Vater also, der bald sterben wird, plaudert mit seiner Tochter Setsuko über den Spaziergang in Kyoto, von dem sie eben zurückkommen. Sie trinken Sake.

DER VATER
Und dieser Moostempel! Das Licht brachte das Moos noch mehr zur Geltung.
SETSUKO
Und auch diese Kamelie auf dem Moos.
DER VATER
Ah, du hast sie bemerkt? Wie schön es war! *(Schweigen)* Im alten Japan gibt es schöne Dinge. *(Schweigen)* Diese Manier, das alles für schlecht zu erklären, scheint mir übertrieben.

Der Film geht weiter, und ganz am Schluß ist da jene letzte Szene, in einem Park, als Setsuko, die Ältere, sich mit Mariko unterhält, ihrer kapriziösen jüngeren Schwester.

SETSUKO, *mit strahlendem Gesicht*
Sag mir, Mariko, weshalb sind die Berge von Kyoto violett?
MARIKO, *schalkhaft*
Ja, tatsächlich. Sie sehen aus wie ein Pudding aus Azukibohnen.
SETSUKO, *lächelnd*
Eine sehr hübsche Farbe.

Im Film geht es um enttäuschte Liebe, arrangierte Ehen, Abstammung, Geschwister, um den Tod des Vaters, um das alte und das neue Japan und auch um den Alkohol und die Gewalttätigkeit der Männer.

Doch es geht vor allem um etwas, das sich uns Abendländern entzieht und das allein die japanische Kultur erhellt. Weshalb rufen diese beiden kurzen Szenen, die nicht erklärt werden und durch nichts in der Handlung begründet sind, eine so starke Emotion hervor und umfassen den ganzen Film wie unbenennbare Parenthesen?

Und hier ist der Schlüssel zum Film.

SETSUKO

Das echte Neue ist das, was nicht alt wird, trotz der Zeit.

Die Kamelie auf dem Moos des Tempels, das Violett der Berge von Kyoto, eine Tasse aus blauem Porzellan, dieses Aufblühen der reinen Schönheit inmitten vergänglicher Leidenschaften, ist es nicht das, wonach wir alle streben? Und was wir, die Zivilisationen des Westens, nicht zu erreichen vermögen?

Die Betrachtung der Ewigkeit in der Bewegung des Lebens.

Tagebuch der Bewegung der Welt Nr. 3

So hol sie doch ein!

Wenn ich bedenke, daß es Leute gibt, die keinen Fernseher haben! Wie machen die das? Ich könnte stundenlang fernsehen. Ich stelle den Ton ab und schaue. Ich habe dann das Gefühl, die Dinge mit Röntgenstrahlen zu sehen. Wenn Sie nämlich den Ton abstellen, nehmen Sie die Verpackung weg, das schöne Seidenpapier, das einen Schund zu zwei Euro umhüllt. Wenn Sie sich die Filmbeiträge der Fernsehnachrichten auf diese Weise ansehen, werden Sie merken: Die Bilder haben überhaupt keinen Zusammenhang untereinander, das einzige, was sie verbindet, ist der Kommentar, der eine chronologische Abfolge von Bildern als eine reelle Abfolge von Tatsachen ausgibt.

Also kurz, ich liebe das Fernsehen. Und heute nachmittag habe ich eine interessante Bewegung der Welt gesehen: einen Wettkampf in Wasserspringen. Eigentlich mehrere Wettkämpfe. Es war eine Rückschau auf die Weltmeisterschaften in dieser Disziplin. Es gab individuelle Sprünge mit vorgeschriebenen Figuren und freien Figuren, es gab Springer und Springerinnen, aber was mich vor allem interessierte, das waren die Sprünge zu zweit. Neben der individuellen Leistung mit jeder Menge Schrauben, Saltos und Drehungen müssen die Sprünge synchron sein. Nicht mehr oder weniger zusammen, nein: ganz genau zusammen, auf die Tausendstelsekunde.

Am lustigsten ist es, wenn die Springer eine sehr unterschiedliche Morphologie haben: ein kleiner Untersetzter mit einem langen Dünnen. Man sagt sich: Das kann gar nicht gehen, physikalisch gesehen, sie können nicht gemeinsam abspringen und gleichzeitig landen, aber sie schaffen es, stellen Sie sich vor. Die Lehre daraus lautet: In der Welt ist alles Kompensation. Wenn man weniger schnell ist, stößt man sich stärker ab. Aber den Stoff für mein Tagebuch habe ich gefunden, als sich zwei junge Chinesinnen auf dem Sprungbrett präsentierten. Zwei langgliedrige Göttinnen mit glänzenden schwarzen Zöpfen, die Zwillinge hätten sein können, so sehr glichen sie einander, doch der Kommentator hat präzisiert, daß sie nicht einmal Schwestern sind. Kurz, sie kamen aufs Sprungbrett, und vermutlich ging es allen wie mir: Ich hielt den Atem an.

Nach ein paar anmutigen Hüpfern sind sie gesprungen. Die ersten Millisekunden waren perfekt. Ich habe die Perfektion in meinem Körper gespürt; es hat offenbar mit »Spiegelneuronen« zu tun: Wenn man jemandem bei einer Handlung zuschaut, werden in unserem Kopf, ohne daß wir etwas tun, die gleichen Neuronen aktiviert wie jene, die beim anderen für seine Handlung aktiviert werden. Ein akrobatischer Sprung, ohne sich vom Sofa zu rühren und während man Chips ißt: Das ist der Grund, warum man sich im Fernsehen so gerne Sport anschaut. Kurz, die zwei Grazien springen, und ganz am Anfang ist es reine Ekstase. Und dann, oh Schreck! Plötzlich hat man das Gefühl, daß es eine ganz, ganz leichte Verschiebung zwischen ihnen gibt. Man starrt mit verkrampftem Magen auf den Bildschirm: Kein Zweifel, da gibt es eine Verschiebung. Ich weiß, daß es verrückt klingt, wenn ich das so erzähle, wo der Sprung doch insgesamt vermutlich nicht mehr als drei Sekunden dauert, aber gerade weil er nur drei Sekunden dauert, schaut man sich alle Phasen davon an, als dauerten sie ein Jahrhundert. Und jetzt ist es ganz eindeutig, man kann sich nichts mehr vormachen: Sie sind nicht synchron! Die eine wird vor der anderen ins Wasser tauchen! Es ist schrecklich!

Und plötzlich habe ich den Fernseher angeschrieen: »So hol sie doch ein, so hol sie doch ein!« Ich empfand eine unglaubliche Wut auf diejenige, die getrödelt hatte. Angewidert habe ich mich wieder ins Sofa gedrückt. Na? Ist das jetzt die Bewegung der Welt? Eine winzig kleine Verschiebung, die die Möglichkeit der Perfektion für immer ruiniert? Ich war mindestens eine halbe Stunde lang in miesester Laune. Und dann habe ich mich plötzlich gefragt: Warum wollte man unbedingt, daß sie die andere einholt? Warum schmerzt es so, wenn die Bewegung nicht synchron ist? Das ist nicht sehr schwer zu erraten: All die Dinge, die an uns vorbeiziehen, die wir um Haaresbreite versäumen und die wir für alle Ewigkeit verpaßt haben ... All die Wörter, die wir hätten sagen sollen, die Gesten, die wir hätten machen sollen, all die Kairos, die eines Tages blitzartig aufgetaucht sind, ohne daß wir sie zu fassen vermochten, und die für immer im Nichts versunken sind ... Der Mißerfolg um Haaresbreite ... Doch ist mir vor allem ein anderer Gedanke gekommen, wegen der »Spiegelneuronen«. Ein verwirrender Gedanke übrigens, der wohl eine leicht Proustsche Note hat (was mich ärgert). Was wäre, wenn die Literatur ein Fernseher wäre, in den wir gucken, um unsere Spiegelneuronen zu aktivieren und uns für wenig Geld das prickelnde Gefühl der Aktion zu verschaffen? Und was, schlimmer noch, wenn die Literatur ein Fernseher wäre, der uns alles zeigt, was wir verpassen?

Na dann, gute Nacht, Bewegung der Welt! Etwas hätte die Perfektion sein können, und es ist eine Katastrophe. Etwas müßte wirklich gelebt werden, und es ist immer nur ein Ersatzgenuß.

Ich frage Sie also: Wozu noch auf dieser Welt bleiben?

14

Da meldet sich das Alte Japan

Am nächsten Tag klingelt Chabrot an meiner Loge. Er scheint sich wieder gefaßt zu haben, die Stimme zittert nicht, die Nase ist trocken, gebräunt. Doch er sieht aus wie ein Geist.

»Pierre ist gestorben«, sagt er mit metallischer Stimme.

»Das tut mir leid«, sage ich.

Es tut mir aufrichtig leid für ihn, denn wenn Pierre Arthens auch nicht mehr leidet, so wird Chabrot lernen müssen, im Zustand eines Toten zu leben.

»Die Leute vom Bestattungsinstitut werden kommen«, fügt Chabrot in seinem geisterhaften Ton hinzu. »Ich wäre Ihnen sehr dankbar, wenn Sie sie zur Wohnung führen könnten.«

»Natürlich«, sage ich.

»Ich komme in zwei Stunden wieder, um mich um Anna zu kümmern«.

Er schaut mich einen Moment lang schweigend an.

»Danke«, sagt er – zum zweiten Mal in zwanzig Jahren.

Ich bin versucht, gemäß den altüberlieferten Traditionen der Conciergen zu antworten, aber ich weiß nicht weshalb, die Wörter kommen mir nicht über die Lippen. Vielleicht deshalb, weil Chabrot nicht wiederkehren wird, weil angesichts des Todes die Festungen einstürzen, weil ich an Lucien denke, weil der Takt schließlich ein Mißtrauen verbietet, das eine Beleidigung der Verstorbenen wäre.

So sage ich also nicht: »Keine Ursache.«

Sondern: »Wissen Sie ... es kommt alles zur rechten Zeit.«

Das mag wie eine Volksweisheit klingen, obschon es auch die Worte sind, die General Kutusow in ›Krieg und Frieden‹ an Fürst Andrej richtet.

»Ja, da haben sie mir nicht wenig Vorwürfe gemacht, sowohl für den Krieg als auch für den Frieden. Aber es kam alles zur rechten Zeit.«

Ich würde viel darum geben, das Buch im Original lesen zu können. Was mir an dieser Passage immer gefallen hat, ist die Zäsur, die Pendelbewegung zwischen Krieg und Frieden, dieses Hin- und Herfließen im Sich-Erinnern, wie die Gezeiten, die am Strand die Früchte des Ozeans forttragen und wieder herantragen. Ist dies eine Marotte des Übersetzers, der ein nüchternes Russisch ausschmückt – *man hat mir genug Vorwürfe gemacht für den Krieg und für den Frieden* – und der durch den Fluß dieses Satzes, den kein Komma unterbricht, meine maritimen Hirngespinste in den Bereich der haltlosen Extravaganzen verweist, oder macht es die eigentliche Essenz dieses herrlichen Textes aus, der mir noch heute Freudentränen entlockt?

Chabrot nickt sanft mit dem Kopf, dann geht er weg.

Der restliche Morgen verläuft in Trübsinn. Ich hege nicht die geringste postume Sympathie für Arthens, und doch sitze ich trostlos herum, ohne auch nur lesen zu können. Der glückliche Spalt, der sich mit der Kamelie auf dem Moos des Tempels in der Roheit der Welt geöffnet hatte, hat sich ohne Aussicht auf Hoffnung wieder geschlossen, und die Düsterkeit all dieser Niedergänge quält mein bitteres Herz.

Da meldet sich das Alte Japan. Aus einer Wohnung dringt eine Melodie zu mir herunter, deutlich, klar und heiter. Jemand spielt auf dem Klavier ein klassisches

Stück. Ach, welch überraschender, süßer Moment, der den Schleier der Melancholie zerreißt … In einem Bruchteil von Ewigkeit schlägt alles um und verklärt sich. Ein Musikstück aus einem unbekannten Zimmer, ein wenig Perfektion im Fluß der menschlichen Dinge – ich neige sanft den Kopf, ich denke an die Kamelie auf dem Moos des Tempels, an eine Tasse Tee, während draußen der Wind das Blätterwerk liebkost, das flüchtige Leben erstarrt zu einem Juwel ohne Dauer und ohne Ziel, das Schicksal der Menschen, errettet vor der trüben Abfolge der Tage, erstrahlt endlich im Licht, erhebt sich über die Zeit und entflammt mein ruhiges Herz.

15

Pflicht der Reichen

Die Zivilisation, das ist die gebändigte Gewalt, der stets unvollkommene Sieg über die Aggressivität des Primaten. Denn Primaten waren wir, Primaten bleiben wir, eine Kamelie auf Moos, an der uns zu erfreuen wir gelernt haben. Hierin liegt die ganze Funktion der Erziehung. Was heißt erziehen? Erziehen heißt, als Ablenkung vom Trieb der Gattung unermüdlich Kamelien auf Moos bereitzuhalten, denn der Trieb hört nie auf und bedroht fortwährend das fragile Gleichgewicht des Überlebens.

Ich bin ganz Kamelie auf Moos. Nichts anderes, wenn man es recht bedenkt, könnte meine Abgeschiedenheit in dieser trostlosen Loge erklären. Seit Anbeginn meiner Existenz von deren Nichtigkeit überzeugt, hätte ich die Auflehnung wählen und, indem ich den Himmel zum Zeugen für die Ungerechtigkeit meines Loses anrief, aus den Gewaltquellen schöpfen können, die unser Stand birgt. Doch die Schule machte aus mir eine Seele, die die Leere ihres Schicksals nur zur Entsagung und zur Zurückgezogenheit geführt hat. Das Entzücken meiner zweiten Geburt hatte in mir den Boden der Triebbeherrschung bereitet; da die Schule mir zur Geburt verholfen hatte, schuldete ich ihr Ergebenheit, und ich fügte mich also den Absichten meiner Erzieher, indem ich willig zu einem zivilisierten Wesen wurde. In der Tat, wenn der Kampf gegen die Aggressivität des Primaten sich so wunderbarer

Waffen wie der Bücher und Wörter bemächtigt, ist das Unternehmen einfach, und so wurde ich zu einer gebildeten Seele, die aus den Schriftzeichen die Kraft schöpfte, sich der eigenen Natur zu widersetzen.

Ich war daher ziemlich erstaunt über meine Reaktion, als ich Antoine Pallières, nachdem er drei Mal herrisch an meiner Loge geklingelt hatte und, ohne mich zu grüßen, mit geißelnder Redseligkeit vom Verschwinden seines verchromten Rollers zu erzählen begann, die Tür vor der Nase zugeschlagen habe, wobei ich fast den Schwanz meiner Katze amputiert hätte, die gerade hinausschlüpfte.

Von wegen Kamelie auf Moos, habe ich zu mir gesagt.

Und da ich Leo die Möglichkeit verschaffen mußte, in sein Quartier zurückzukehren, habe ich die Tür, kaum hatte ich sie zugeschlagen, sogleich wieder geöffnet.

»Verzeihung«, habe ich gesagt, »ein Luftzug.«

Antoine Pallières hat mich angeschaut mit dem Ausdruck von jemandem, der sich fragt, ob er wirklich gesehen hat, was er gesehen hat. Doch da er geübt ist in der Vorstellung, daß nur passiert, was passieren muß, so, wie auch die Reichen sich davon überzeugen, daß ihr Leben einer himmlischen Furche folgt, die die Macht des Geldes auf natürliche Weise für sie zieht, hat er beschlossen, mir zu glauben. Unsere Fähigkeit, uns selbst zu manipulieren, damit der Sockel unserer Überzeugungen nicht ins Wanken gerät, stellt ein faszinierendes Phänomen dar.

»Ach so, ja«, hat er gesagt, »ich bin sowieso vor allem gekommen, um Ihnen von meiner Mutter das da zu geben.«

Und er hat mir einen weißen Umschlag gereicht.

»Danke«, habe ich gesagt und ihm die Tür ein zweites Mal vor der Nase zugeschlagen.

Und nun bin ich in der Küche, mit dem Umschlag in der Hand.

»Aber was habe ich nur heute morgen?«, frage ich Leo.

Der Tod von Pierre Arthens läßt meine Kamelien verwelken.

Ich öffne den Umschlag und lese die kurze Nachricht, geschrieben auf die Rückseite einer Visitenkarte aus so glattem Glanzpapier, daß die Tinte über die bestürzten Löschblätter gesiegt hat und unter jedem Buchstaben leicht verlaufen ist.

Madame Michel,
könnten Sie, heute nachmittag
die Pakete der Reinigung entgegennehmen?
Ich hole sie heute abend in Ihrer Loge ab.
Vielen Dank im voraus,
Hingekritzelte Unterschrift

Ich war nicht auf einen solch heimtückischen Angriff gefaßt. Vor Erschütterung lasse ich mich auf den nächsten Stuhl fallen. Ich frage mich übrigens, ob ich nicht ein wenig verrückt bin. Reagieren Sie auch so, wenn Ihnen so etwas passiert?

Also:

Die Katze schläft.

Hat das Lesen dieses harmlosen Satzes kein Schmerzgefühl, kein Aufflackern von Leiden in Ihnen bewirkt? Das ist legitim.

Und jetzt:

Die Katze, schläft.

Ich wiederhole, damit es ganz unmißverständlich ist:

Die Katze Komma schläft.

Könnten Sie, heute nachmittag die Pakete der Reinigung …

Auf der einen Seite haben wir diesen wundervollen Gebrauch des Kommas, das, indem es der Sprache einen Rhythmus verleiht, deren Form verherrlicht:

Ja, da haben sie mir nicht wenig Vorwürfe gemacht, sowohl für den Krieg als auch für den Frieden ...

Und auf der anderen Seite haben wir Sabine Pallières Gekleckse auf Velinpapier, in dem der Satz von einem zum Dolch gewordenen Komma durchbohrt wird.

Könnten Sie, heute nachmittag die Pakete der Reinigung entgegennehmen?

Wäre Sabine Pallières eine brave, unter einem Feigenbaum von Faro geborene Portugiesin gewesen, eine frisch aus Puteaux emigrierte Concierge oder eine von ihrer barmherzigen Familie geduldete geistig Behinderte, ich hätte diese schuldhafte Lässigkeit bereitwillig verzeihen können. Doch Sabine Pallières ist eine Reiche. Sabine Pallières ist die Frau eines Moguls der Rüstungsindustrie, Sabine Pallières ist die Mutter eines Idioten in tannengrünem Dufflecoat, der nach seinen zwei Vorbereitungsklassen und einem Politologiestudium die Mittelmäßigkeit seiner belanglosen Gedanken vermutlich in einem Regierungskabinett der Rechten verströmen wird, und Sabine Pallières ist darüber hinaus die Tochter eines Biests in Pelzmantel, das Mitglied des Lektorengremiums eines sehr großen Verlagshauses ist, und so über und über mit Schmuck behangen, daß ich manchmal auf den Zusammenbruch lauere.

Aus all diesen Gründen ist Sabine Pallières nicht entschuldbar. Die Gunstbeweise des Schicksals haben einen Preis. Für den, der vom Leben mit Nachsicht behandelt wird, ist die Pflicht zur Strenge im Umgang mit der Schönheit verbindlich. Die Sprache, dieser Reichtum des Menschen, und ihr Gebrauch, dieses Erzeugnis der sozialen Gemeinschaft, sind unverletzliche Werke. Daß sie sich im Laufe der Zeit entwickeln, verändern, in Vergessenheit geraten und neu entstehen, während der Verstoß gegen sie bisweilen zur Quelle einer größeren Fruchtbarkeit wird, ändert nichts an der Tatsache, daß man, will man sich mit ihnen dieses Recht zum Spielen und zur Veränderung herausnehmen, ihnen zuvor volle Unterwerfung gelobt haben muß. Die Erwählten der Gesellschaft, diejenigen, die das Geschick von jenen Zwängen ausnimmt, die das Los des armen Mannes sind, haben demnach den zweifachen Auftrag, die Herrlichkeit der Sprache zu verehren und zu respektieren. Daß schließlich eine Sabine Pallières falschen Gebrauch von der Zeichensetzung macht, ist eine Blasphemie, die um so schlimmer ist, als gleichzeitig großartige Dichter, die in stinkigen Wohnwagen oder in Müllstädten geboren wurden, jene heilige Ehrfurcht vor der Schönheit haben, die ihr gebührt.

Den Reichen die Pflicht zum Schönen. Andernfalls verdienen sie zu sterben.

Genau an diesem Punkt meiner aufgebrachten Überlegungen klingelt jemand an meiner Loge.

Tiefgründiger Gedanke Nr. 7

Aufbauen
Du lebst
Du stirbst
Das sind
Konsequenzen

Je mehr Zeit vergeht, desto entschlossener bin ich, die Wohnung anzuzünden. Und erst recht, Selbstmord zu begehen. Man stelle sich vor: Ich habe von Papa einen Rüffel bekommen, weil ich einen seiner Gäste verbessert habe, der etwas Falsches gesagt hat. Es war der Vater von Tibère. Tibère ist der Freund meiner Schwester. Er ist an der gleichen Hochschule wie sie, aber er macht Mathe. Wenn ich bedenke, daß das die sogenannte Elite ist … Den einzigen Unterschied, den ich zwischen Colombe, Tibère, ihren Freunden und einer Bande Jugendlicher »aus dem Volk« ausmachen kann, ist, daß meine Schwester und ihre Kumpel dümmer sind. Man trinkt, man raucht, man redet wie in den Vorstadtsiedlungen, und man drischt Phrasen wie: »Hollande hat Fabius mit seinem Referendum abgeschossen, habt ihr das gesehen, ein echter Killer, der Macker« (echt wahr) oder: »Alle SL (Studienleiter), die in den letzten zwei Jahren ernannt worden sind, sind im Grunde Faschisten, die Rechte riegelt ab, mit seinem Doktorvater soll man keinen Mist bauen« (ganz frisch von gestern). Eine Schublade tiefer tönt es so: »Also, die Blonde, auf die J.-B. es abgesehen hat, ist eine Anglistin, eine Blonde eben« (idem), und noch eine Schublade tiefer: »Er war dufte, der Vortrag von Marian, als er gesagt hat, daß die Existenz nicht das wichtigste Merkmal von Gott ist« (idem, gleich nach Abschluß des Kapitels blonde Anglistin). Was soll ich von so etwas denken? Und hier der Gipfel (Wort für Wort): »Atheist sein heißt noch lange nicht, daß man nicht fähig ist, die Macht der metaphysischen Ontologie zu sehen. Jäa, was zählt, ist die begriffliche Macht, nicht die Wahrheit. Und Marian, der fiese Pfaff, der kennt sich ja wohl aus, der Kerl, das beruhigt.«

Die weißen Perlen
Auf meine Ärmel gefallen als das Herz noch voll
Wir auseinandergingen
Ich nehme sie mit
Als ein Andenken an Sie.
(Kokinshu)

Ich habe mir Mamas Ohropax aus gelbem Schaumstoff reingestöpselt und die Haikus in Papas Anthologie der klassischen japanischen Dichtung gelesen, um ihre Degeneriertengespräche nicht mit anzuhören. Danach sind Colombe und Tibère allein geblieben und haben widerliche Geräusche gemacht, obwohl sie genau wußten, daß ich sie hörte. Zu allem Unglück ist Tibère zum Essen geblieben, weil Mama seine Eltern eingeladen hatte. Tibères Vater ist Filmproduzent, seine Mutter hat eine Kunstgalerie am Quai de Seine. Colombe ist völlig verrückt nach Tibères Eltern, sie fährt nächstes Wochenende mit ihnen nach Venedig, halleluja, drei Tage lang werde ich meine Ruhe haben.

Beim Essen hat Tibères Vater also gesagt: »Wie, Sie kennen das Go nicht, dieses großartige japanische Spiel? Ich produziere gegenwärtig eine Bearbeitung des Romans von Sa Shan, ›Die Go-Spielerin‹, es ist ein ganz fa-bel-haftes Spiel, das japanische Gegenstück zum Schach. Noch eine Erfindung, die wir den Japanern zu verdanken haben, fa-bel-haft, sage ich Ihnen!« Und er fing an, die Spielregeln des Go zu erklären. Völliger Unsinn, was er daherredete. Erstens wurde das Go von den Chinesen erfunden. Ich weiß es, weil ich den Kultmanga über das Go gelesen habe. Er heißt ›Hikaru No Go‹. Und zweitens ist es kein japanisches Gegenstück zum Schach. Abgesehen davon, daß es ein Brettspiel ist und daß zwei Gegner mit schwarzen und weißen Steinen gegeneinander antreten, sind die beiden Spiele so verschieden wie ein Hund und eine Katze. Beim Schach muß man töten, um zu gewinnen. Beim Go muß man aufbauen, um zu leben. Und drittens waren gewisse von Monsieur-ich-bin-der-Vater-eines-Idioten dargelegte Regeln falsch. Das Ziel des Spiels ist nicht, den anderen zu bezwingen, sondern ein größeres Gebiet aufzubauen. Die Regel beim Schlagen der Steine lautet, daß »Selbstmord« erlaubt ist, wenn dabei ein gegnerischer Stein geschlagen wird, und nicht, daß es ausdrücklich verboten ist, einen Stein so zu setzen, daß er automatisch geschlagen wird. Usw.

Als Monsieur-ich-habe-eine-Pustel-in-die-Welt-gesetzt dann gesagt hat: »Das Rangsystem der Spieler beginnt beim 1. Kyu, und dann steigt man auf bis zum 30. Kyu, danach kommen die Dan: 1. Dan, 2. Dan usw.«, konnte ich mich nicht mehr zurückhalten, ich habe gesagt: »Nein, in umgekehrter Reihenfolge: Es beginnt beim 30. Kyu und dann steigt man auf bis zum 1.«

Doch Monsieur-verzeihen-Sie-mir-denn-ich-wußte-nicht-was-ich-tat hat mit verärgerter Miene darauf beharrt: »Nein, mein liebes Fräulein, ich glaube tatsächlich, ich habe recht.« Ich schüttelte den Kopf, während Papa die Stirn runzelte und mich anblickte. Das Schlimmste ist, daß Tibère mich gerettet hat. »Aber ja doch, Papa, sie hat recht, der 1. Kyu ist der höchste Rang.« Tibère ist ein Mathefreak, er spielt Schach und Go. Ich verabscheue diesen Gedanken. Die schönen Dinge sollten den schönen Menschen gehören. Wie auch immer, Tibères Vater hatte unrecht, und Papa hat nach dem Essen wütend zu mir gesagt: »Wenn du den Mund nur aufmachst, um unsere Gäste lächerlich zu machen, dann behalte ihn gefälligst zu.« Was hätte ich tun sollen? Den Mund aufmachen wie Colombe, um zu sagen: »Ich bin ganz perplex über das Programm am Théâtre des Amandiers«, während sie unfähig wäre, einen Vers von Racine zu zitieren, geschweige denn, dessen Schönheit zu erkennen? Den Mund aufmachen, um wie Mama zu sagen: »Es heißt, die letztjährige Biennale sei sehr enttäuschend gewesen«, wo sie sich doch für ihre Pflanzen umbringen und dabei das gesamte Werk von Vermeer verbrennen lassen würde? Den Mund aufmachen, um wie Papa zu sagen: »Frankreichs kulturelle Ausnahmesituation ist ein subtiles Paradox«, was Wort für Wort das gleiche ist, was er bei den letzten sechzehn Einladungen gesagt hat? Den Mund aufmachen wie Tibères Mutter, um zu sagen: »Man findet heutzutage in Paris kaum noch gute Käsehändler«, im Einklang immerhin mit ihrer innersten Natur der Geschäftsfrau aus der Auvergne?

Wenn ich ans Go denke … Ein Spiel, das zum Ziel hat, ein Gebiet aufzubauen, ist zwangsläufig schön. Es kann zwar Kampfphasen geben, aber sie sind nur Mittel, die dem Ziel dienen, nämlich seinen Gebieten zum Überleben zu verhelfen. Einer der schönsten Erfolge des Go-Spiels ist, daß damit bewiesen wird, daß man zum Gewinnen nicht nur selbst leben, sondern auch den anderen leben lassen muß. Wer allzu gierig ist, verliert die Partie: Es handelt sich um ein subtiles Gleichgewichtsspiel, bei dem man den eigenen Vorteil wahrnehmen muß, ohne den anderen zu vernichten. Im Grunde sind das Leben und der Tod nur die Konsequenzen eines gut oder schlecht geführten Aufbaus. Wie eine der Figuren von Taniguchi sagt: Ob du lebst oder stirbst, das sind Konsequenzen. Das ist ein Sprichwort für das Go-Spiel und ein Sprichwort für das Leben.

Leben, sterben: das ist nur eine Konsequenz dessen, was man aufgebaut hat. Was zählt ist, daß man gut baut. Und so habe ich mir eine neue Pflicht auferlegt. Ich werde aufhören zu zerstören, abzubauen, ich werde beginnen aufzubauen. Sogar aus Colombe werde ich etwas Positives machen. Was zählt ist das, was man gerade tut, wenn man stirbt, und am 16. Juni möchte ich sterben, während ich aufbaue.

16

Der Spleen von Constitution

Der Jemand, der geklingelt hat, entpuppt sich als die reizende Olympe Saint-Nice, die Tochter des Diplomaten vom zweiten Stock. Ich mag Olympe Saint-Nice. Ich finde, es braucht eine beachtliche Charakterstärke, um einen so lächerlichen Vornamen zu überleben, vor allem, wenn man weiß, daß er der Unglücklichen während der ganzen endlos erscheinenden Adoleszenz so erheiternde Sprüche beschert wie »He, Olympe, kann ich auf deinen Berg steigen?« Überdies möchte Olympe Saint-Nice offenbar nicht werden, wozu ihre Herkunft sie bestimmt. Sie strebt weder die reiche Partie an noch die Alleen der Macht, noch die Diplomatenlaufbahn, und noch viel weniger Berühmtheit. Olympe Saint-Nice will Tierärztin werden.

»In der Provinz«, hat sie mir eines Tages anvertraut, als wir uns unter meiner Tür über Katzen unterhielten. »In Paris gibt es nur Kleintiere. Ich will auch Kühe und Schweine.«

Olympe macht auch nicht so ein Gehabe wie gewisse Bewohner der Residenz, um anzuzeigen, daß sie sich mit der Concierge unterhält, weil sie guterzogen-links-ohne-Vorurteile ist. Olympe redet mit mir, weil ich eine Katze habe, was uns beide in eine Interessengemeinschaft einbindet, und ich weiß diese Fähigkeit, sich über Schranken hinwegzusetzen, die die Gesellschaft ständig auf unseren lächerlichen Wegen aufstellt, gebührend zu schätzen.

»Ich muß Ihnen erzählen, was Constitution passiert ist«, sagt sie zu mir, als ich ihr die Türe öffne.

»Kommen Sie doch herein«, sage ich, »Sie haben doch bestimmt fünf Minuten Zeit?«

Sie hat nicht nur fünf Minuten Zeit, sondern ist zudem so glücklich, jemanden gefunden zu haben, mit dem sie über Katzen und kleine Katzennöte sprechen kann, daß sie eine ganze Stunde bleibt, in der sie hintereinander fünf Tassen Tee trinkt.

Ja, ich mag Olympe Saint-Nice wirklich gern.

Constitution ist eine reizende kleine Katze mit karamelfarbenem Fell, zartrosa Nase, weißem Schnurrhaar und lila Sohlenballen, die der Familie Josse gehört und die, wie alle Tiere des Hauses, beim geringsten Wehwehchen Olympe zur Begutachtung vorgezeigt wird. Nun hat dieses nutzlose, aber hinreißende Ding von drei Jahren kürzlich die ganze Nacht miaut und die Besitzer um ihren Schlaf gebracht.

»Warum?«, frage ich im richtigen Moment, denn wir stehen beide im Bann einer Geschichte, die uns verbindet und in der jede ihre Rolle mustergültig spielen möchte.

»Eine Cystitis!«, sagt Olympe. »Eine Cystitis!«

Olympe ist erst neunzehn Jahre alt und kann es nicht erwarten, mit dem Veterinärstudium zu beginnen. In der Zwischenzeit arbeitet sie unermüdlich und ist bekümmert und gleichzeitig entzückt über die Leiden, von denen die Fauna des Hauses, die einzige, mit der sie experimentieren kann, heimgesucht wird.

So kündigt sie mir denn ihre Diagnose von Constitutions Cystitis an, als handle es sich um eine Diamantenader.

»Eine Cystitis!«, rufe ich begeistert aus.

»Ja, eine Cystitis«, haucht sie mit leuchtenden Augen. »Armes Schätzchen, sie machte überall Pipi und« – sie holt tief Atem, bevor sie mit dem Besten aufwartet – »ihr Urin war leicht hämorrhagisch!«

Mein Gott, wie schön. Wenn sie gesagt hätte: In ihrem Pipi war Blut, wäre die Angelegenheit rasch erledigt gewesen. Doch Olympe, die voller Rührung in die Haut eines Katzendoktors geschlüpft ist, hat auch die entsprechende Terminologie übernommen. Es war für mich immer ein großes Vergnügen, jemanden so sprechen zu hören. »Ihr Urin war leicht hämorrhagisch« ist für mich ein ergötzlicher Satz, der angenehm tönt und an eine abseitige Welt gemahnt, die von der Literatur entspannt. Aus dem gleichen Grund lese ich auch gern die Beipackzettel von Medikamenten, um der Ruhepause willen, die aus dieser Präzision im Fachausdruck entsteht, diesem Terminus technicus, der die Illusion von Genauigkeit und den Schauder der Einfachheit vermittelt und eine räumlich-zeitliche Dimension herbeiführt, in der das Streben nach dem Schönen, das schöpferische Leiden und die end- und hoffnungslose Sehnsucht nach erhabenen Horizonten nicht vorhanden sind.

»Es gibt zwei mögliche Ätiologien für die Cystitis«, fährt Olympe fort. »Entweder ein Infektionskeim oder eine Funktionsstörung der Nieren. Ich habe zuerst ihre Blase abgetastet, um zu kontrollieren, ob sie überdehnt ist.«

»Überdehnt?«, wundere ich mich.

»Wenn eine Funktionsstörung der Nieren vorliegt und die Katze nicht mehr urinieren kann, füllt sich ihre Blase und bildet eine Kugel, die man spüren kann, indem man ihr das Abdomen abtastet«, erklärt Olympe. »Doch das war nicht der Fall. Und sie schien keine Schmerzen zu haben, als ich sie auskultierte. Aber sie machte weiterhin überall Pipi.«

Ich stelle mir Solange Josses Wohnzimmer vor, das sich in ein riesiges Katzenklo mit Ketchupnote verwandelt hat. Doch für Olympe sind das nur Kollateralschäden.

»Solange ließ ich also Urinanalysen machen. Aber Constitution hat nichts. Keine Nierensteine, keine heimtückischen Keime, die sich in ihrer kleinen Erdnußblase eingenistet hätten, keine bakteriologischen Erreger, die eingedrungen wären. Aber trotz der entzündungshemmenden Mittel, trotz der Spasmolytika und der Antibiotika macht Constitution weiter.«

»Aber was hat sie denn?«, frage ich.

»Sie werden es mir nicht glauben«, sagt Olympe. »Sie hat eine idiopathische interstitielle Cystitis.«

»Mein Gott, was ist denn das?«, frage ich, vollkommen gebannt.

»Nun, Constitution ist eine ausgeprägte Hysterikerin, wie es so schön heißt«, antwortet Olympe vergnügt. »Interstitiell bedeutet ›die Entzündung der Blasenwand betreffend‹, und idiopathisch ›ohne nachweisbare medizinische Gründe‹. Kurz, wenn sie unter Streß steht, kriegt sie eine entzündliche Cystitis. Es ist genau wie bei den Frauen.«

»Aber aus welchem Grund steht sie denn unter Streß?«, frage ich mich laut, denn wenn Constitution Anlaß zum Streß hat, obwohl ihr Alltag eines dekorativen, dicken Faulpelzes nur von wohlwollenden tierärztlichen Experimenten gestört wird, die darin bestehen, ihr die Blase abzutasten, dann muß der Rest der Gattung Tier geradezu in Panikattacken verfallen.

»Der Veterinär hat gesagt: ›Das weiß allein die Katze.‹«

Und Olympe verzieht verärgert den Mund.

»Paul (Josse) hat ihr kürzlich gesagt, sie sei dick. Man weiß es nicht. Es kann irgend etwas sein.«

»Und wie behandelt man das?«

»Wie bei den Menschen«, lacht Olympe. »Man verabreicht Prozac.«

»Im Ernst?«, sage ich.

»Im Ernst«, antwortet sie.

Ich habe es Ihnen ja gesagt. Als Tiere werden wir geboren, und Tiere bleiben wir. Daß die Katze von Reichen an den gleichen Leiden erkrankt, mit denen die zivilisierten Frauen geschlagen sind, ist kein Grund, um von Katzenmißhandlung oder von einer Verseuchung einer unschuldigen Haustiergattung durch den Menschen zu sprechen, sondern ganz im Gegenteil ein Zeichen für die tiefe Solidarität, die die Geschicke der Tiere webt. Wir leben von den gleichen Bedürfnissen, und wir leiden an den gleichen Krankheiten.

»Auf jeden Fall«, sagt Olympe, »werde ich mich daran erinnern, wenn ich einmal Tiere behandle, die ich nicht kenne.«

Sie steht auf und verabschiedet sich liebenswürdig.

»Also dann, schönen Dank, Madame Michel, nur mit Ihnen kann ich über all das reden.«

»Aber keine Ursache, Olympe«, sage ich, »es war mir ein Vergnügen.«

Und ich will gerade die Tür hinter ihr schließen, als sie zu mir sagt: »Ah, wissen Sie es schon, Anna Arthens wird ihre Wohnung verkaufen. Ich hoffe, die Neuen haben auch Katzen.«

17

Ein Perlhuhn wittern

Anna Arthens verkauft!

»Anna Arthens verkauft!«, sage ich zu Leo.

»Na, so was«, antwortet er mir – oder zumindest scheint es mir so.

Ich lebe seit siebenundzwanzig Jahren hier, und noch nie hat eine Wohnung die Familie gewechselt. Die alte Madame Meurisse hat der jungen Madame Meurisse Platz gemacht, und das gleiche gilt mehr oder weniger für die Badoises, die Josses und die Rosen. Die Arthens' sind gleichzeitig mit uns hierhergekommen; wir sind gewissermaßen zusammen älter geworden. Die Broglies ihrerseits waren schon lange vorher da und sind immer noch im Haus. Ich kenne das Alter des Herrn Ministerialrats nicht, doch er schien schon in jungen Jahren alt, was dazu führt, daß er, obschon er sehr alt ist, noch jung erscheint.

Anna Arthens ist also die erste, die unter meinem Conciergeamt ihr Eigentum verkauft, das den Besitzer und den Namen wechseln wird. Merkwürdigerweise macht mir diese Aussicht angst. Bin ich denn so sehr an die ewige Wiederholung des Immergleichen gewohnt, daß die Aussicht auf eine noch hypothetische Veränderung mich in den Strom der Zeit eintaucht und mich daran erinnert, daß sie verrinnt? Wir erleben jeden Tag, als würde er morgen neu entstehen, und die Rue de Grenelle 7 mit ihrem behüteten Status quo, der Morgen für Morgen die Gewißheit der Beständigkeit erneuert, erscheint mir plötzlich wie eine von Stürmen umheulte Insel.

Ganz erschüttert nehme ich mein Einkaufswägelchen, überlasse den leicht schnarchenden Leo sich selbst und gehe wankenden Schrittes zum Markt. An der Ecke Rue de Grenelle – Rue du Bac sieht Gégène, standhafter Mieter seiner gebrauchten Kartons, mir entgegen wie die Vogelspinne ihrem Opfer.

»He, Mère Michel, hamse wieder mal Ihre Katze verloren?«, scherzt er und lacht.

Wenigstens etwas, das sich nicht verändert. Gégène ist ein Clochard, der seit Jahren den Winter hier zubringt, auf seinen armseligen Kartons, in einem alten Gehrock, der nach russischem Händler des ausgehenden Jahrhunderts riecht und wie derjenige, der ihn trägt, die Zeit erstaunlich gut überstanden hat.

»Sie sollten ins Asyl gehen«, sage ich wie üblich, »es wird kalt werden diese Nacht.«

»Ah, ah«, quiekt er, »ich möchte Sie mal im Asyl sehen. Hier lebt sich's besser.«

Ich gehe weiter, doch von Schuldgefühlen gepackt, kehre ich wieder um.

»Ich wollte Ihnen sagen … Monsieur Arthens ist diese Nacht gestorben.«

»Der Kritiker?«, fragt Gégène mit unvermittelt wachem Blick, und er streckt die Nase in den Wind wie der Jagdhund, der ein Perlhuhn wittert.

»Ja, ja, der Kritiker. Das Herz hat plötzlich nicht mehr mitgemacht.«

»Ah, Teufel, ah Teufel«, wiederholt Gégène, sichtlich bewegt.

»Kannten Sie ihn denn?«, frage ich, um etwas zu sagen.

»Ah, Teufel, ah Teufel«, beginnt der Clochard von neuem, »müssen die Besten wirklich als erste gehen!«

»Er hatte ein schönes Leben«, wage ich einzuwenden, überrascht über die Wendung, die die Dinge nehmen.

»Mère Michel«, antwortet mir Gégène, »solche Kerle, das gibt's heute nicht mehr.«

»Ah, Teufel«, fängt er wieder an, »er wird mir fehlen, der Bursche.«

»Gab er Ihnen etwas, vielleicht einen gewissen Betrag zu Weihnachten?«

Gégène schaut mich an, zieht die Nase hoch, spuckt vor die Füße.

»Nichts, keinen einzigen Pfennig in zehn Jahren, was glauben Sie denn? Ah, das muß man ihm lassen, ein verdammter Charakter war er. Solche wie ihn, das gibt's nicht mehr, nein, das gibt's nicht mehr.«

Dieser kleine Austausch bringt mich durcheinander, und während ich die Reihen der Marktstände abschreite, füllt Gégène meine ganzen Gedanken aus. Ich habe den Armen nie Seelengröße zugeschrieben unter dem Vorwand, daß sie arm sind und die Ungerechtigkeiten des Lebens erfahren haben. Doch ich glaubte sie immerhin vereint im Haß gegen die Besitzenden. Gégène belehrt mich eines Besseren: Wenn es etwas gibt, was die Armen verabscheuen, dann sind es die anderen Armen.

Im Grunde ist das gar nicht so absurd.

Ich gehe zerstreut durch die Reihen, kehre zur Ecke der Käsehändler zurück, kaufe Parmesan und ein schönes Stück Soumaintrain.

18

Rjabinin

Wenn mich Angst überkommt, begebe ich mich in mein Refugium. Ich brauche nicht weit zu reisen; die Sphären meines literarischen Gedächtnisses aufzusuchen, ist schon genug. Denn gibt es eine edlere Ablenkung, nicht wahr, eine unterhaltsamere Gesellschaft, eine angenehmere Trance als die der Literatur?

Und so denke ich plötzlich an Rjabinin, während ich vor einer Auslage mit Oliven stehe. Warum Rjabinin? Weil Gégène einen altmodischen Gehrock trägt, mit langen, knopfbesetzten Schößen, die hinten weit hinunterreichen, der mich an jenen von Rjabinin erinnert hat. In ›Anna Karenina‹ kommt Rjabinin, ein gehrocktragender Holzhändler, zu Lewin, dem Landadligen, um einen Verkauf mit Stepan Oblonski, dem Moskauer Adligen, abzuschließen. Der Holzhändler schwört bei allen Göttern, daß Oblonski am Geschäft gewinnt, während Lewin ihn beschuldigt, seinem Freund ein Holz abzulisten, das dreimal mehr wert ist. Der Szene geht ein Dialog voran, in dem Lewin Oblonski fragt, ob er die Bäume seines Waldes gezählt habe.

»Gezählt? Die Bäume gezählt?«, ruft der Edelmann aus und deklamiert: »Gelänge es selbst einem hohen Geist, die Sterne und die Sandkörner zu zählen?«

»Nun ja. Aber Rjabinins hoher Geist vermag das.«

Ich habe eine ganz besondere Vorliebe für diese Szene,

zunächst, weil sie sich im russischen Dorf Pokrowskoje, auf dem Land, abspielt. Ah, die ländlichen Gegenden Rußlands … Sie besitzen jenen so besonderen Charme der Landschaften, die unberührt und doch mit dem Menschen verbunden sind durch die Solidarität dieser Erde, aus der wir alle gemacht sind … Die schönste Szene von ›Anna Karenina‹ spielt in Pokrowskoje. Lewin, düster und melancholisch, versucht Kitty zu vergessen. Es ist Frühling, er geht mit seinen Bauern aufs Feld zum Mähen. Die Arbeit erscheint ihm zunächst zu hart. Bald schon schickt er sich an, um Gnade zu flehen, als der alte Bauer, der die Reihe anführt, eine Pause anordnet. Dann geht das Mähen weiter. Wieder fällt Lewin vor Erschöpfung fast um, aber zum zweiten Mal hebt der Alte die Sense. Pause. Und wieder setzt sich die Reihe in Bewegung, vierzig Männer legen die Heuschwaden um und rücken in Richtung Fluß vor, während die Sonne aufgeht. Es wird immer heißer, Lewins Arme und Schultern sind schweißüberströmt, doch im Rhythmus von Arbeit und Pausen werden seine zuerst ungeschickten und schmerzhaften Bewegungen immer flüssiger. Plötzlich überzieht eine wohltuende Kühle seinen Rücken. Sommerregen. Nach und nach befreit er seine Bewegungen aus den Fesseln des Willens, verfällt in jene leichte Trance, die den Gesten die Vollkommenheit der mechanischen und unbewußten Verrichtungen verleiht, ohne Überlegung und ohne Berechnung, und die Sense scheint sich von selbst zu führen, während Lewin dieses Sich-Vergessen in der Bewegung genießt, das das Vergnügen am Tun auf wunderbare Weise von den Anstrengungen des Willens loslöst.

So ist es auch mit gar manchen glücklichen Momenten unseres Lebens. Von der Last der Entscheidung und der Absicht befreit, unterwegs auf unseren inneren Meeren, wohnen wir unseren verschiedenen Bewegungen bei wie den Verrichtungen eines anderen und bewundern doch deren unbeabsichtigte Vortrefflichkeit. Welchen anderen Grund könnte ich haben, dies hier zu schreiben, dieses lächerliche Tagebuch einer alternden Concierge, wenn das Schreiben nicht selbst etwas von der Kunst des Mähens hätte? Wenn die Zeilen zu ihren eigenen Demiurgen werden, wenn ich wie durch wunderbaren Zufall miterlebe, wie auf dem Papier Sätze entstehen, die sich meinem Willen entziehen und, indem sie ohne mein Zutun auf dem Blatt Niederschlag finden, mich lehren, was ich will, ohne daß ich wußte oder glaubte, es zu wollen, genieße ich diese schmerzlose Geburt, diese nicht bewußt herbeigeführte Selbstverständlichkeit, genieße ich es mit dem Glück aufrichtigen Staunens, ohne Anstrengung und ohne Gewißheit einer Feder zu folgen, die mich führt und mich trägt.

Dann erlange ich, in der vollen Gewißheit und Gegenwart meiner selbst, ein Vergessen dieses Selbst, das an Ekstase grenzt, und koste die selige Ruhe eines Bewußtseins, das nur Zuschauer ist.

Kurz, als Rjabinin wieder in den Wagen steigt, beklagt er sich bei seinem Kommis offen über die Manieren der feinen Herren.

»Na, und das Geschäftchen, Michail Ignatjewitsch?«, fragt ihn der Bursche.

»Nun, nun …«, antwortet ihm der Händler.

Wie rasch wir doch aus der Erscheinung und der Stellung auf die Intelligenz eines Menschen schließen … Rjabinin, der Buch führt über die Sterne und die Sandkörner, ein gewandter Schauspieler und trefflicher Manipulateur, kümmert sich nicht um die Vorurteile, die man seiner Person entgegenbringt. Als intelligenter Mensch und

Paria geboren, verlockt ihn der Ruhm nicht; einzig die Verheißung des Profits zieht ihn auf die Straßen und die Aussicht, in aller Höflichkeit die Herren eines einfältigen Systems auszuplündern, das ihm mit Geringschätzung begegnet, ihn jedoch nicht aufzuhalten vermag. Genauso bin ich, eine arme Concierge, die sich darin schickt, daß es keinen Prunk für sie gibt – doch gleichzeitig eine Anomalie eines Systems, das sich durch mich als grotesk erweist und das ich tagtäglich leise verspotte in einem tiefsten Innern, in das niemand eindringt.

Tiefgründiger Gedanke Nr. 8

Wenn du die Zukunft vergißt
Verlierst du
Die Gegenwart

Heute sind wir nach Chatou gefahren, um Mamie Josse zu besuchen, Papas Mutter, die seit zwei Wochen in einem Altenheim ist. Papa ist mit ihr hingefahren, als sie dort eingezogen ist, und jetzt sind wir alle zusammen hingefahren. Mamie kann nicht mehr allein in ihrem großen Haus in Chatou leben: Sie ist fast blind, sie hat Arthrose und kann kaum noch gehen und auch nichts mehr in den Händen halten, und sie hat Angst, sobald sie allein ist. Ihre Kinder (Papa, mein Onkel François und meine Tante Laure) haben es zuerst mit einer privaten Krankenschwester versucht, aber sie konnte ja nicht 24 Stunden am Tag bei ihr bleiben, und hinzu kam, das Mamies Freundinnen auch schon im Altenheim sind, und so schien es eine gute Lösung.

Mamies Altenheim ist schon was. Ich frage mich, wieviel diese Luxussterbeanstalt pro Monat kostet? Mamies Zimmer ist groß und hell, mit schönen Möbeln, schönen Vorhängen, einem angrenzenden kleinen Salon und einem Bad mit Marmorwanne. Mama und Colombe sind in Entzücken ausgebrochen über die Marmorwanne, als ob es für Mamie irgendeine Bedeutung hätte, daß die Wanne aus Marmor ist, wo ihre Finger doch aus Beton sind ... Außerdem ist Marmor häßlich. Papa hat nicht viel gesagt. Ich weiß, daß er sich schuldig fühlt, weil seine Mutter in einem Altenheim ist. »Wir werden sie ja wohl nicht zu uns nehmen«, hat Mama gesagt, als sie beide dachten, ich höre sie nicht (aber ich höre alles, vor allem das, was nicht für meine Ohren bestimmt ist). »Nein, Solange, natürlich nicht ...«, hat Papa geantwortet, in einem Ton, der besagte: »Ich tue so, als ob ich das Gegenteil denken würde, indem ich müde und resigniert ›nein, nein‹ sage, wie ein guter Ehemann, der sich fügt, und so bin ich fein raus.« Ich kenne diesen Ton bei Papa. Er bedeutet: »Ich weiß, daß ich feige bin, aber daß niemand sich traut, es mir zu sagen.« Natürlich kam postwendend die Antwort: »Du bist wirklich ein Feigling«, hat Mama gesagt und dabei wütend ein Geschirrtuch ins Spülbecken geschmissen. Komisch, sobald sie wütend ist, muß sie irgend etwas schmeißen. Einmal hat sie das sogar mit Constitution gemacht. »Du hast nicht mehr Lust dazu als ich«, fuhr sie fort, während sie sich das Geschirrtuch wieder schnappte und damit vor Papas Nase herumwedelte. »Nun, jetzt ist es, wie es ist«, hat Papa gesagt, was ein Feiglingswort hoch zehn ist.

Ich bin ganz schön froh, daß Mamie nicht zu uns zieht. Obwohl, auf vierhundert Quadratmetern wäre das nicht wirklich ein Problem. Ich finde, die Alten haben schließlich Anrecht auf ein bißchen Respekt. Und in einem Altenheim zu sein, das bedeutet das Ende des Respekts, das ist sicher. Wenn man dorthin geht, heißt das: »Ich bin am Ende, ich bin niemand mehr, alle, ich inbegriffen, warten nur noch auf eines: den Tod, dieses traurige Ende der Langeweile.« Nein, der Grund, weshalb ich keine Lust habe, daß Mamie zu uns zieht, ist der, daß ich Mamie nicht mag. Sie ist eine fiese Alte, nachdem sie eine böse Junge gewesen ist. Auch das halte ich für eine bodenlose Ungerechtigkeit: Nehmen wir zum Beispiel, als er sehr alt geworden ist, einen sympathischen Heizungsmonteur, der immer nur Gutes um sich herum getan und es verstanden hat, Liebe zu erzeugen, Liebe zu schenken, Liebe zu erhalten und empfindsame menschliche Bande zu knüpfen. Seine Frau ist tot, seine Kinder haben kein Geld und selber einen Haufen Kinder, die genährt und aufgezogen werden müssen. Zudem wohnen sie am anderen Ende Frankreichs. Man versorgt ihn also in einem Altenheim in der Nähe des Nests, wo er geboren wurde, wo ihn seine Kinder nur zweimal pro Jahr besuchen kommen können – ein Altenheim für Arme, wo man sein Zimmer teilen muß, wo das Essen scheußlich ist und wo das Personal die eigene Gewißheit, eines Tages das gleiche Schicksal zu erleiden, bekämpft, indem es die Insassen schlecht behandelt. Nehmen wir jetzt meine Großmutter, die aus ihrem Leben nie etwas anderes gemacht hat als eine lange Folge von Einladungen, Heucheleien, Intrigen und sinnlosen Ausgaben, und betrachten wir die Tatsache, daß sie Anrecht hat auf ein gepflegtes Zimmer, ein privates Wohnzimmer und Jakobsmuscheln zum Mittagessen. Ist das der Preis, den man zu bezahlen hat für die Liebe: ein Lebensende ohne Hoffnung in einer schäbigen Promiskuität? Ist das die Belohnung für Gefühlsmagersucht: eine Badewanne aus Marmor in einer sündhaft teuren eleganten kleinen Wohnung?

Ich mag Mamie also nicht, die mich allerdings auch nicht besonders mag. Hingegen liebt sie Colombe, die es ihr lohnt, das heißt, indem sie auf die Erbschaft spekuliert mit jener ganz und gar authentischen Gleichgültigkeit des Mädchens-das-nicht-auf-die-Erbschaft-spekuliert. Ich war also darauf gefaßt, daß dieser Tag in Chatou zu einer gräßlichen Strafexpedition würde, und Bingo: Colombe und Mama, die über die Badewanne in Entzücken ausbrechen, Papa, der seinen Regenschirm verschluckt zu haben scheint, vertrocknete bettlägerige Alte, die man mit ihren ganzen Infusionen in den Gängen herumschiebt, eine Verrückte (»Alzheimer«, hat Colombe mit schulmeisterlicher Miene gesagt – echt wahr!), die mich

»Clara Kindchen« nennt und zwei Sekunden später brüllt, sie wolle sofort ihren Hund haben, während sie mir mit ihrem großen Diamantring beinahe das Auge ausschlägt, und zuletzt sogar ein Fluchtversuch! Die noch munteren Pensionäre haben ein elektronisches Armband um das Handgelenk: Wenn sie versuchen, das Gelände der Residenz zu verlassen, piept es am Empfang, und das Personal stürzt hinaus, um dem Flüchtigen nachzustellen, der nach einem mühseligen Hundertmeterlauf natürlich geschnappt wird und vehement protestiert, man sei hier nicht im Gulag, den Direktor verlangt und merkwürdig mit den Armen in der Luft herumfuchtelt, bis man ihn in einen Rollstuhl verfrachtet. Die alte Dame, die ihren Sprint hingelegt hat, hatte sich nach dem Essen umgezogen: Sie trug ihre Ausbruchskluft, ein getüpfeltes Kleid mit Volants, sehr praktisch, um über die Umzäunung zu klettern. Kurz, um vierzehn Uhr, nach der Badewanne, den Jakobsmuscheln und dem spektakulären Ausbruchsversuch von Edmond Dantès war ich der Verzweiflung nahe.

Doch plötzlich habe ich mich erinnert, daß ich beschlossen hatte, aufzubauen und nicht zu zerstören. Ich habe mich umgeschaut auf der Suche nach etwas Positivem, wobei ich es vermied, Colombe anzusehen. Ich habe nichts gefunden. All diese Leute, die auf den Tod warten und nicht wissen, was tun … Und dann, oh Wunder, hat mich Colombe auf die Lösung gebracht, ja, Colombe. Beim Weggehen, nachdem wir Mamie zum Abschied geküßt und ihr versprochen hatten, bald wiederzukommen, hat meine Schwester gesagt: »Also, Mamie scheint gut versorgt zu sein. Was den Rest angeht … nun, wir werden uns beeilen, das alles ganz schnell zu vergessen.« Mäkeln wir nicht an »beeilen wir uns ganz schnell« herum, was kleinlich wäre, und konzentrieren wir uns auf den Gedanken: es ganz schnell vergessen.

Im Gegenteil, man darf es auf keinen Fall vergessen. Man darf sie nicht vergessen, die Alten mit den verfallenen Körpern, die Alten, die so nah beim Tod sind, an den die Jungen nicht denken wollen (und so überlassen sie es dem Altenheim, ihre Eltern ohne Skandal und Ärger dorthin zu führen), die nicht existierende Freude jener letzten Stunden, die man noch voll auskosten sollte und die man in der Langeweile erleidet, die Bitterkeit und das endlose Wiederkäuen. Man darf nicht vergessen, daß der Körper verfällt, daß die Freunde sterben, daß einen alle vergessen, daß das Ende Einsamkeit ist. Auch nicht vergessen, daß diese Alten einmal jung waren, daß die Zeitspanne eines Lebens lächerlich kurz ist, daß man eines Tages zwanzig ist und am nächsten achtzig. Colombe glaubt, man könne »sich beeilen zu vergessen«, weil für sie das Alter noch in so weiter Ferne liegt, daß es ist, als ob es für sie nie soweit kommen würde. Ich hingegen habe sehr früh begriffen, daß ein Leben im Handumdrehen vergeht, indem ich die Erwachsenen um mich herum beobachtet habe, die es so eilig haben, die so gestreßt sind durch die uns gesetzte Frist, so gierig nach dem Jetzt, um nicht ans Morgen zu denken … Doch wenn man das Morgen fürchtet, dann darum, weil man nicht fähig ist, die Gegenwart aufzubauen, und wenn man nicht fähig ist, die Gegenwart aufzubauen, redet man sich ein, daß man es morgen tun könne, und das geht nicht auf, weil morgen schließlich immer heute wird, verstehen Sie, was ich meine?

Man darf das alles also auf keinen Fall vergessen. Wir müssen mit der Gewißheit leben, daß wir alt werden und das nicht schön, nicht angenehm und nicht lustig sein wird. Und uns sagen, daß das Jetzt wichtig ist: jetzt etwas aufbauen, um jeden Preis, mit aller Kraft. Immer das Altenheim vor Augen haben, um jeden Tag über sich selbst hinauszuwachsen, um jeden Tag unvergänglich zu machen. Schritt für Schritt seinen eigenen Everest erklimmen und es so tun, daß jeder Schritt ein bißchen Ewigkeit ist.

Dazu nämlich dient die Zukunft: die Gegenwart aufzubauen, mit echten Vorsätzen, als Lebende.

Von der Grammatik

1

Infinitesimal

Heute morgen hat mir Jacinthe Rosen den neuen Besitzer der Wohnung der Arthens' vorgestellt.

Er heißt Kakuro Irgendwas. Ich habe es nicht genau verstanden, weil Madaahme Rosen immer spricht, als ob sie eine Schabe im Mund hätte, und weil genau in diesem Moment das Gitter des Aufzugs aufgegangen ist, um den Weg dem ganz in Selbstgefälligkeit gekleideten Monsieur Pallières senior freizugeben. Er hat uns kurz gegrüßt und sich mit seinem ruckartigen Schritt des vielbeschäftigten Industriellen eilig entfernt.

Der Neue ist ein Herr von etwa sechzig, sehr präsentabel und sehr japanisch. Er ist eher klein, schlank, mit Falten, aber klaren Gesichtszügen. Seine ganze Person strahlt Wohlwollen aus, doch ich spüre auch Entschlossenheit, Heiterkeit und einen beachtlichen Willen.

Im Moment läßt er ohne mit der Wimper zu zucken das hysterische Geschwätz von Jacinthe Rosen über sich ergehen. Man könnte meinen, eine Henne, die vor einem Berg von Körnern steht.

»Guten Tag, Madame«, waren seine ersten und einzigen Worte, in einem akzentfreien Französisch.

Ich bin ins Kleid der halbdebilen Concierge geschlüpft. Es handelt sich hier um einen neuen Hausbewohner, den die Macht der Gewohnheit noch nicht zur Gewißheit meiner Beschränktheit genötigt hat und bei dem ich besondere pädagogische Anstrengungen unternehmen muß. Ich beschränke mich also auf ein paar asthenische Ja, Ja, Ja als Antwort auf Jacinthe Rosens hysterische Salven.

»Würden Sie Monsieur Irgendwas (Chou?) die Wirtschaftsräume zeigen?«

»Können Sie Monsieur Irgendwas (Pschou?) die Postzustellung erklären?«

»Am Freitag kommen die Raumausstatter. Könnten Sie sie für Monsieur Irgendwas (Opchou?) zwischen zehn und halb elf abpassen?«

Usw.

Monsieur Irgendwas zeigt keinerlei Ungeduld und wartet höflich, während er mich mit einem freundlichen Lächeln anschaut. Ich bin der Meinung, daß alles bestens läuft. Bleibt nur abzuwarten, bis Madame Rosen müde wird, und ich werde in mein Refugium zurückkehren können.

Und dann das.

»Die Fußmatte, die bei den Arthens' vor der Türe lag, ist nicht gereinigt worden. Könnten Sie *dagegen* abhelfen?«, fragt mich die Henne.

Warum muß die Komödie immer in eine Tragödie umschlagen? Gewiß, auch mir passiert es, mich des Fehlers zu bedienen, wenn auch als Waffe.

»Ist es *ein* Art von Infarkt?«, hatte ich Chabrot gefragt, um von meinem ungereimten Betragen abzulenken.

Ich bin also nicht so zartbesaitet, daß ein kleiner Ausrutscher mich um den Verstand bringen würde. Man muß den anderen zugestehen, was man sich selbst erlaubt; zudem wurden Jacinthe Rosen und die Schabe in ihrem Mund in einem Wohnblock mit schmutzigem Treppenhaus in Bondy geboren, und ich übe daher Nachsicht mit ihr, was ich mit Madame könnten-Sie-Komma-heute-nachmittag nicht tue.

Und doch ist die Tragödie geschehen: Ich bin bei *dagegen abhelfen* im gleichen Moment zusammengezuckt, als Monsieur Irgendwas ebenfalls zusammenzuckte, während sich unsere Blicke begegneten. Seit dieser infinitesimalen Zeitspanne, in der wir, da bin ich sicher, verschwistert waren im gemeinsamen Schmerz um die Sprache, der uns durchfuhr und der, indem er unsere Körper zusammenzucken ließ, unsere Bestürzung sichtbar machte, schaut mich Monsieur Irgendwas mit neuen Augen an.

Mit lauernden Augen.

Und da spricht er mich an.

»Kannten Sie die Arthens'? Man hat mir gesagt, sie seien eine ganz außergewöhnliche Familie gewesen«, sagt er zu mir.

»Nein«, antworte ich, auf der Hut, »ich kannte sie nicht besonders, sie waren eine Familie wie die andern hier.«

»Ja, eine glückliche Familie«, sagt Madame Rosen, die sichtbar ungeduldig wird.

»Wissen Sie, alle glücklichen Familien ähneln einander«, brummle ich, um die Geschichte abzuschließen, »es gibt nichts dazu zu sagen.«

»Doch jede unglückliche Familie ist auf ihre Art unglücklich«, sagt er und schaut mich merkwürdig an, und plötzlich zucke ich erneut zusammen.

Ja, ich schwöre es. Ich zucke zusammen – jedoch wie unbewußt. Es ist mir sozusagen entschlüpft, es war stärker als ich, es hat mich überkommen.

Ein Unglück kommt selten allein, und so wählt Leo genau diesen Moment, um zwischen unseren Beinen durch hinauszuschlüpfen, wobei er die von Monsieur Irgendwas freundschaftlich streift.

»Ich habe zwei Katzen«, sagt er mir. »Darf ich wissen, wie Ihre heißt?«

»Leo«, antwortet an meiner Stelle Jacinthe Rosen, die

damit der Unterhaltung ein Ende setzt, ihren Arm unter den seinen schiebt und, nachdem sie mir gedankt hat, ohne mich anzusehen, sich aufmacht, ihn zum Aufzug zu führen. Mit einer unendlichen Zartheit legt er seine Hand auf ihren Vorderarm und zwingt sie sanft zum Stehenbleiben.

»Danke, Madame«, sagt er zu mir, dann läßt er sich von seinem besitzergreifenden Federvieh davonführen.

2

In einem Moment der Gnade

Wissen Sie, was das Unbewußte ist? Die Psychoanalytiker machen daraus die Frucht heimtückischer Machenschaften eines versteckten Unterbewußtseins. Wahrhaftig, welch oberfächliche Theorie. Das Unbewußte ist das augenfälligste Zeichen der Kraft unseres bewußten Willens, der, wenn sich unser Gefühl ihm widersetzt, jede erdenkliche List anwendet, um zum Ziel zu gelangen.

»Ich möchte offenbar entlarvt werden«, sage ich zu Leo, der eben in sein Quartier zurückkehrt und sich, ich könnte darauf wetten, mit dem Universum verschworen hat, um meinen Wunsch zu erfüllen.

Alle glücklichen Familien ähneln einander, jede unglückliche ist auf ihre Art unglücklich ist der erste Satz in ›Anna Karenina‹, einem Werk, das ich, wie jede gute Concierge, nicht gelesen haben kann, genauso wenig, wie es mir zusteht, beim zweiten Teil dieses Satzes zufällig zusammengezuckt zu sein, in einem Moment der Gnade, ohne zu wissen, daß er von Tolstoi stammte, denn wenn die kleinen Leute für die große Literatur empfänglich sind, ohne sie zu kennen, kann sie keinen Anspruch erheben auf die Sichthöhe, auf der die gebildeten Leute sie plazieren. Ich verbringe den Tag mit dem Versuch, mich zu überzeugen, daß ich mich umsonst aufrege und daß Monsieur Irgendwas, der über eine so gutgefüllte Brieftasche verfügt, daß er den vierten Stock kaufen kann, andere Sorgen hat als das parkinsonsche Zusammenzucken einer zurückgebliebenen Concierge.

Und dann klingelt gegen neunzehn Uhr ein junger Mann an meiner Loge.

»Guten Tag, Madame«, sagt er zu mir, wobei er die Wörter perfekt artikuliert, »Ich heiße Paul N'Guyen, ich bin der Privatsekretär von Monsieur Ozu.«

Er reicht mir eine Visitenkarte.

»Hier ist meine Handynummer. In den nächsten Tagen werden Handwerker kommen, um bei Monsieur Ozu zu arbeiten, und wir möchten nicht, daß dies für Sie Mehrarbeit bringt. Rufen Sie mich also beim geringsten Problem an, ich werde so schnell wie möglich kommen.«

Sie werden an diesem Punkt der Handlung bemerkt haben, daß der Einakter keinen Dialog aufweist, den man für gewöhnlich an den Anführungszeichen erkennt, die beim Wechsel des Sprechenden neu gesetzt werden.

Da hätte etwas sein müssen wie: »Sehr erfreut, Monsieur.«

Und dann: »Sehr gut, das werde ich tun.«

Doch da ist ganz offenkundig nichts.

Ich bin nämlich, ohne mich dazu zwingen zu müssen, ganz einfach stumm. Mir ist durchaus bewußt, daß mein Mund offensteht, doch kein Ton kommt daraus hervor, und ich habe Mitleid mit diesem schönen jungen Mann, der genötigt ist, eine siebzig Kilo schwere Kröte namens Renée zu betrachten.

An diesem Punkt der Begegnung fragt der Protagonist normalerweise: »Parlez-vous français?«

Doch Paul N'Guyen lächelt mir zu und wartet.

Um den Preis einer herkulischen Anstrengung gelingt es mir, etwas zu sagen.

In Wirklichkeit ist es zunächst so etwas wie: »Grmblll.«

Doch er wartet immer noch mit der gleichen wunderbaren Selbstverleugnung.

»Monsieur Ozu?«, stoße ich schließlich mühsam hervor, mit einer Stimme, die nach Yul Brynner klingt.

»Ja, Monsieur Ozu«, sagt er. »War Ihnen sein Name nicht bekannt?«

»Nein«, sage ich mit Mühe, »ich hatte ihn nicht recht verstanden. Wie schreibt sich das?«

»O, z, u«, sagt er, »wie man es ausspricht.«

»Ah«, sage ich, »sehr gut. Ist das japanisch?«

»Ganz recht, Madame«, sagt er. »Monsieur Ozu ist Japaner.«

Er verabschiedet sich liebenswürdig, ich murmle ein schwindsüchtiges »guten Abend«, mache die Tür zu und lasse mich auf einen Stuhl fallen, wobei ich beinahe Leo zerquetsche.

Monsieur Ozu. Ich frage mich, ob ich nicht dabei bin, einen verrückten Traum zu träumen, mit Suspense, machiavellistischen Verwicklungen der Handlung, einer Unzahl von Zufällen und am Ende einer Auflösung im Nachthemd mit einer fettleibigen Katze auf den Füßen und einem rauschenden Radiowecker, der auf France Inter eingestellt ist.

Doch wir wissen im Grunde genau, daß der Traum und der Wachzustand nicht aus dem gleichen Stoff gemacht sind, und wenn ich auf meine Sinneswahrnehmungen höre, weiß ich mit Bestimmtheit, daß ich hellwach bin.

Monsieur Ozu! Der Sohn des Cineasten? Sein Neffe? Ein entfernter Verwandter?

Na so was.

Tiefgründiger Gedanke Nr. 9

Wenn du einer feindlichen Dame
Makronen von Ladurée servierst
Glaube nicht
Daß dein Blick
Weiter reichen kann

Der Herr, der die Wohnung der Arthens' gekauft hat, ist Japaner! Er heißt Kakuro Ozu! So ein Pech, ausgerechnet jetzt, kurz bevor ich sterbe, muß das passieren! Zwölfeinhalb Jahre im kulturellen Notstand, und wenn ein Japaner auftaucht, muß ich mein Bündel schnüren ... Das ist wirklich zu ungerecht!

Aber ich sehe zumindest die guten Seiten der Dinge: Er ist da, wirklich da, und außerdem haben wir gestern eine sehr interessante Unterhaltung geführt. Zunächst muß gesagt werden, daß alle Hausbewohner hier vollkommen verrückt nach Monsieur Ozu sind. Meine Mutter spricht von nichts anderem mehr, mein Vater hört ihr ausnahmsweise zu, während er sonst an etwas anderes denkt, wenn sie mit ihrem Blabla zu den kleinen Angelegenheiten des Hauses kommt, Colombe hat mir mein Japanischlehrbuch geklaut, und, noch nie dagewesen in den Annalen der Rue de Grenelle 7, Madame de Broglie ist zu uns zum Tee gekommen. Wir wohnen im fünften Stock, genau über der ehemaligen Wohnung der Arthens', und in der letzten Zeit gab es dort Arbeiten – und zwar gigantische Arbeiten! Es war klar, daß Monsieur Ozu beschlossen hatte, alles zu verändern, und alle brannten darauf, die Veränderungen zu sehen. In einer Welt von Fossilien riskiert schon die geringste Steinverschiebung auf dem Felshang, eine Herzinfarktlawine auszulösen – und wenn erst jemand den Berg sprengt! Kurz, Madame de Broglie wollte für ihr Leben gern einen Blick auf den vierten Stock werfen, und so hat sie es geschafft, sich von Mama einladen zu lassen, als sie ihr letzte Woche in der Eingangshalle begegnet ist. Und wissen Sie, unter welchem Vorwand? Es ist wirklich ulkig. Madame de Broglie ist die Frau von Monsieur de Broglie, dem Ministerialrat, der im ersten Stock wohnt und der unter Giscard ins Ministerium eingetreten ist und so konservativ ist, daß er Geschiedene nicht grüßt. Colombe nennt ihn den »alten Fascho«, weil sie nie etwas über die französische Rechte gelesen hat, und für Papa ist er ein perfektes Beispiel für die Verknöcherung der politischen Ideen. Seine Frau ist das weibliche Gegenstück: Kostüm, Perlenkette, verkniffene Lippen und eine ganze Schar Enkelkinder, die alle Grégoire oder Marie heißen. Bis jetzt hat sie Mama (die Sozialistin ist, sich die Haare färbt und spitzige Schuhe trägt) kaum gegrüßt. Doch letzte Woche hat sie sich auf uns gestürzt, als ob ihr Leben davon abhinge. Wir waren in der Eingangshalle, wir kamen gerade vom Einkaufen zurück, und Mama war ausgezeichneter Laune, weil sie eine schnurfarbene Leinentischdecke für zweihundertvierzig Euro ergattert hatte. Also, ich dachte, ich hätte akustische Halluzinationen. Nach dem üblichen »guten Tag, Madame« hat Madame de Broglie zu Mama gesagt: »Ich muß Sie etwas fragen«, was sehr schmerzhaft für ihren Mund sein mußte. »Aber ich bitte Sie«, hat Mama lächelnd gesagt (wegen der Tischdecke und den Antidepressiva). »Ja also, meiner lieben Schwiegertochter, der Frau von Etienne, geht es nicht sehr gut, und ich glaube, man sollte eine Therapie ins Auge fassen.« – »Ach ja?«, hat Mama gesagt, wobei sie noch mehr gelächelt hat. »Ja, äh, wissen Sie, eine Art Psychoanalyse.« Madame de Broglie sah aus wie eine Schnekke mitten in der Sahara, aber sie hielt tapfer durch. »Ja, ich verstehe«, hat Mama gesagt, »und wie kann ich Ihnen behilflich sein, chère Madame?« – »Nun, ich habe mir sagen lassen, daß Sie diese Art ... also ... daß Sie sich in dieser Art Maßnahmen gut auskennen ... und deshalb würde ich mich gerne mit Ihnen darüber unterhalten.« Mama konnte ihr Glück nicht fassen: eine schnurfarbene Leinentischdecke plus die Aussicht, ihr ganzes Wissen über die Psychoanalyse zum besten zu geben, plus Madame de Broglie, die vor ihr den Schleiertanz aufführte – ah, wahrhaftig ein guter Tag! Sie konnte trotzdem nicht widerstehen, weil sie genau wußte, worauf die andere hinauswollte. Meine Mutter ist zwar ziemlich plump in Sachen intellektuelle Subtilität, doch so leicht legt man sie trotzdem nicht herein. Sie wußte genau, daß an dem Tag, da die de Broglies sich für die Psychoanalyse interessierten, die Gaullisten die Internationale singen würden, und daß ihr plötzlicher Erfolg »der fünfte Stock liegt direkt über dem vierten« hieß. Sie hat jedoch beschlossen, sich großmütig zu zeigen, um Madame de Broglie das Ausmaß ihrer Güte und die liberale Gesinnung der Sozialisten zu beweisen – doch nicht, ohne sie vorher ein bißchen zu verulken. »Aber gerne, chère Madame. Soll ich an einem der nächsten Abende zu Ihnen kommen, damit wir darüber sprechen können?«, hat sie gefragt. Die andere wirkte verdattert, auf diese Wendung der Dinge war sie nicht gefaßt gewesen, doch sie hat sich sehr schnell gefangen, und, ganz Dame von Welt, gesagt: »Aber nein doch, ich möchte nicht, daß sie eigens herunterkommen, ich werde zu Ihnen hinaufkommen.« Mama hatte ihre kleine Genugtuung gehabt, und so hat sie nicht weiter insistiert. »Nun, ich bin heute nachmittag zu Hause«, hat sie gesagt, »warum kommen Sie nicht gegen siebzehn Uhr zu einer Tasse Tee?«

Die Teesitzung war perfekt. Mama hat sich nicht lumpen lassen: Teeservice von Mamie mit Goldverzierungen und grünen und rosa Schmetterlingen, Makronen von Ladurée und, das dann doch, brauner Zucker (eine Mode der Linken). Madame de Broglie, die eben eine gute Viertelstunde im unteren Stock verbracht hatte, wirkte leicht verlegen, jedoch befriedigt. Und auch leicht erstaunt. Ich glaube, sie hatte es sich anders vorgestellt bei uns. Mama hat ihr die ganze Nummer von den guten Manieren und der mondänen Konversation vorgespielt, die auch einen fachkundigen Kommentar über die guten Kaffeehäuser einschloß, bevor sie den Kopf mit teilnahmsvoller Miene zur Seite legte und sagte: »Sie machen sich also Sorgen um Ihre Schwiegertochter, chère Madame?« – »Hm, ach ja«, hat die andere gesagt, die ihren Vorwand beinahe vergessen hätte und sich jetzt das Hirn zermarterte, um etwas zu finden, was sie sagen könnte. »Ja, also, sie ist in depressiver Stimmung«, war das einzige, was ihr einfiel. Da ist Mama in die vollen gestiegen. Nach all der Großzügigkeit war es an der Zeit, die Rechnung zu präsentieren. Madame de Broglie kam in den Genuß einer ganzen Vorlesung über die Freudsche Lehre, einschließlich einiger pikanter Anekdoten über die sexuellen Gepflogenheiten des Messias und seiner Apostel (mit einer Trash-Passage über Melanie Klein), ausgeschmückt mit einigen Verweisen auf die Emanzipationsbewegung und den Laizismus des französischen Schulsystems. Die Totale. Madame de Broglie hat wie eine gute Christin reagiert. Sie hat den Affront mit bewunderungswürdiger Unerschütterlichkeit erduldet, gleichzeitig überzeugt, daß sie damit auf billige Weise ihre Sünde der Neugierde abverdiente. Alle beide sind sie befriedigt auseinandergegangen, wenn auch aus verschiedenen Gründen, und am Abend hat Mama bei Tisch gesagt: »Madame de Broglie ist wohl eine Frömmlerin, aber sie kann charmant sein.«

Kurz, Monsieur Ozu fesselt alle. Olympe Saint-Nice hat zu Colombe (die sie nicht ausstehen kann und Ferkel-Olympia nennt) gesagt, daß er zwei Katzen habe und sie es kaum erwarten könne, sie zu sehen. Jacinthe Rosen kommentiert pausenlos das Kommen und Gehen im vierten Stock, und das versetzt sie jedes Mal in Trance. Und auch mich fasziniert er, aber nicht aus den gleichen Gründen.

Folgendes ist passiert.

Ich bin mit Monsieur Ozu im Aufzug gefahren, und der ist zwischen dem zweiten und dem dritten Stock zehn Minuten lang steckengeblieben, weil so eine Schnirkelschnecke das Gitter nicht richtig geschlossen hatte, bevor sie darauf verzichtete, den Aufzug zu nehmen, und über die Treppe hinunterging. In diesen Fällen muß man warten, bis jemand darauf aufmerksam wird, oder wenn es zu lange dauert, muß man die Nachbarschaft zusammentrommeln, indem man schreit, aber trotzdem versucht, vornehm zu bleiben, was nicht einfach ist. Wir haben nicht geschrieen. Wir hatten also Zeit, uns einander vorzustellen und miteinander bekannt zu werden. All die Damen hätten ihre Seele dafür gegeben, an meiner Stelle zu sein. Ich war erfreut, denn meine ausgeprägte japanische Seite ist zwangsläufig erfreut, mit einem echten japanischen Herrn zu sprechen. Aber was mir vor allem gefallen hat, war der Inhalt des Gesprächs. Zuerst hat er zu mir gesagt: »Deine Mama hat mir gesagt, daß du im Collège Japanisch lernst. Was ist dein Niveau?« Ich habe nebenbei festgestellt, daß Mama wieder mal geplaudert hat, um sich interessant zu machen, dann habe ich auf japanisch geantwortet: »Ja, Monsieur, ich kann ein bißchen japanisch, aber nur sehr wenig.« Er hat mir auf japanisch gesagt: »Möchtest du, daß ich deine Aussprache korrigiere?«, und er hat sogleich auf französisch übersetzt. Schon das habe ich geschätzt. Andere hätten gesagt: »Oh, wie gut du sprichst, bravo, wunderbar!«, wo ich doch bestimmt den Akzent einer bretonischen Kuh habe. Ich habe auf japanisch geantwortet: »Bitte sehr, Monsieur Ozu«, er hat eine Betonung korrigiert und hat immer noch auf japanisch zu mir gesagt: »Nenn mich Kakuro.« Ich habe auf japanisch geantwortet: »Ja, Kakuro-san« und wir haben gelacht. Und dann ist die Unterhaltung (auf französisch) interessant geworden. Er hat mir ohne Umschweife gesagt: »Ich interessiere mich sehr für unsere Concierge, Madame Michel. Ich möchte deine Meinung hören.« Ich kenne eine Menge Leute, die versucht hätten, mir so ganz nebenbei die Würmer aus der Nase zu ziehen. Aber er sagte es freiheraus. Und er hat hinzugefügt: »Ich glaube, sie ist nicht die, für die man sie hält.«

Ich hege auch schon eine Weile einen Verdacht, was sie anbelangt. Von weitem ist sie tatsächlich eine Concierge. Von nahem… nun, von nahem … da gibt es etwas Merkwürdiges. Colombe kann sie nicht ausstehen, für sie ist sie der Abschaum der Menschheit. Für Colombe ist sowieso jederman Abschaum der Menschheit, der nicht ihrer kulturellen Norm entspricht, und Colombes kulturelle Norm ist gesellschaftliche Macht plus Hemdblusen von agnès b. Madame Michel … Wie soll ich sagen? Sie strömt Intelligenz aus. Dabei gibt sie sich alle Mühe, also man sieht richtig, daß sie ihr möglichstes tut, um die Concierge zu spielen und um schwachsinnig zu erscheinen. Doch ich habe sie schon beobachtet, als sie mit Jean Arthens sprach, oder wenn sie hinter Dianes Rücken mit Neptun spricht, oder wenn sie die Damen des Hauses anschaut, die an ihr vorbeigehen, ohne sie zu grüßen. Madame Michel besitzt die Eleganz des Igels: Außen ist sie mit Stacheln gepanzert, eine echte Festung, aber ich ahne vage, daß sie innen auf genauso einfache Art raffiniert ist wie die Igel, diese kleinen Tiere, die nur scheinbar träge, entschieden ungesellig und schrecklich elegant sind.

Gut, abgesehen davon gebe ich zu, daß ich keine Hellseherin bin. Wenn nicht etwas vorgefallen wäre, hätte ich trotzdem das gleiche gesehen wie alle, eine meist schlecht gelaunte Concierge. Doch vor kurzem ist etwas vorgefallen, und es ist merkwürdig, daß Monsieur Ozus Frage gerade jetzt kommt. Vor zwei Wochen hat Antoine Pallières die Einkaufstasche von Madame Michel umgeworfen, die dabei war, ihre

Tür zu öffnen. Antoine Pallières ist der Sohn von Monsieur Pallières, dem Industriellen vom sechsten Stock, einem Typen, der Papa Moralpredigten hält darüber, wie man Frankreich regieren sollte, und der internationalen Delinquenten Waffen verkauft. Der Sohn ist weniger gefährlich, weil er wirklich blöd ist, aber man weiß nie: Die Schädlichkeit ist oft ein Familienkapital. Kurz, Antoine Pallières hat Madame Michels Einkaufstasche umgeworfen. Die Rüben, die Nudeln, die Bouillonwürfel und die Kernseife sind herausgefallen, und ich habe flüchtig ein Buch gesehen, das aus der am Boden liegenden Tasche hervorschaute. Ich sage flüchtig gesehen, denn Madame Michel hat eiligst alles aufgehoben, wobei sie Antoine zornig anblickte (er gedachte ganz offensichtlich nicht, auch nur den kleinsten Finger zu rühren), aber es war auch eine Spur Besorgnis dabei. Er hat nichts gesehen, aber mir genügte dieser Augenblick, um zu wissen, welches Buch, oder besser gesagt, welche Art Buch in der Einkaufstasche von Madame Michel war, denn es liegen eine ganze Menge davon auf Colombes Schreibtisch, seit sie Philosophie studiert. Es war ein Buch aus dem Vrin Verlag, der superspezialisiert ist auf Philosophie für Studenten. Was macht eine Concierge mit einem Buch von Vrin in ihrer Einkaufstasche?, lautet die Frage, die ich mir im Gegensatz zu Antoine Pallières natürlich gestellt habe.

»Das glaube ich auch«, habe ich zu Monsieur Ozu gesagt, und von einer nachbarschaftlichen Beziehung sind wir sogleich zu einer vertrauteren übergegangen, zu der Beziehung von Verschwörern. Wir haben unsere Eindrücke über Madame Michel ausgetauscht, Monsieur Ozu hat zu mir gesagt, er wette, daß sie eine geheime und gelehrte Prinzessin sei, und wir sind auseinandergegangen mit dem Versprechen, Nachforschungen anzustellen.

Das ist also der tiefgründige Gedanke des Tages: Zum ersten Mal begegne ich jemandem, der die Menschen sucht und dessen Blick weiter reicht. Das mag trivial erscheinen, aber ich glaube trotzdem, daß es tiefgründig ist. Wir sehen nie über unsere Gewißheiten hinaus, und was noch schlimmer ist, wir haben es aufgegeben, Begegnungen zu machen, wir tun nichts anderes, als uns selbst zu begegnen, ohne uns in diesen ständigen Spiegeln wiederzuerkennen. Wenn wir es merken würden, wenn es uns bewußt würde, daß wir im anderen immer nur uns selbst ansehen, daß wir allein sind in der Wüste, würden wir verrückt. Wenn meine Mutter Madame de Broglie Makronen von Ladurée anbietet, erzählt sie sich selbst ihr Leben und knabbert lediglich an ihrem eigenen Wohlgeschmack; wenn Papa seinen Kaffee trinkt und seine Zeitung liest, betrachtet er sich in einem Spiegel im Stil Autosuggestion-nach-Coué; wenn Colombe über Marians Vorlesungen spricht, zieht sie über ihr eigenes Spiegelbild her, und wenn die Leute an der Concierge vorbeigehen, sehen sie nur Leere, weil sie sich in ihr nicht widerspiegeln.

Ich flehe das Schicksal an, daß es mir die Chance gibt, über mich selbst hinauszusehen und jemandem zu begegnen.

3

Unter der Schale

Dann vergehen einige Tage.

Wie jeden Dienstag kommt Manuela in meine Loge. Bevor sie die Tür hinter sich schließt, höre ich gerade noch Jacinthe Rosen, die sich vor einem saumseligen Aufzug mit der jungen Madame Meurisse unterhält.

»Mein Sohn sagt, die Chinesen seien unnachgiebig!«

Wie das mit einer Schabe im Mund so ist, sagt Madaahme Rosen nicht die Chinesen, sondern die Chünösen.

Ich habe immer davon geträumt, Chüna zu bereisen. Das ist doch viel interessanter, als nach China zu fahren.

»Er hat die Baronin entlassen«, verkündet mir Manuela, die rosa angehauchte Wangen und glänzende Augen hat, »und den ganzen Rest dazu.«

»Wer?«, frage ich mit Unschuldsmiene.

»Aber doch Monsieur Ozu!«, ruft Manuela aus und schaut mich mißbilligend an.

Es stimmt allerdings, daß das Haus seit zwei Wochen ganz vom Geraune über Monsieur Ozus Einzug in der Wohnung des verstorbenen Pierre Arthens erfüllt ist. An diesem erstarrten Ort, der im Eis der Macht und des Müßiggangs gefangen ist, hat die Ankunft eines neuen Bewohners und die unsinnige Geschäftigkeit, der sich unter seinen Anordnungen eine so eindrückliche Anzahl von Fachleuten hingegeben haben, daß Neptun sogar aufgehört hat, alle zu beschnuppern – hat diese Ankunft also einen Sturm von Aufregung, gemischt mit Panik, ausgelöst. Denn der überkommene Hang zur Aufrechterhaltung der Traditionen und die entsprechende Ablehnung all dessen, was auch nur von ferne an die Welt der Neureichen denken läßt – so die Zurschaustellung der Innenausstattung, der Kauf von Hi-Fi-Anlagen oder der übertriebene Verbrauch von Feinkostwaren –, standen im Widerstreit mit einem stärkeren Hunger, der im Innersten all dieser von Langeweile verblendeten Seelen nagte: dem Hunger nach Neuem. So vibrierte die Rue de Grenelle 7 zwei Wochen lang im Rhythmus des Kommens und Gehens von Malern, Tischlern, Klempnern, Küchenspezialisten, Lieferanten von Möbeln, Teppichen, elektronischen Geräten, und zum Schluß von Möbelpackern, die Monsieur Ozu angestellt hatte, um den vierten Stock ganz offensichtlich von Grund auf umzuwandeln, und alle brannten darauf, ihn zu besichtigen. Die Josses und die Pallières' nahmen nicht mehr den Aufzug, und mit einer neuen Rüstigkeit wanderten sie zu jeder Tageszeit im vierten Stock umher, an dem sie naturgemäß vorbeikamen, wenn sie ausgehen und folglich wieder zurückkehren wollten. Sie wurden von allen beneidet. Bernadette de Broglie schmiedete Ränke, um bei Solange Josse, die doch Sozialistin ist, zum Tee eingeladen zu werden, während Jacinthe Rosen sich erbot, Sabine Pallières ein Paket zu bringen, das eben in meiner Loge abgegeben worden war und das ich ihr, nur allzu glücklich, mich der lästigen Aufgabe zu entziehen, mit scheinheiliger Geziertheit anvertraute.

Denn als einzige von allen ging ich Monsieur Ozu sorgsam aus dem Weg. Wir begegneten einander zweimal in der Eingangshalle, doch er war immer in Begleitung und grüßte mich nur freundlich, worauf ich ebenso antworte. Nichts an ihm verriet andere Gefühle als Höflichkeit und ein unbeteiligtes Wohlwollen. Doch genauso, wie die Kinder unter der Schale der Konventionen den echten Stoff wittern, aus dem die Menschen gemacht sind, verriet mir mein innerer Radar, der plötzlich Alarm schlug, daß Monsieur Ozu mich mit geduldiger Aufmerksamkeit betrachtete.

Doch sein Sekretär kümmerte sich um alle Obliegenheiten, die einen Kontakt mit mir verlangten. Ich wette, daß Paul N'Guyen seinen Teil beitrug zur Faszination, die Monsieur Ozus Ankunft auf die Alteingesessenen ausübte. Er war der schönste aller jungen Männer. Von Asien, woher sein vietnamesischer Vater stammte, hatte er das vornehme Benehmen und die geheimnisvolle Gelassenheit übernommen. Von Europa und seiner Mutter (einer Weißrussin) hatte er die hohe Statur und die slawischen Backenknochen sowie helle und ganz leicht geschlitzte Augen geerbt. In ihm vereinten sich die Virilität und die Zartheit, verwirklichte sich die Synthese von männlicher Schönheit und orientalischer Sanftheit.

Ich hatte von seiner Aszendenz erfahren, als ich ihm am Ende eines Nachmittags voller Betriebsamkeit, an dem er sehr beschäftigt gewesen war und an meiner Loge geklingelt hatte, um mir die Ankunft eines neuen Schubs von Lieferanten für den nächsten Morgen anzukündigen, eine Tasse Tee angeboten hatte, die er in aller Einfachheit annahm. Wir unterhielten uns in einer köstlichen Unbekümmertheit. Wer hätte geglaubt, daß ein schöner und kompetenter junger Mann – denn, bei Gott, das war er, wie wir hatten feststellen können, als wir ihm dabei zusahen, wie er die Arbeiten organisierte und sie, ohne je überlastet oder müde zu scheinen, ruhig zu ihrem Abschluß führte – auch so ohne jeden Snobismus wäre? Als er sich verabschiedete und mir dabei herzlich dankte, wurde mir bewußt, daß mir in seiner Gesellschaft nicht einmal der Gedanke gekommen war zu verbergen, wer ich war.

Doch kommen wir zurück zur Neuigkeit des Tages.

»Er hat die Baronin entlassen, und den ganzen Rest dazu.«

Manuela macht keinen Hehl aus ihrem Entzücken. Als sie Paris verließ, hatte Anna Arthens Violette Grelier geschworen, sie dem neuen Besitzer weiterzuempfehlen. Monsieur Ozu, der die Wünsche einer Witwe respektierte, deren Eigentum er kaufte und damit ihr Herz zerriß, hatte sich bereiterklärt, diese Leute zu treffen und mit ihnen ein Gespräch zu führen. Protegiert von Anna Arthens, hätten die Greliers eine erstklassige Stellung in einem guten Haus finden können, doch Violette hegte die verrückte Hoffnung, da zu bleiben, wo sie laut ihren eigenen Worten ihre schönsten Jahre verbracht hatte.

»Fortgehen, das wäre wie sterben«, hatte sie Manuela anvertraut. »Nun, ich spreche nicht von Ihnen, meine Gute. Sie werden sich wohl oder übel damit abfinden müssen.«

»Mich damit abfinden, daß ich nicht lache«, sagt Manuela, die sich, seit sie auf meinen Rat hin ›Vom Winde verweht‹ gesehen hat, für die Scarlett von Argenteuil hält. »Sie geht, und ich bleibe!«

»Stellt Monsieur Ozu Sie ein?«, frage ich.

»Sie werden es nie erraten«, sagt sie zu mir. »Er stellt mich für zwölf Stunden ein, zu einem Prinzessinnenlohn!«

»Zwölf Stunden!«, sage ich. »Wie werden Sie das machen?«

»Ich werde Madame Pallières fallenlassen«, antwortet sie am Rand der Ekstase, »ich werde Madame Pallières fallenlassen.«

Und da man die wirklich guten Dinge ganz ausschöpfen soll, wiederholt sie:

»Ja, ich werde Madame Pallières fallenlassen.«

Schweigend genießen wir einen Moment lang diese Flut von Segnungen.

»Ich werde Tee machen«, sage ich und unterbreche unsere Seligkeit. »Weißen Tee, um das Ereignis zu feiern.«

»Ah, ich vergaß«, sagt Manuela, »ich habe das hier mitgebracht.«

Und sie zieht aus ihrer Einkaufstasche ein Säckchen aus cremefarbenem Seidenpapier.

Ich mache mich daran, das blaue Samtband zu lösen. Im Innern funkeln, wie geheimnisvolle Diamanten, Kekse aus schwarzer Schokolade.

»Er bezahlt mir zweiundzwanzig Euro die Stunde«, sagt Manuela, während sie die Tassen hinstellt und sich dann wieder setzt, nachdem sie Leo höflich gebeten hat, sich zu trollen. »Zweiundzwanzig Euro! Können Sie das glauben? Die anderen bezahlen mich acht, zehn, elf! Diese *melindrosa* einer Pallières, die bezahlt mich acht Euro und läßt ihre schmutzigen Höschen unter dem Bett herumliegen.«

»Er läßt vielleicht seine schmutzige Unterhose unter dem Bett herumliegen«, sage ich lächelnd.

»Oh, das ist nicht seine Art«, sagt Manuela, plötzlich nachdenklich. »Ich hoffe jedenfalls, daß ich die Arbeit richtig machen werde. Es gibt nämlich eine Menge komischer Dinge dort oben, wissen Sie. Und da sind all diese … diese Minibäume zu gießen und zu besprühen.«

Manuela spricht von Monsieur Ozus Bonsais. Sehr groß, mit schlanken Formen und ohne jenes gepeinigte Wesen, das gewöhnlich eher unangenehm wirkt, schienen sie mir, als man sie durch die Eingangshalle transportierte, aus einem anderen Jahrhundert zu stammen, und es war, als würde aus ihrem sanft säuselnden Blätterwerk das flüchtige Bild eines fernen Waldes aufsteigen.

»Ich hätte nie gedacht, daß Dekorateure so was machen würden«, fährt Manuela fort. »Alles kaputtmachen, alles neu machen!«

Für Manuela ist ein Dekorateur ein ätherisches Wesen, das auf kostspieligen Sofas Kissen anordnet und zwei Schritte zurücktritt, um die Wirkung zu bewundern.

»Sie reißen die Wände mit Hammerschlägen ein«, hatte sie eine Woche vorher außer Atem zu mir gesagt, bevor sie mit einem überdimensionierten Besen die Treppe hinaufstürmte. »Wissen Sie ... Es ist jetzt sehr schön. Ich möchte gern, daß Sie es besichtigen.«

»Wie heißen seine Katzen?«, frage ich, um abzulenken und aus Manuelas Kopf jene gefährliche Schrulle zu vertreiben.

»Oh, sie sind wunderbar!«, sagt sie, wobei sie konsterniert Leo betrachtet. »Sie sind ganz schlank, und sie bewegen sich lautlos vorwärts und machen dabei so.«

Sie macht mit der Hand sonderbare Wellenbewegungen.

»Kennen Sie ihre Namen?«, frage ich erneut.

»Das Weibchen heißt Kitty, aber den Namen des Katers habe ich mir nicht gemerkt«, sagt sie.

Ein Tropfen kalter Schweiß schlägt den Geschwindigkeitsrekord auf meiner Wirbelsäule.

»Lewin?«, schlage ich vor.

»Ja«, sagt sie, »genau. Lewin. Wie wissen Sie das?«

Sie runzelt die Stirn.

»Es ist doch wenigstens nicht dieser Revolutionär?«

»Nein«, sage ich, »der Revolutionär ist Lenin. Lewin ist der Held eines großen russischen Romans. Kitty ist die Frau, in die er verliebt ist.«

»Er hat alle Türen auswechseln lassen«, fährt Manuela fort, die sich nur mäßig für die großen russischen Romane interessiert. »Jetzt lassen sie sich schieben. Na, Sie können mir glauben, das ist viel praktischer. Ich frage mich, warum wir es nicht auch so machen. Man gewinnt viel Platz, und es macht weniger Lärm.«

Wie wahr das ist. Wieder einmal zeigt Manuela diese Bravour in der Synthese, die ich so bewundere. Doch diese harmlose Bemerkung löst in mir auch eine köstliche Empfindung aus, die andere Gründe hat.

4

Bruch und Kontinuität

Zwei Gründe, die ebenfalls mit Ozus Filmen zu tun haben.

Der erste liegt in den Schiebetüren selbst. Seit dem ersten Film, ›Flavour of Green Tea Over Rice‹, war ich fasziniert vom japanischen Lebensraum und jenen Schiebetüren, die sich weigern, den Raum zu durchtrennen, und die sanft auf unsichtbaren Schienen gleiten. Denn wenn wir eine Türe öffnen, verändern wir die Orte auf gar schnöde Weise. Wir verletzen ihre volle Ausdehnung und fügen ihnen ob der schlechten Proportionen eine unbesonnene Scharte zu. Wenn man es recht bedenkt, gibt es nichts Häßlicheres als eine offene Tür. Im Zimmer, auf das hin sie sich öffnet, führt sie gewissermaßen einen Bruch herbei, wirkt sie wie ein provinzieller Störfaktor, der die Einheit des Raums vernichtet. Im angrenzenden Zimmer erzeugt sie eine Einbuchtung, einen gähnenden und gleichwohl sinnlosen Riß, verloren auf einem Stück Wand, die lieber ganz gewesen wäre. In beiden Fällen beeinträchtigt sie die Ausdehnung ohne anderen Gewinn als die Freiheit, von einem Zimmer ins andere zu gelangen, die doch durch ganz andere Mittel gewährleistet werden kann. Die Schiebetür hingegen umschifft die Klippe und würdigt den Raum. Ohne dessen Gleichgewicht zu verändern, erlaubt sie seine Verwandlung. Wenn sie sich öffnet, kommunizieren zwei Orte, ohne sich gegenseitig zu verletzen. Wenn sie sich schließt, gibt sie jedem seine Integrität zurück. Teilung und Wiedervereinigung geschehen ohne Invasion. Das Leben in diesen Räumen ist ein ruhiger Spaziergang, während es bei uns mit einer langen Reihe von Übertretungen einhergeht.

»Das stimmt«, sage ich zu Manuela, »es ist praktischer und weniger rücksichtslos.«

Der zweite Grund hat mit einer Gedankenverbindung zu tun, die mich von den Schiebetüren zu den Füßen der Frauen geführt hat. In Ozus Filmen gibt es unzählige Einstellungen, wo ein Schauspieler die Türe zur Seite schiebt, in die Wohnung tritt und die Schuhe auszieht. Insbesondere die Frauen beweisen bei diesem Handlungsablauf ein einzigartiges Talent. Sie treten ein, lassen die Türe der Wand entlanggleiten, machen zwei schnelle kleine Schritte, die sie bis zum erhöhten Bereich führen, aus dem die Wohnräume bestehen, ziehen, ohne sich zu bükken, schnürsenkellose Schuhe aus, und in einer flüssigen und anmutigen Bewegung der Beine drehen sie sich um die eigene Achse, sobald sie die Plattform bestiegen haben, die sie rückwärts angehen. Die Röcke bauschen sich leicht, das Beugen der Knie, welches das Hinaufsteigen erfordert, ist energisch und präzis, der Körper folgt mühelos diesem Halbkreis der Füße, der durch einen seltsam ruckartigen Gang weitergeführt wird, als wären die Fußgelenke durch Fesseln behindert. Doch während die Behinderung der Bewegungen im allgemeinen eine Beschränkung ausdrückt, verleihen die von einem unergründlichen Ruck belebten kleinen Schritte den Füßen der gehenden Frauen den Stempel des Kunstwerks.

Wenn wir Abendländer gehen, und weil unsere Kultur es so will, versuchen wir in der Kontinuität einer auf Gleichmaß ausgerichteten Bewegung das wiederzugeben, was wir für das eigentliche Wesen des Lebens halten: die ungehinderte Effizienz, die flüssige Leistung, die, so ohne jeden Bruch, die Lebenskraft darstellt, durch die alles zustande kommt. Bei uns ist der springende Gepard die Norm; all seine Bewegungen gehen harmonisch ineinander über, die gegenwärtige ist nicht von der folgenden zu unterscheiden, und der Gang der großen Raubkatze erscheint uns als ein einziges langes Fließen, das die tiefe Vollkommenheit des Lebens symbolisiert. Wenn aber die japanischen Frauen mit ihren abgehackten Schritten die kraftvolle Entfaltung der natürlichen Bewegung unterbrechen und wir eigentlich die Qual empfinden müßten, die die Seele beim Anblick der geschmähten Natur überkommt, breitet sich im Gegenteil eine seltsame Glückseligkeit in uns aus, als würde der Bruch die Ekstase und das Sandkorn die Schönheit hervorbringen. In dieser Beleidigung des geheiligten Rhythmus des Lebens, in diesem eingeschränkten Gang, in der aus dieser Beschränkung entstehenden Vortrefflichkeit liegt das Paradigma der Kunst.

Und während sie, aus einer Natur hinausgeschleudert, die möchte, daß sie kontinuierlich sei, durch ihre fehlende Kontinuität abtrünnig und gleichzeitig beachtenswert wird, gelangt die Bewegung zur ästhetischen Schöpfung.

Denn die Kunst ist das Leben, jedoch in einem anderen Rhythmus.

Tiefgründiger Gedanke Nr. 10

Grammatik
Eine Bewußtseinsschicht
Die zur Schönheit führt

Am Morgen nehme ich mir normalerweise immer einen Moment Zeit, um in meinem Zimmer Musik zu hören. Die Musik spielt eine sehr große Rolle in meinem Leben. Sie erlaubt mir, zu ertragen ... nun ... was es zu ertragen gibt: meine Schwester, meine Mutter, die Schule, Achille Grand-Fernet usw. Die Musik ist nicht nur ein Vergnügen für das Ohr wie die Gastronomie für den Gaumen oder die Malerei für die Augen. Wenn ich am Morgen Musik auflege, dann ist das nicht sehr originell: Ich tue es, weil sie den Ton für den Tag angibt. Es ist sehr einfach, und gleichzeitig ist es etwas kompliziert zu erklären: Ich glaube, daß wir unsere Stimmungen wählen können, denn wir haben ein Bewußtsein, das mehrere Schichten hat, und wir besitzen ein Mittel, um zu ihnen vorzudringen. Um zum Beispiel einen tiefgründigen Gedanken aufzuschreiben, muß ich mich in eine ganz spezielle Schicht begeben, sonst kommen die Ideen und die Wörter nicht. Ich muß mich vergessen, und gleichzeitig muß ich superkonzentriert sein. Doch es ist keine Sache des »Willens«, es ist ein Mechanismus, den man betätigt oder nicht betätigt, wie um sich die Nase zu kratzen oder eine Rückwärtsrolle zu machen. Und um den Mechanismus zu betätigen, gibt es nichts Besseres als ein kleines Musikstück. Um mich zum Beispiel zu entspannen, lege ich etwas auf, das mich in eine distanzierte Stimmung versetzt, in der mich die Dinge nicht wirklich berühren, in der ich sie ansehe, wie ich einen Film ansehe: eine »unbeteiligte« Bewußtseinsschicht. Für diese Schicht nehme ich im allgemeinen Jazz, oder sonst Dire Straits (es lebe MP3), was länger vorhält, aber auch länger dauert, bis es wirkt.

Heute morgen habe ich also Glenn Miller gehört, bevor ich zur Schule ging. Es hat offensichtlich nicht lange genug vorgehalten. Als sich der Zwischenfall ereignete, habe ich meine ganze Unbeteiligtheit verloren. Es war in der Französischstunde bei Madame Maigre (die mit all ihren Fettwülsten ein lebendes Antonym ist). Zudem kleidet sie sich in Rosa. Ich liebe Rosa, ich finde, die Farbe wird ungerecht behandelt, man macht etwas für Babys oder für aufgedonnerte Frauen daraus, wo Rosa doch eine sehr subtile und zarte Farbe ist, die man häufig in der japanischen Dichtung antrifft. Doch die Farbe Rosa und Madame Maigre, das ist ein wenig wie die Konfitüre und das Ferkel. Kurz, heute morgen hatte ich Französisch bei ihr. Das ist für sich allein schon eine Strafe. Französisch bei Madame Maigre besteht aus einer langen Reihe von technischen Übungen, egal, ob man Grammatik oder Textlektüre macht. Bei ihr hat man den Eindruck, daß ein Text geschrieben wurde, um dessen Personen, den Erzähler, die Orte, die Ereignisse, die Zeiten der Erzählung usw. analysieren zu können. Ich glaube, es ist ihr noch nie in den Sinn gekommen, daß ein Text vor allem geschrieben wird, um gelesen zu werden und beim Leser Emotionen hervorzurufen. Stellen Sie sich vor, sie hat uns noch nie gefragt: »Mögt ihr diesen Text/dieses Buch?« Dabei ist es die einzige Frage, die der Untersuchung der erzählerischen Gesichtspunkte oder des Aufbaus der Erzählung einen Sinn geben könnte ... Ganz zu schweigen davon, daß der Geist von Collègeschülern meiner Meinung nach offener ist für die Literatur als der von Gymnasiasten oder von Studenten. Ich meine damit: Man braucht mit Schülern in unserem Alter nur mit Leidenschaft über etwas zu sprechen und dabei die richtige Saite anzuschlagen (diejenige der Liebe, der Auflehnung, des Hungers nach Neuem usw.), und es bestehen die besten Aussichten, daß es auch ankommt. Unser Geschichtslehrer, Monsieur Lermit, hat es verstanden, uns zwei Lektionen lang zu fesseln, indem er uns Fotos von Männern gezeigt hat, denen man dem Gesetz des Korans zufolge eine Hand abgehackt oder die Lippen abgeschnitten hatte, weil sie gestohlen oder geraucht hatten. Dabei hat er es nicht in der Art eines Splatterfilms getan. Es war ergreifend, und wir sind der Unterrichtsstunde alle aufmerksam gefolgt, in der vor dem Wahnsinn der Menschen gewarnt wurde und nicht spezifisch vor dem Islam. Wenn Madame Maigre sich also die Mühe genommen hätte, uns mit tremolierender Stimme einige Verse von Racine vorzulesen (»Que le jour recommence et que le jour finisse, / Sans que jamais Titus puisse voir Bérénice«), hätte sie gesehen, daß der normale Jugendliche gerade reif ist für die Liebestragödie. Im Gymnasium ist es schon schwieriger: Das Erwachsenenalter ist in Sichtweite, man hat schon ein Vorgefühl von den Lebensgewohnheiten der Großen, man fragt sich, welche Rolle und welchen Platz man im Spiel übernehmen wird, und etwas ist schon schiefgegangen, das Goldfischglas ist nicht mehr sehr weit.

Als ich also heute morgen, zusätzlich zu einem Literaturunterricht ohne Literatur und einem Sprachunterricht ohne das Verständnis für die Sprache, in so einer Was-soll-das-Ganze-Stimmung war, konnte ich mich nicht mehr zurückhalten. Madame Maigre rekapitulierte das attributive Adjektiv, unter dem Vorwand, daß es in unseren Aufsätzen völlig inexistent sei, »wo Sie doch schon seit der Grundschule dazu fähig sein sollten«. »Unglaublich, so inkompetente Schüler in Grammatik«, hat sie hinzugefügt und dabei besonders Achille Grand-Fernet angeschaut. Ich mag Achille nicht, aber als er seine Frage gestellt hat, war ich ganz seiner Meinung. Ich finde, sie drängte sich geradezu auf. »Aber wozu dient denn die Grammatik?«, hat er gefragt. »Das sollten Sie eigentlich wissen«, hat Madame-ich-bin-doch-dafür-bezahlt-es-Ihnen-beizubringen geantwortet. »Nö«, hat Achille ausnahmsweise aufrichtig geantwortet, »niemand hat sich je die Mühe gemacht, es uns zu erklären.« Madame Maigre hat einen langen Seufzer ausgestoßen, im Stil ›muß-ich-mich-auch-noch-mit-dummen-Fragen-herumschlagen‹, und hat geantwortet: »Sie dient dazu, korrekt zu sprechen und zu schreiben.«

Also wirklich, ich dachte, mich trifft der Schlag. Ich habe noch nie so etwas Unsinniges gehört. Ich will damit nicht sagen, daß es falsch ist, sondern daß es *wirklich unsinnig* ist. Heranwachsenden, die schon sprechen und schreiben können, zu sagen, die Grammatik diene zum Sprechen und zum Schreiben, das ist, als würde man jemandem sagen, daß er die Geschichte der Toilette im Laufe der Jahrhunderte lesen müsse, um korrekt Pipi und Kaka machen zu können. Das ergibt überhaupt keinen Sinn! Wenn sie uns wenigstens anhand von Beispielen gezeigt hätte, daß man eine gewisse Anzahl von Dingen über die Sprache wissen muß, um sie korrekt anzuwenden, na gut, warum nicht, das ist ja eine Vorbedingung. Ein Verb in allen Zeiten richtig konjugieren zu können bewahrt zum Beispiel vor schweren Schnitzern, die einen bei einem mondänen Anlaß vor allen blamieren (»Ich war gern früher zu Ihnen gekommen, aber ich habe den falschen Weg genimmt«). Oder es ist ganz nützlich, die Regel der Übereinstimmung des attributiven Adjektivs zu kennen, um eine ordentliche Einladung zu einer kleinen Tanzerei im Schloß Versailles zu verfassen: Man erspart sich damit Sätze wie: »Lieber Freunde, möchten Sie heute abend nach Versailles kommen? Ich wäre glücklich über ihre wertes Anwesenheit. Die Marquise de Grand-Fernet.« Doch wenn Madame Maigre glaubt, die Grammatik diene nur dazu ... Wir waren fähig, ein Verb auszusprechen und zu konjugieren, bevor wir wußten, daß es eines ist. Und wenn das Wissen auch hilfreich sein kann, so glaube ich trotzdem nicht, daß es entscheidend ist.

Ich persönlich glaube, daß die Grammatik einen Zugang zur Schönheit bietet. Wenn man spricht, wenn man schreibt oder wenn man liest, spürt man genau, ob man einen schönen Satz formuliert hat oder ob man dabei ist, einen schönen Satz zu lesen. Wir sind fähig, eine schöne Wendung oder einen schönen Stil zu erkennen. Doch wenn man sich mit Grammatik befaßt, hat man Zugang zu einer anderen Dimension der Schönheit der Sprache. Sich mit Grammatik zu befassen, das bedeutet, die Sprache zu enthülsen, zu schauen, wie sie gemacht ist, sie gewissermaßen ganz nackt zu sehen. Und genau das ist das Wunderbare, denn man sagt sich: »Wie gut sie gemacht ist, wie gut ist sie gebaut!«, »Wie solid, sinnig, reich und subtil sie ist!«. Nur schon zu wissen, daß es mehrere Wortarten gibt und daß man sie kennen muß, um daraus auf ihren Gebrauch und ihre mögliche Vereinbarkeit zu schließen, entzückt mich. Ich finde, es gibt zum Beispiel nichts Schöneres als den Grundgedanken der Sprache, daß es Substantive und Verben gibt. Wenn man das hat, hat man schon den Kern aller Aussagen. Das ist doch großartig, nicht? Substantive, Verben …

Muß man sich vielleicht auch in einen besonderen Bewußtseinszustand versetzen, um zu dieser ganzen Schönheit der Sprache vorzudringen, die die Grammatik enthüllt? Ich für meinen Teil habe den Eindruck, dies ohne Anstrengung zu tun. Ich glaube, daß ich im Alter von zwei Jahren, als ich die Erwachsenen sprechen hörte, mit einem Schlag begriffen habe, wie die Sprache gemacht ist. Die Grammatikstunden waren für mich immer Synthesen im nachhinein, und vielleicht terminologische Präzisierungen. Kann man Kindern durch Grammatikunterricht beibringen, korrekt zu sprechen und korrekt zu schreiben, wenn sie die Erleuchtung, die ich hatte, nicht hatten? Ein Geheimnis. In der Zwischenzeit sollten alle Madames Maigre dieser Welt sich vielmehr fragen, welches Musikstück sie ihren Schülern vorspielen sollten, damit sich diese in grammatikalische Trance versetzen können.

So habe ich also zu Madame Maigre gesagt: »Aber überhaupt nicht, das ist eine grobe Reduzierung!« In der Klasse breitete sich großes Schweigen aus, weil ich sonst nie den Mund aufmache und weil ich der Lehrerin widersprochen hatte. Sie hat mich überrascht angeschaut, dann hat sie eine säuerliche Miene aufgesetzt, wie alle Lehrer, wenn sie spüren, daß der Wind dreht und ihre gemütliche kleine Unterrichtsstunde über die attributiven Adjektive sich in ein Tribunal über ihre pädagogischen Methoden verwandeln könnte. »Und was wissen Sie darüber, Mademoiselle Josse?«, hat sie scharf gefragt. Alle hielten den Atem an. Wenn die Klassenbeste nicht zufrieden ist, sieht es schlecht aus für den Lehrkörper, besonders, wenn er fett ist, und so gab es an diesem Morgen Thriller und Zirkusspiele zum Einheitspreis: Alle warteten darauf, den Ausgang des Kampfes zu sehen, den man sich schön blutig erhoffte.

»Nun«, habe ich gesagt, »wenn man Jakobson gelesen hat, scheint klar, daß die Grammatik ein Ziel ist und nicht nur ein Zweck: Sie ist ein Zugang zur Struktur und zur Schönheit der Sprache, nicht nur so ein Dingsda, das dazu dient, in der Gesellschaft zurechtzukommen.« – »Ein Dingsda! Ein Dingsda!«, hat sie mit weit aufgerissenen Augen wiederholt. »Für Mademoiselle Josse ist die Grammatik ein Dingsda!«

Wenn sie mir gut zugehört hätte, hätte sie verstanden, daß sie für mich gerade kein Dingsda ist. Aber ich glaube, die Anspielung auf Jakobson hat ihr völlig den Boden unter den Füßen weggezogen, ganz abgesehen davon, daß alle grinsten, einschließlich Cannelle Martin, ohne daß sie etwas verstanden hatten von dem, was ich gesagt hatte, weil sie spürten, daß über der dicken Französischlehrerin eine kleine sibirische

Wolke aufzog. In Wahrheit habe ich noch nie etwas von Jakobson gelesen, wie Sie sich denken können. Wenn ich auch hochbegabt bin, so mag ich trotzdem lieber Comics oder Literatur. Doch eine Freundin von Mama (die Professorin an der Universität ist) hat gestern von Jakobson gesprochen (während sich die beiden um fünf Uhr Camembert und eine Flasche Rotwein genehmigten). Und das ist mir heute morgen wieder eingefallen.

In dem Moment, da ich spürte, wie die Meute die Lefzen hochzog, hatte ich Mitleid. Ich hatte Mitleid mit Madame Maigre. Und dann mag ich die Lynchjustiz nicht. Das macht nie jemandem Ehre. Ganz abgesehen davon, daß ich nicht die geringste Lust habe, daß jemand mein Wissen in Sachen Jakobson genauer unter die Lupe nimmt und Verdacht schöpft, was meinen wirklichen IQ anbelangt.

Da habe ich den Rückzug angetreten und nichts mehr gesagt. Ich habe zwei Stunden nachsitzen müssen, und Madame Maigre hat ihre Lehrerhaut gerettet. Doch als ich das Klassenzimmer verließ, habe ich ihre ängstlichen Äuglein gespürt, die mir bis zur Türe folgten.

Und auf dem Nachhauseweg hab ich mir gesagt: Unglücklich die Armen im Geiste, die weder die Trance noch die Schönheit der Sprache kennen.

5

Ein angenehmer Eindruck

Doch Manuela, unempfänglich für die Schritte der japanischen Frauen, steuert schon andere Gestade an.

»Die Rosen macht ein Riesengetue, weil es bei ihm nicht zwei gleiche Lampen gibt«, sagt sie.

»Tatsächlich?«, frage ich verdutzt.

»Ja, tatsächlich«, antwortet sie mir. »Na und? Bei den Rosen ist alles doppelt vorhanden, weil sie fürchten, zuwenig zu haben. Kennen Sie Madames Lieblingsgeschichte?«

»Nein«, sage ich, entzückt über die Ausblicke, die uns diese Unterhaltung verheißt.

»Während des Krieges hat ihr Vater, der in seinem Keller einen Haufen Sachen lagerte, seine Familie dadurch gerettet, daß er einem Deutschen einen Dienst erwies, der eine Fadenrolle suchte, um einen abgefallenen Knopf an seiner Uniform anzunähen. Wenn er keine Fadenrolle gehabt hätte, schwups, hätte er ihm den Hals umgedreht, und allen anderen auch. Nun, Sie können es glauben oder nicht, in ihren Schränken und im Keller hat sie alles doppelt. Macht sie das glücklicher? Sieht man besser in einem Zimmer, weil es zwei gleiche Lampen gibt?«

»Daran habe ich nie gedacht«, sage ich. »Es stimmt, wir statten unsere Räume mit Redundanzen aus.«

»Mit was?«, fragt Manuela.

»Mit Wiederholungen, wie bei den Rosen. Die gleichen Lampen und Vasen doppelt auf dem Kamin, die genau gleichen Sessel auf jeder Seite des Sofas, zwei zueinander passende Nachttische, Reihen von gleichen Glasbehältern in der Küche …«

»Jetzt, da Sie es sagen, es sind nicht nur die Lampen«, fährt Manuela fort. »Tatsächlich gibt es keine zwei gleichen Dinge bei Monsieur Ozu. Nun, ich muß sagen, das ist ein angenehmer Eindruck.«

»Wie, angenehm?«, frage ich.

Sie überlegt einen Moment mit gerunzelter Stirn.

»Angenehm wie nach den Festtagen, wenn man zuviel gegessen hat. Ich denke an jene Momente, wenn alle fortgegangen sind … Mein Mann und ich gehen in die Küche, ich bereite eine kleine Brühe mit frischem Gemüse zu, ich schneide rohe Champignons ganz klein und wir essen unsere Brühe mit den Champignons drin. Man hat das Gefühl, einen Sturm hinter sich zu haben und daß es wieder ruhig wird.«

»Man fürchtet nicht mehr, zuwenig zu haben. Man ist glücklich über den Augenblick.«

»Man spürt, daß es natürlich ist, daß das hier Essen ist.«

»Man kann profitieren von dem, was man hat, nichts konkurriert damit. Eine Empfindung nach der anderen.«

»Ja, man hat weniger, aber man profitiert mehr davon.«

»Wer kann mehrere Dinge auf einmal essen?«

»Nicht mal der arme Monsieur Arthens.«

»Ich habe zwei gleiche Lampen auf zwei identischen Nachttischen«, sage ich, als mir diese Tatsache plötzlich einfällt.

»Und ich auch«, sagt Manuela.

Sie schüttelt den Kopf.

»Vielleicht sind wir krank vom Überfluß.«

Sie steht auf, umarmt mich und kehrt zu den Pallières zurück, an ihre moderne Sklavenarbeit. Nachdem sie gegangen ist, bleibe ich vor meiner leeren Teetasse sitzen.

Ein Schokoladenkeks ist übriggeblieben, den ich aus Naschhaftigkeit mit den vorderen Zähnen knabbere, wie eine Maus. Auf eine neue Weise hineinzubeißen, das ist wie ein neues Gericht zu kosten.

Und ich meditiere genüßlich über den ungebührenden Charakter unseres Gesprächs. Hat man je von einer Putzfrau und einer Concierge gehört, die bei einer Plauderei während der Pause den kulturellen Sinn der Innenausstattung erörtern? Sie wären überrascht zu hören, was die kleinen Leute miteinander reden. Zwar mögen sie die Geschichten lieber als die Theorien, die Anekdoten lieber als die Begriffe, die Bilder lieber als die Ideen. Das hindert sie jedoch nicht daran zu philosophieren. Bilden wir also Kulturen, an denen die Leere so sehr nagt, daß wir nur in der Angst vor dem Mangel leben? Genießen wir unseren Besitz oder unsere Sinne nur dann, wenn wir die Gewähr haben, daß wir sie noch mehr genießen können? Vielleicht wissen die Japaner, daß man eine Freude nur auskostet, weil man weiß, daß sie vergänglich und einzigartig ist, und vielleicht sind sie über dieses Wissen hinaus fähig, ihr Leben daraus zu weben.

Ach! Öde und ewige Wiederholung reißen mich wieder einmal aus meiner Betrachtung – die Langeweile ist eines Tages aus der Eintönigkeit entstanden –, als man an meiner Loge klingelt.

6

Wabi

Es ist ein Bote, der einen Kaugummi für Elefanten kaut, nach der Kraft und der Amplitude der Kieferbewegungen zu urteilen, zu denen ihn dieses Kauen zwingt.

»Madame Michel?«, fragt er.

Er drückt mir ein Paket in die Hände.

»Gibt es nichts zu unterschreiben?«, frage ich.

Doch er ist schon verschwunden.

Es ist ein rechteckiges Paket, in Packpapier eingeschlagen und von einer Schnur zusammengehalten, die Sorte Schnur, die man gebraucht, um Kartoffelsäcke zu verschließen oder in der Wohnung einen Korken hinter sich herzuziehen mit dem Ziel, eine Katze zu amüsieren und sie zu der einzigen Übung zu nötigen, zu der sie sich bequemt. In Wirklichkeit läßt mich dieses verschnürte Paket an Manuelas Seidenverpackungen denken, denn obgleich das Papier in diesem Falle eher etwas bäuerisch Einfaches denn etwas Raffiniertes hat, liegt in der Sorgfalt und der Authentizität der Verpackung etwas Ähnliches und etwas zutiefst Angemessenes. Tatsächlich geht die Erarbeitung der edelsten Begriffe von der plumpesten Trivialität aus. *Das Schöne ist das Angemessene* ist ein aus den Händen eines wiederkäuenden Boten entstandener erhabener Gedanke.

Wenn man etwas ernsthafter darüber nachdenkt, ist die Ästhetik nichts anderes als die Initiation in den Weg der Angemessenheit, ein Weg des Samurai, durch den sich der Sinn für die authentischen Formen erschließt. Das Wissen um das Angemessene ist in allen von uns verwurzelt. Es erlaubt uns in jedem Moment der Existenz zu beurteilen, wie es mit ihrer Qualität steht, und bei jenen seltenen Gelegenheiten, da alles Harmonie ist, diese mit der gebotenen Intensität zu genießen. Und ich spreche nicht von jener Art Schönheit, die ausschließlich der Kunst angehört. Wer sich, wie ich, von der Größe der kleinen Dinge anregen läßt, verfolgt sie bis in den Kern des Wesentlichen hinein, dort, wo sie, in den Kleidern des Alltags, aus einer bestimmten Anordnung der gewöhnlichen Dinge aufblitzt, aus der Gewißheit, daß *es so sein muß*, aus der Überzeugung, daß *es gut so ist*.

Ich entknote die Schnur und reiße das Papier auf. Es ist ein Buch, eine schöne Ausgabe, in marineblaues Leder gebunden, das grob genarbt ist und sehr *wabi*. Auf japanisch bedeutet *wabi* »eine unscheinbare Form der Schönheit, eine Art der Raffiniertheit, die von bäuerischer Einfachheit verhüllt ist.« Ich weiß nicht genau, was das heißt, aber dieser Einband ist zweifellos *wabi*.

Ich setze meine Brille auf und lese den Titel.

Tiefgründiger Gedanke Nr. 11

Birken
Lehrt mich, daß ich nichts bin
Und daß ich würdig bin zu leben

Mama hat gestern beim Abendessen verkündet, daß sie vor genau zehn Jahren ihre »Analüüse« begonnen habe, als sei das ein Grund, den Champagner in Strömen fließen zu lassen. Vermutlich sind sich alle einig, daß das wun-der-bar ist! Für mich gibt es nur die Psychoanalyse, die es mit dem Christentum hinsichtlich der Liebe zu lange dauernden Leiden aufnehmen kann. Was meine Mutter nicht sagt, ist, daß sie ebenfalls seit zehn Jahren Antidepressiva nimmt. Doch ganz offensichtlich sieht sie keinen Zusammenhang. Ich für meinen Teil glaube, daß sie die Antidepressiva nicht nimmt, um ihre Ängste einzudämmen, sondern um die Analyse zu ertragen. Wenn sie von ihren Sitzungen erzählt, könnte man mit dem Kopf gegen die Wand schlagen. Der Kerl macht in regelmäßigen Abständen »hmmm« und wiederholt das Ende ihrer Sätze (»Und ich war mit meiner Mutter bei Lenôtre«: »Hmmm, bei Lenôtre?« »Ich liebe Schokolade«: »Hmmm, Schokolade?«). Wenn das so ist, kann ich mich schon morgen Psychoanalytiker schimpfen. Ansonsten verpaßt er ihr Vorträge über die »Freudsche Sache«, die, anders, als man meinen könnte, keine Rätselaufgaben sind, sondern einen Sinn haben sollten. Die Faszination der Intelligenz hat etwas Faszinierendes. Meiner Meinung nach ist sie kein Wert für sich. Intelligente Leute gibt es jede Menge. Es gibt viele Schwachsinnige, aber auch viele kluge Köpfe. Was ich jetzt sage, ist eine Banalität, aber die Intelligenz für sich hat nicht den geringsten Wert und ist von keinerlei Interesse. Es gibt zum Beispiel sehr intelligente Menschen, die ihr Leben der Frage nach dem Geschlecht der Engel gewidmet haben. Doch viele intelligente Menschen haben eine Art *Bug*: Sie halten die Intelligenz für ein Ziel. Sie haben nur den einen Gedanken im Kopf: intelligent zu sein, was außerordentlich dumm ist. Und wenn die Intelligenz sich für den Zweck hält, funktioniert sie auf merkwürdige Art und Weise: Der Beweis, daß sie existiert, liegt nicht in der Sinnigkeit und der Einfachheit dessen, was sie hervorbringt, sondern in der Unverständlichkeit ihres Ausdrucks. Wenn Sie die Literatur sehen würden, die Mama von ihren »Sitzungen« mit nach Hause bringt ... Da wird symbolisiert, da wird die Verwerfung angeprangert und die Realität subsumiert, und das alles unter reichlicher Zuhilfenahme von sogenannten »Mathèmes« und zweifelhafter Syntax. Der reinste Unsinn! Sogar die Texte, die Colombe liest (sie verfaßt eine Arbeit über Wilhelm von Ockham, einen Franziskaner aus dem 14. Jahrhundert), sind weniger grotesk. Was besagt: lieber ein denkender Mönch als ein postmoderner Denker.

Außerdem war es der Freudsche Tag. Am Nachmittag war ich dabei, Schokolade zu essen. Ich liebe Schokolade, und das ist wohl die einzige Gemeinsamkeit, die es zwischen Mama, meiner Schwester und mir gibt. Als ich in einen Riegel mit Haselnüssen biß, spürte ich, daß sich einer meiner Zähne spaltete. Ich habe mich im Spiegel angeschaut und festgestellt, daß ich tatsächlich noch ein kleines Stück Schneidezahn verloren hatte. Diesen Sommer bin ich in Quimper auf dem Markt hingefallen, weil ich mit dem Fuß in einem Seil hängengeblieben war, und dabei habe ich mir die Hälfte dieses Zahns abgebrochen, und seither bröckelt er von Zeit zu Zeit etwas ab.

Kurz, ich habe mein kleines Stück Schneidezahn verloren, und das hat mich zum Lachen gebracht, weil mir eingefallen ist, was Mama über einen Traum erzählt, den sie oft hat: Sie verliert ihre Zähne, sie werden schwarz und fallen einer nach dem anderen aus. Ihr Psychoanalytiker hat ihr zu diesem Traum gesagt: »Chère Madame, ein Freudianer würde Ihnen sagen, daß das ein Todestraum ist.« Lustig, wie? Es geht nicht einmal um die Naivität der Interpretation (Zähne, die ausfallen = Tod, Regenschirm = Penis usw.), als ob die Kultur nicht eine riesige Suggestionsmacht wäre, die nichts mit der Realität der Sache zu tun hat. Es ist die Art und Weise, die intellektuelle Überlegenheit (»ein Freudianer würde Ihnen sagen«) auf eine distanzierte Gelehrtheit zu stützen, obwohl man in Wirklichkeit den Eindruck hat, es rede ein Papagei.

Um mich von all dem zu erholen, bin ich heute zum Glück zu Kakuro gegangen, wo ich Tee getrunken und sehr gute und sehr delikate Kokosplätzchen gegessen habe. Er ist zu uns gekommen, um mich einzuladen, und hat zu Mama gesagt: »Wir sind uns im Aufzug begegnet und haben eine sehr interessante Unterhaltung begonnen.« – »Ach ja?«, hat Mama überrascht gesagt. »Nun, Sie haben Glück, meine Tochter spricht kaum mit uns.« – »Möchtest du zu einer Tasse Tee zu mir kommen und meine Katzen kennenlernen?«, hat Kakuro gefragt, und natürlich hat Mama, verlockt durch die Folgen, die die Geschichte haben könnte, sofort eingewilligt. Sie legte sich schon das Szenario moderne Geisha, die beim reichen japanischen Herrn eingeladen ist, zurecht. Es muß gesagt werden, daß einer der Gründe für die kollektive Faszination für Monsieur Ozu die Tatsache ist, daß er wirklich sehr reich ist (wie es scheint). Kurz, ich bin zu ihm zum Tee gegangen und habe mit seinen Katzen Bekanntschaft gemacht. Also, sie überzeugen mich nicht viel mehr als meine, aber die von Kakuro sind zumindest dekorativ. Ich habe Kakuro meine Meinung dargelegt, und er hat mir geantwortet, er glaube an die Ausstrahlung und an die Sensibilität einer Eiche und folglich erst recht an diejenige einer Katze. Wir haben weiterdiskutiert über die Definition der Intelligenz, und er hat mich gefragt, ob er meine Formel in sein Notizbuch schreiben dürfe: »Sie ist keine heilige Gabe, sie ist die einzige Waffe der Primaten.«

Und dann sind wir wieder auf Madame Michel zu sprechen gekommen. Er meint, ihre Katze heiße Leo wegen Leo Tolstoi, und wir sind uns einig, daß eine Concierge, die Tolstoi und Werke aus dem Vrin Verlag liest, nicht unbedingt alltäglich ist. Er hat sogar sehr stichhaltige Gründe, um zu glauben, daß sie eine besondere Vorliebe für ›Anna Karenina‹ hat und er ist entschlossen, ihr ein Exemplar zu schicken. »Wir werden ja sehen, wie sie reagiert«, hat er gesagt.

Doch das ist nicht mein tiefgründiger Gedanke des Tages. Er kommt von einem Satz, den Kakuro gesagt hat. Wir sprachen über die russische Literatur, die ich überhaupt nicht kenne. Kakuro hat mir erklärt, was er in Tolstois Romanen so liebe, sei, daß es »universale Romane« sind, und daß sie zudem in Rußland spielen, in diesem Land, wo überall Birken stehen und wo zur Zeit der Napoleonischen Feldzüge die Aristokratie wieder russisch lernen mußte, weil sie nur französisch sprach. Na gut, das ist Erwachsenengerede, aber das Gute bei Kakuro ist, daß er alles höflich tut. Es ist sehr angenehm, ihm beim Sprechen zuzuhören, auch wenn es einen nicht groß interessiert, was er erzählt, denn er spricht wirklich zu einem und wendet sich an einen. Es ist das erste Mal, daß ich jemandem begegne, der mich beachtet, wenn er mit mir spricht: Er lauert nicht auf Zustimmung oder Mißbilligung, er schaut mich an, als wollte er sagen: »Wer bist du? Möchtest du mit mir sprechen? Welches Vergnügen, mit dir zusammen zu sein!« Das wollte ich sagen, als ich von Höflichkeit sprach, diese Haltung von jemandem, der dem anderen das Gefühl gibt, da zu sein. Na gut, eigentlich ist mir das Rußland der großen Russen ziemlich schnuppe. Sie sprachen französisch? Na wunderbar!

Ich auch, und ich beute den Muschik nicht aus. Hingegen war ich empfänglich für die Birken, ich habe zuerst nicht recht verstanden warum. Kakuro sprach von den ländlichen Gegenden Rußlands mit all ihren biegsamen und sanft rauschenden Birken, und ich fühlte mich leicht, leicht ...

Nachher, als ich ein wenig darüber nachdachte, habe ich diese plötzliche Freude, als Kakuro von den russischen Birken sprach, zum Teil verstanden. Ich spüre die gleiche Wirkung, wenn man von Bäumen spricht, von irgendwelchen Bäumen: von der Linde im Hof des Bauernhofs, der Eiche hinter der alten Scheune, den großen Ulmen, die heute verschwunden sind, den vom Wind gekrümmten Pinien die windigen Küsten entlang usw. Es liegt soviel Menschlichkeit in dieser Fähigkeit, die Bäume zu lieben, soviel Sehnsucht nach unserem ersten Staunen, soviel Kraft, sich inmitten der Natur so unbedeutend zu fühlen ... ja, das ist es: Der Gedanke an die Bäume, an ihre unbeteiligte Majestät und an die Liebe, die wir für sie empfinden, lehrt uns, wie lächerlich wir sind, häßliche Parasiten, die sich auf der Oberfläche der Erde tummeln, und macht uns gleichzeitig würdig zu leben, weil wir fähig sind, eine Schönheit zu erkennen, die uns nichts schuldig ist.

Kakuro sprach von den Birken, und während ich die Psychoanalytiker vergaß und all die intelligenten Leute, die nichts anzufangen wissen mit ihrer Intelligenz, fühlte ich mich plötzlich größer, weil ich fähig war, ihre große Schönheit zu erfassen.

Sommerregen

1

Geheime Existenz

Ich setze also meine Brille auf und lese den Titel.
Leo Tolstoi, ›Anna Karenina‹.
Mit einer Karte:

Chère Madame,
als Hommage an Ihre Katze,
Herzlich,
Kakuro Ozu

Es ist immer tröstlich, wenn sich erweist, daß die eigene Paranoia keine war.
Ich hatte recht. Ich bin entlarvt.
Panik überfällt mich.
Ich stehe mechanisch auf, setze mich wieder hin. Ich lese die Karte nochmals.
Etwas in mir zieht um – ja, ich kann es nicht anders sagen, ich habe das unsinnige Gefühl, daß ein inneres Modul den Platz eines anderen einnimmt. Passiert Ihnen das nie? Sie spüren innere Verschiebungen, die Sie nicht näher zu beschreiben vermögen, doch sie vollziehen sich gleichzeitig mental und räumlich, es ist wie ein Umzug.
Als Hommage an Ihre Katze.
Mit einem nicht gespielten Unglauben höre ich ein leises Lachen, ein Glucksen, das aus meiner eigenen Kehle kommt.

Es ist beängstigend, aber es ist lustig.

Von einem gefährlichen Impuls getrieben – für den, der eine geheime Existenz führt, sind alle Impulse gefährlich –, hole ich ein Blatt Papier, einen Umschlag und einen Kugelschreiber (orange) und schreibe:

Danke, das wäre nicht nötig gewesen.
Ihre Concierge

Ich pirsche mit der Vorsicht eines Sioux in die Eingangshalle hinaus – niemand – und werfe die Mitteilung in den Briefkasten von Monsieur Ozu.

Ich kehre in meine Loge zurück – da keine Menschenseele zu sehen ist – und lasse mich erschöpft in den Lehnstuhl fallen mit dem Gefühl, meine Pflicht getan zu haben.

Eine mächtige Empfindung überwältigt mich: so etwas Idiotisches.

So etwas Idiotisches.

Dieser einfältige Impuls ist weit davon entfernt, der Jagd ein Ende zu setzen, sondern ermuntert im Gegenteil hundertfach dazu. Es war ein wichtiger strategischer Fehler. Das verflixte Unbewußte geht mir allmählich auf die Nerven.

Ein einfaches: *Ich verstehe nicht,* unterschrieben *die Concierge,* wäre doch naheliegend gewesen.

Oder: *Sie haben sich getäuscht, ich schicke Ihnen das Paket zurück.*

Ohne Gehabe, kurz und bündig: *Falscher Empfänger.*

Raffiniert und endgültig: *Ich kann nicht lesen.*

Gewundener: *Meine Katze kann nicht lesen.*

Subtil: *Danke, das Neujahrsgeschenk ist erst im Januar fällig.*

Oder amtlich: *Wollen Sie bitte den Empfang der Rücksendung bestätigen.*

Statt dessen ziere ich mich, als wären wir in einem Literatursalon:

Danke, das wäre nicht nötig gewesen.

Ich hechte aus meinem Sessel und stürze zur Tür.

Oh, weh!

Durch die Scheibe sehe ich Paul N'Guyen, der, die Post in der Hand, zum Aufzug geht.

Ich bin verloren.

Mir bleibt nur eine Möglichkeit: die Tote zu spielen.

Was immer geschehen mag, ich bin nicht da, ich weiß von nichts, ich antworte nicht, ich schreibe nicht, ich ergreife keinerlei Initiative.

Drei Tage verstreichen, auf einem schmalen Grat. Ich rede mir ein, daß das, woran nicht zu denken ich beschließe, nicht existiert, aber ich denke unaufhörlich daran, so sehr, daß ich darüber einmal sogar vergesse, Leo zu füttern, der seither der schweigende Vorwurf in Katzenform ist.

Und dann, gegen zehn Uhr, klingelt es an meiner Tür.

2

Das große Werk des Sinns

Ich öffne.

Vor meiner Loge steht Monsieur Ozu.

»Chère Madame«, sagt er zu mir, »ich bin glücklich, daß mein Paket Sie nicht verstimmt hat.«

Ich bin so überrumpelt, daß ich nichts verstehe.

»Ja, ja«, antworte ich und spüre, daß ich schwitze wie ein Bär. »Äh, nein, nein«, verbessere ich mich mit pathetischer Langsamkeit. »Ja also, vielen Dank.«

Er lächelt mir freundlich zu.

»Madame Michel, ich bin nicht gekommen, damit Sie mir danken.«

»Nein?«, sage ich und wiederhole mit Bravour das ›Auf-den-Lippen-ersterben-Lassen‹, eine Kunst, in der ich Phädra, Berenice und der armen Dido in nichts nachstehe.

»Ich bin gekommen, um Sie zu bitten, morgen abend mit mir zu essen«, sagt er. »Damit wir Gelegenheit haben, über unsere gemeinsamen Vorlieben zu sprechen.«

»Äh«, sage ich – was relativ kurz ist.

»Ein Abendessen unter Nachbarn, in aller Einfachheit«, fährt er fort.

»Unter Nachbarn? Aber ich bin die Concierge«, argumentiere ich, wenn auch äußerst konfus im Kopf.

»Es ist möglich, zwei Eigenschaften gleichzeitig zu besitzen«, antwortet er.

Heilige Jungfrau Maria Mutter Gottes, was tun?

Es gibt immer den Weg der Einfachheit, obschon es mir widerstrebt, ihn zu wählen. Ich habe keine Kinder, ich sehe nicht fern und ich glaube nicht an Gott, alles Pfade, die die Menschen einschlagen, damit das Leben *einfacher* für sie sei. Die Kinder helfen, die schmerzhafte Aufgabe hinauszuschieben, sich selbst gegenüberzutreten, und später besorgen das die Enkel. Das Fernsehen lenkt von der anstrengenden Aufgabe ab, Pläne auf dem Nichts unserer gehaltlosen Existenz zu begründen; indem es die Augen bezirzt, enthebt es den Geist der Notwendigkeit, das große Werk des Sinns in Angriff zu nehmen. Gott schließlich mildert die Ängste von uns Säugetieren und die unerträgliche Aussicht, daß unsere Vergnügen eines Tages ein Ende haben werden. Doch ich – ohne Zukunft und ohne Nachkommenschaft, ohne Pixel, um das kosmische Bewußtsein der Absurdität abzustumpfen, des Endes gewiß und die Leere vorwegnehmend –, ich glaube sagen zu können, daß ich nicht den Weg der Einfachheit gewählt habe.

Und doch verlockt er mich.

»Nein, danke, ich habe schon etwas vor«, wäre das opportunste Vorgehen.

Es gibt mehrere höfliche Variationen davon.

»Das ist sehr liebenswürdig von Ihnen, aber ich habe einen übervollen Terminkalender« (wenig glaubhaft).

»Wie schade, ich fahre morgen nach Megève« (phantastisch).

»Ich bedaure, aber ich habe Familie« (völlig falsch).

»Meine Katze ist krank, ich kann sie nicht allein lassen« (sentimental).

»Ich bin krank, ich bleibe lieber im Zimmer« (schamlos).

Ich schicke mich *in fine* an zu sagen: »Vielen Dank, aber ich habe Besuch diese Woche«, als die gelassene Liebenswürdigkeit, mit der Monsieur Ozu vor mir steht, sekundenlang einen blendenden Durchblick in die Zeit öffnet.

3

Außerhalb der Zeit

Unter der Glocke wirbeln die Schneeflocken.

In der Erinnerung materialisiert sich vor meinen Augen die kleine Glaskugel auf dem Schreibtisch von Mademoiselle, meiner Lehrerin bis zur Klasse der Großen von Monsieur Servant. Wenn wir fleißig gewesen waren, durften wir sie umdrehen und in der hohlen Hand halten, bis die letzte Flocke am Fuß des verchromten Eiffelturms landete. Ich war noch keine sieben Jahre alt und wußte schon, daß der langsame Reigen der kleinen wattierten Teilchen etwas von dem erahnen läßt, was das Herz bei einer großen Freude verspürt. Die Zeit verlangsamt sich, dehnt sich aus, das Ballett dauert an, ohne Zusammenstöße, und wenn die letzte Flocke aufsetzt, wissen wir, daß wir jene Spanne außerhalb der Zeit erlebt haben, die das Merkmal der großen Erleuchtungen ist. Als Kind fragte ich mich oft, ob es mir vergönnt sein würde, solche Momente zu erleben, mitten im langsamen und majestätischen Ballett der Flocken, endlich herausgerissen aus der trostlosen Hektik der Zeit.

Ist es so, wenn man sich nackt fühlt? Noch wenn der Körper aller Kleider entledigt ist, bleibt der Geist mit Putz beladen. Doch Monsieur Ozus Einladung hat in mir das Gefühl jener völligen Nacktheit hervorgerufen, die nur der Seele eigen ist und die, von Flocken umwirbelt, in meinem Herzen ein wohltuendes Brennen verursacht.

Ich sehe ihn an.

Und ich tauche ins schwarze, tiefe, eiskalte und köstliche Wasser, ins Außerhalb der Zeit.

4

Hauchzart

»Aber warum, warum nur, ums Himmels willen?«, frage ich am gleichen Nachmittag Manuela.

»Was heißt das?«, sagt sie zu mir, während sie das Teeservice aufstellt. »Das ist doch sehr gut!«

»Sie scherzen«, stöhne ich.

»Jetzt muß ans Praktische gedacht werden«, sagt sie. »Sie werden ja wohl nicht vorhaben, so hinzugehen. Also die Frisur, die geht nicht«, fährt sie fort und schaut mich mit dem Blick der Expertin an.

Sie machen sich keinen Begriff von Manuelas Einstellung in Sachen Frisur. Diese Aristokratin des Herzens ist eine Proletarierin des Haars. Toupiert, vernestelt, aufgebläht und dann mit hauchzarten Substanzen besprüht, muß das Haar laut Manuela ein architektonisches Werk sein oder nicht sein.

»Ich werde zum Friseur gehen«, sage ich und versuche es mit Nur-nichts-Überstürzen.

Manuela schaut mich argwöhnisch an.

»Was werden Sie anziehen?«, fragt sie mich.

Außer meinen Alltagskleidern, echten Conciergekleidern, habe ich nur eine Art unter Mottenmitteln begrabene weiße Hochzeitsmeringe und einen trostlosen schwarzen Kasack, von dem ich für die seltenen Beisetzungen, zu denen man mich lädt, Gebrauch mache.

»Ich werde mein schwarzes Kleid anziehen«, sage ich.

»Das Kleid für die Beerdigungen?«, fragt Manuela niedergeschmettert.

»Aber ich habe nichts anderes.«

»Dann müssen Sie sich was kaufen.«

»Aber es ist doch nur ein Essen.«

»Das will ich hoffen«, antwortet die Anstandsdame, die sich als Manuela tarnt. »Aber ziehen Sie denn nichts Besonderes an, wenn Sie bei anderen zum Essen eingeladen sind?«

5

Spitzen und Flitterkram

Die Schwierigkeit beginnt hier: wo ein Kleid kaufen? Normalerweise lasse ich meine Kleider vom Versandhaus kommen, einschließlich Socken, Unterhosen und Unterhemden. Der Gedanke, unter den Augen einer magersüchtigen Maid Kleidungsstücke anzuprobieren, die an mir wie ein Sack aussehen würden, hat mich immer von den Geschäften ferngehalten. Das Unglück will, daß es zu spät ist, um eine rechtzeitige Zustellung zu erhoffen.

Beschränken Sie sich auf eine einzige Freundin, aber wählen Sie sie gut aus.

Am nächsten Morgen kommt Manuela in meine Loge marschiert.

Sie trägt eine Schutzhülle für Kleider über dem Arm, die sie mir mit dem Lächeln des Triumphs überreicht.

Manuela mißt gut fünfzehn Zentimeter mehr als ich und wiegt zehn Kilo weniger. Ich weiß nur von einer einzigen Frau in ihrer Familie, deren Statur der meinen entsprechen könnte: ihre Schwiegermutter, die fürchterliche Amalia, die erstaunlicherweise ganz versessen ist auf Spitzen und Flitterkram, obschon sie nicht zu denen gehört, die Phantasie lieben. Doch in der Posamenterie nach portugiesischer Art steckt der Rokoko: weder Originalität noch Leichtigkeit, einzig der Wahn der Anhäufung, der ein Kleid wie ein Gipürenwams und jedes einfache Hemd wie einen Festonwettbewerb aussehen läßt.

Sie können sich also vorstellen, wie beunruhigt ich bin. Dieses Abendessen, das sich schon als Qual ankündigt, könnte auch zur Farce ausarten.

»Sie werden einem Filmstar gleichen«, sagt Manuela gerade. Und dann, von Mitleid erfaßt: »Ich mache nur Spaß«, und sie zieht aus der Schutzhülle ein beigefarbenes Kleid, das ohne alle Schnörkel zu sein scheint.

»Woher haben Sie das?«, frage ich und sehe es prüfend an.

Nach Augenmaß ist es die richtige Größe. Ebenfalls nach Augenmaß ist es ein teures Kleid, aus Wollgabardine und von ganz schlichtem Schnitt, mit einem Hemdkragen und vorne geknöpft. Sehr dezent, sehr schick. Die Sorte Kleid, die Madame de Broglie trägt.

»Ich war gestern abend bei Maria«, sagt Manuela, die im siebten Himmel ist.

Maria ist eine portugiesische Schneiderin, die neben meiner Retterin wohnt. Aber sie ist weit mehr als nur eine Landsmännin. Maria und Manuela sind zusammen in Faro aufgewachsen, haben zwei der sieben Lopes-Brüder geheiratet und sind ihnen zusammen nach Frankreich gefolgt, wo sie die Leistung vollbracht haben, ihre Kinder praktisch gleichzeitig, im Abstand von ein paar Wochen, zur Welt zu bringen. Sie haben sogar eine Katze zusammen und die gleiche Vorliebe für delikates Gebäck.

»Wollen Sie sagen, daß es das Kleid von jemand anderem ist?«, frage ich.

»Nöjaa …«, antwortet Manuela und verzieht leicht den Mund. »Aber wissen Sie, man wird nicht mehr danach fragen. Die Dame ist letzte Woche gestorben. Und bis jemand merkt, daß bei der Schneiderin noch ein Kleid ist … haben Sie zehnmal Zeit, mit Monsieur Ozu zu essen.«

»Das Kleid einer Toten?«, wiederhole ich entsetzt. »Aber das kann ich doch nicht machen.«

»Warum nicht?«, fragt Manuela und runzelt die Stirn. »Es ist doch besser, als wenn sie noch am Leben wäre. Stellen Sie sich vor, wenn Sie einen Fleck machen. Sie müßten in die Reinigung rennen, eine Entschuldigung finden und das ganze Theater.«

Manuelas Pragmatismus hat etwas Galaktisches. Vielleicht sollte ich mich davon zu der Einstellung anregen lassen, daß der Tod nichtig ist.

»Das kann ich aus moralischen Gründen nicht machen«, protestiere ich.

»Moralisch?«, sagt Manuela und spricht das Wort aus, als wäre es etwas Ekelerregendes. »Was hat das damit zu tun? Stehlen Sie? Schaden Sie jemandem?«

»Aber es ist das Eigentum von jemand anderem«, sage ich, »ich kann es mir nicht unrechtmäßig aneignen.«

»Aber sie ist tot!«, ruft sie aus. »Und Sie stehlen es nicht, Sie borgen es sich für heute abend aus.«

Wenn Manuela von semantischen Unterschieden zu fabulieren beginnt, kämpft man immer auf verlorenem Posten.

»Maria hat mir gesagt, sie sei eine sehr nette Dame gewesen. Sie hat ihr Kleider und einen schönen Mantel aus *Palpaka* gegeben. Sie konnte sie nicht mehr anziehen, weil sie zugenommen hatte, und da hat sie zu Maria gesagt: ›Könnten Sie sie gebrauchen?‹ Sie sehen, sie war eine sehr nette Dame.«

Das *Palpaka* ist eine Art Lama mit einer sehr begehrten Wolle und einem papayageschmückten Kopf.

»Ich weiß nicht …«, sage ich, etwas lahmer. »Ich habe das Gefühl, eine Tote zu bestehlen.«

Manuela schaut mich ärgerlich an.

»Sie borgen, Sie stehlen nicht. Und was soll sie denn anfangen mit ihrem Kleid, die arme Dame?«

Darauf gibt es nichts zu antworten.

»Es ist Zeit für Madame Pallières«, sagt Manuela entzückt und wechselt das Thema.

»Ich werde diesen Moment mit Ihnen genießen«, sage ich.

»Ich gehe jetzt«, verkündet sie und marschiert zur Tür. »Probieren Sie es inzwischen an, gehen Sie zum Friseur, und ich komme später wieder vorbei, um es mir anzusehen.«

Ich betrachte das Kleid einen Moment lang zweifelnd. Abgesehen davon, daß es mir widerstrebt, das Kleid einer Toten anzuziehen, fürchte ich, daß es an mir unangemessen wirkt. Das Geschirrtuch gehört zu Violette Grelier wie die Seide zu Pierre Arthens und das lila oder dunkelblau bedruckte Schürzenkleid zu mir.

Ich verschiebe den Test auf nach dem Friseur.

Mir wird bewußt, daß ich Manuela nicht einmal gedankt habe.

Tagebuch der Bewegung der Welt Nr. 4

Wie schön ist ein Chor

Gestern nachmittag sang der Schülerchor. In meinem schikken Pariser Collège gibt es einen Chor; niemand findet das überholt, alle reißen sich darum mitzumachen, aber er ist superexklusiv: Monsieur Trianon, der Musiklehrer, wählt die Sänger sorgfältig aus. Der Grund für den Erfolg des Chors ist Monsieur Trianon selbst. Er ist jung, er ist schön und er übt sowohl alte Jazzstandards ein wie auch die letzten Hits, immer erstklassig orchestriert. Alle werfen sich in Schale, und der Chor singt vor den Schülern des Collège. Nur die Eltern der Sänger werden eingeladen, weil es sonst zu viele Leute wären. Die Turnhalle ist auch so schon gerammelt voll, und es herrscht eine Bombenstimmung.

Gestern trabten wir also Richtung Turnhalle, angeführt von Madame Maigre, denn am Dienstag nachmittag haben wir normalerweise Französisch in der ersten Stunde. Angeführt von Madame Maigre ist übrigens etwas zuviel gesagt: Sie tat, was sie konnte, um dem Tempo zu folgen, und schnaufte dabei wie ein alter Pottwal. Also gut, wir sind schließlich in der Turnhalle angekommen, alle haben mehr schlecht als recht Platz genommen, ich mußte von vorne, von hinten, von der Seite und von oben (auf der Tribüne) schwachsinnige Unterhaltungen in Stereo über mich ergehen lassen (Handy, Mode, Handy, wer geht mit wem, Handy, die Nieten von Lehrern, Handy, der Abend bei

Cannelle), und dann sind unter den begeisterten Zurufen die Sänger hereingekommen, in Weiß und Rot, mit Fliege die Jungen, im langen Trägerkleid die Mädchen. Monsieur Trianon hat sich mit dem Rücken zum Publikum auf einen Hocker gesetzt, einen Taktstock mit einem kleinen roten Blinklicht an der Spitze gehoben, es wurde still und die Darbietung begann.

Es ist jedes Mal wie ein Wunder. All die Leute, all die Sorgen, all der Haß und all die Wünsche, all die Mißgeschicke, dieses ganze Schuljahr mit seinen Vulgaritäten, mit seinen kleinen und großen Ereignissen, seinen Lehrern, seiner zusammengewürfelten Schülerschar, dieses ganze Leben, durch das wir uns schleppen, dieses Leben aus Schreien und Tränen, aus Lachen, aus Kämpfen, aus Trennungen, aus enttäuschten Hoffnungen und unverhofften Zufällen: Das alles verschwindet plötzlich, wenn der Chor zu singen beginnt. Der Lauf des Lebens geht im Gesang unter, auf einmal entsteht ein Gefühl von Zusammengehörigkeit, von tiefer Solidarität, sogar von Liebe, und die Häßlichkeit des Alltags löst sich in dieser vollkommenen Übereinstimmung auf. Sogar die Gesichter der Sänger sind verklärt; ich sehe nicht mehr Achille Grand-Fernet (der eine sehr schöne Tenorstimme hat), nicht mehr Déborah Lameur oder Ségolène Rachet oder Charles Saint-Sauveur. Ich sehe nur noch Menschen, die sich dem Gesang ganz hingeben.

Es ist jedes Mal dasselbe, ich habe Lust zu weinen, meine Kehle ist wie zugeschnürt, und ich tue mein möglichstes, um mich zu beherrschen, aber manchmal ist es fast zuviel: Ich muß mich zusammennehmen, um nicht loszuschluchzen. Und wenn ein Kanon kommt, sehe ich zu Boden, weil es zuviel auf einmal ist: zu überwältigend, zu schön, zu solidarisch, zu wundervoll, zu sehr verbindend. Ich bin nicht mehr ich selbst, ich bin ein Teil eines erhabenen Ganzen, zu dem auch die anderen gehören, und ich frage mich in diesem Moment immer, warum das nicht die Regel, der Alltag ist, sondern nur ein außergewöhnlicher Moment während eines Chorauftritts.

Wenn der Chor zu singen aufhört, applaudieren alle wie wild, mit leuchtenden Gesichtern, und die Sänger strahlen. Es ist wunderschön.

Ich frage mich schließlich, ob die wahre Bewegung der Welt nicht der Gesang ist.

6

Ein Fresh-up

Sie werden es nicht glauben, ich bin noch nie zum Friseur gegangen. Als ich vom Land in die Stadt gezogen war, hatte ich entdeckt, daß es zwei Berufe gab, die mir gleich absurd erschienen, da sie einen Dienst anboten, den eigentlich jeder selbst besorgen können müßte. Ich habe noch heute Mühe, die Blumenbinder und Friseure nicht als Parasiten zu betrachten, leben doch die einen von der Ausbeutung einer Natur, die allen gehört, und führen die andern mit großem Gehabe und wohlriechenden Produkten eine Arbeit aus, die ich mit einer gut schneidenden Schere allein in meinem Bad erledige.

»Wer hat Ihnen die Haare so geschnitten?«, fragt empört die Friseuse, zu der ich mich um den Preis einer dantesken Anstrengung begeben habe, damit sie aus meinem Schopf ein domestiziertes Werk mache.

Sie zieht an zwei ungleich langen Strähnen zu beiden Seiten meiner Ohren und fuchtelt damit vor meinen Augen herum.

»Na, ich frage Sie nicht danach«, fährt sie angewidert fort und erspart mir die Schmach, mich selbst denunzieren zu müssen. »Die Leute respektieren nichts mehr, ich sehe das jeden Tag.«

»Ich möchte bloß ein Fresh-up«, sage ich.

Ich weiß nicht wirklich, was das bedeutet, aber es ist eine klassische Antwort in den Fernsehserien, die am frühen Nachmittag laufen und von stark geschminkten jungen Frauen bevölkert sind, die sich stets beim Friseur oder im Fitneßzentrum aufhalten.

»Ein Fresh-up? Es gibt nichts aufzufrischen!«, sagt sie. »Es muß alles von Grund auf gemacht werden, Madame!«

Sie betrachtet kritisch meinen Kopf und pfeift durch die Zähne.

»Sie haben schönes Haar, das ist immerhin schon etwas. Damit müßte man etwas anfangen können.«

Tatsächlich erweist sich meine Friseuse als nettes Mädchen. Nachdem ein Ärger verflogen ist, dessen Legitimität vor allem darin besteht, die ihre zu begründen – und weil es so schön ist, sich an das gesellschaftliche Drehbuch zu halten, dem wir verpflichtet sind –, kümmert sie sich fröhlich und voller Liebenswürdigkeit um mich.

Was kann man mit einer üppigen Haarmasse anderes tun, als sie in alle Richtungen zurückzustutzen, wenn sie überhandnimmt?, hieß mein bisheriges Credo in Sachen Haarpflege. Den Block wie eine Skulptur bearbeiten, damit er eine Form erhält, ist hinfort meine avantgardistische Haarkonzeption.

»Sie haben wirklich schönes Haar«, sagt sie schließlich und betrachtet ihr Werk sichtlich befriedigt. »Es ist dicht und seidig. Sie sollten es nicht jedem Stümper anvertrauen.«

Kann eine Frisur uns so sehr verwandeln? Ich glaube selbst nicht an mein Spiegelbild. Der schwarze Helm, der ein Gesicht umschloß, das, wie ich schon sagte, ungefällig ist, hat sich in eine leichte Welle verwandelt, und sie umschmeichelt Züge, die nicht mehr so häßlich sind. Das Ganze verleiht mir ein … respektables Aussehen. Ich finde sogar, daß ich etwas von einer römischen Matrone habe.

»Es ist … großartig«, sage ich und frage mich schon, wie

ich diese unbesonnene Tollheit vor den Augen der Hausbewohner verbergen soll.

Es ist ganz undenkbar, daß all die Jahre, in denen ich nach Unsichtbarkeit strebte, auf der Sandbank eines Matronenschnitts stranden.

Auf dem Nachhauseweg schleiche ich dicht an den Hauswänden entlang. Durch einen unerhörten Zufall begegne ich niemandem. Doch mir scheint, daß Leo mich seltsam anschaut. Ich gehe zu ihm hin, und da legt er die Ohren nach hinten, ein Zeichen von Wut oder Ratlosigkeit.

»Na, komm schon«, sage ich zu ihm, »findest du es nicht schön?« – bevor ich merke, daß er aufgeregt schnuppert.

Das Shampoo. Ich verströme einen Geruch von Avocado und Mandeln.

Ich binde mir ein Kopftuch um und gehe einer ganzen Reihe von spannenden Beschäftigungen nach, deren Höhepunkt im gewissenhaften Polieren der Messingknöpfe des Aufzugs besteht.

Und dann ist es dreizehn Uhr fünfzig.

In zehn Minuten wird Manuela aus dem Nichts des Treppenhauses auftauchen, um die vollendeten Arbeiten begutachten zu kommen.

Ich habe keine Zeit zum Meditieren. Ich nehme das Kopftuch ab, ziehe mich hastig aus, streife das beige Gabardinekleid über, das einer Toten gehört, und man klopft an die Tür.

7

Herausgeputzt wie ein Rosenmädchen

»Wow, verflixt und zugenäht«, sagt Manuela.

Eine solche Lautmalerei und Zwanglosigkeit aus dem Mund von Manuela, die ich nie ein unschickliches Wort habe aussprechen hören, ist ein wenig so, als würde sich der Papst gehenlassen und den Kardinälen zurufen: *Aber wo ist nur die verfluchte Mitra?*

»Machen Sie sich nicht lustig«, sage ich.

»Mich lustig machen?«, sagt sie. »Aber Renée, Sie sehen blendend aus!«

Und vor lauter Ergriffenheit setzt sie sich.

»Eine echte Dame«, fügt sie hinzu.

Genau das beunruhigt mich ja.

»Ich werde lächerlich aussehen, wenn ich so zum Essen erscheine, herausgeputzt wie ein Rosenmädchen«, sage ich, während ich den Tee zubereite.

»Überhaupt nicht«, sagt sie, »das ist ganz natürlich, man geht essen, man zieht sich an. Alle finden das normal.«

»Ja, aber das da«, sage ich und fasse mir mit der Hand an die Haare, wobei ich wieder denselben Schock erlebe, als ich etwas Luftiges betaste.

»Sie haben sich nachher etwas auf den Kopf gesetzt, es ist ganz plattgedrückt hinten«, sagt Manuela mit einem Stirnrunzeln, während sie ein kleines Bündel aus rotem Seidenpapier aus ihrer Einkaufstasche hervorkramt.

»Nonnenfürzchen«, sagt sie.

Ja, gehen wir zu etwas anderem über.

»Und?«, frage ich.

»Ach, wenn Sie das gesehen hätten!«, seufzt sie. »Ich dachte schon, sie kriegt einen Herzanfall. Ich habe gesagt: ›Madame Pallières, es tut mir leid, aber ich kann in Zukunft nicht mehr zu Ihnen kommen.‹ Sie hat mich angeschaut, sie hat es nicht verstanden. Ich mußte es ihr zweimal wiederholen! Da hat sie sich hingesetzt und hat zu mir gesagt: ›Aber was soll ich jetzt machen?‹«

Manuela macht verärgert eine Pause.

»Wenn sie wenigstens gesagt hätte: ›Aber was soll ich *ohne Sie* machen?‹ Sie hat Glück, daß ich ihr Rosie vermittle. Sonst hätte ich zu ihr gesagt: ›Madame Pallières, Sie können machen, was Sie wollen, es ist mir sch ...‹«

Verdammte Mitra, sagt der Papst.

Rosie ist eine von Manuelas zahlreichen Nichten. Ich weiß, was das bedeutet. Manuela denkt an eine Rückkehr in ihre Heimat, aber eine so einträgliche Quelle wie die Rue de Grenelle 7 muß in der Familie bleiben – und so führt sie Rosie in Erwartung des großen Tages schon in die Stelle ein.

Mein Gott, was werde ich nur ohne Manuela machen?

»Was werde ich ohne Sie machen?«, sage ich lächelnd zu ihr.

Wir haben plötzlich beide Tränen in den Augen.

»Wissen Sie, was ich glaube?«, fragt Manuela und wischt sich die Wangen mit einem riesigen Torerotaschentuch ab. »Ich habe Madame Pallières fallengelassen, das ist ein Zeichen. Es wird gute Veränderungen geben.«

»Hat sie Sie gefragt, warum?«

»Das ist das Beste«, sagt Manuela, »sie hat sich nicht getraut. Die gute Erziehung, das ist manchmal ein Problem.«

»Aber sie wird es sehr schnell erfahren«, sage ich.

»Ja«, haucht Manuela mit jubelndem Herzen. »Aber wissen Sie was?«, fügt sie hinzu. »In einem Monat wird sie zu mir sagen: ›Ihre kleine Rosie ist eine Perle, Manuela. Sie haben gut daran getan, der Jugend Platz zu machen.‹ Ach, diese Reichen … Hol sie der Teufel!«

Fucking Mitra, regt sich der Papst auf.

»Was immer geschieht«, sage ich, »wir sind Freundinnen.«

Wir sehen uns lächelnd an.

»Ja«, sagt Manuela. »Was immer geschieht.«

Tiefgründiger Gedanke Nr. 12

Diesmal eine Frage
Zum Schicksal
Schon früh auf die Stirne geschrieben
Bei den einen
Und nicht bei den anderen

Ich stecke in der Klemme: Wenn ich die Wohnung anzünde, könnte diejenige von Kakuro Schaden erleiden. Der einzigen erwachsenen Person, die mir bis jetzt Achtung zu verdienen scheint, die Existenz zu komplizieren, ist nicht unbedingt sehr angebracht. Aber der Plan, die Wohnung anzuzünden, ist mir trotzdem wichtig. Heute habe ich eine spannende Bekanntschaft gemacht. Ich war bei Kakuro zum Tee. Paul, sein Sekretär, war da. Kakuro hat uns eingeladen, Marguerite und mich, als er uns und Mama in der Eingangshalle begegnet ist. Marguerite ist meine beste Freundin. Wir sind seit zwei Jahren in der gleichen Klasse, und es war Sympathie auf den ersten Blick. Ich weiß nicht, ob Sie auch nur eine Ahnung haben, was heute ein Collège in den schicken Vierteln von Paris ist, aber offen gesagt steht es denen in den nördlichen Vierteln von Marseille in nichts nach. Vielleicht ist es sogar noch schlimmer, denn wo es Geld gibt, gibt es Drogen – und nicht nur ein bißchen, und nicht nur eine Sorte. Die Ex-Achtundsechziger-Freunde von Mama mit ihren übermütigen Erinnerungen an Joints und tschetschenische Pfeifen entlocken mir ein müdes

Lächeln. In meinem Collège (es ist immerhin öffentlich, mein Vater war Minister der Republik) kann man alles kaufen: Acid, Ecstasy, Koks, Speed, usw. Wenn ich an die Zeiten denke, als die Jugendlichen in den Toiletten Klebstoff snifften, das war wie Honiglecken. Meine Klassenkameraden ziehen Ecstasy rein, wie man Smarties futtert, und das Schlimmste ist, daß es da, wo es Drogen gibt, auch Sex gibt. Sie dürfen sich nicht wundern: Man schläft heute sehr früh miteinander. Es gibt Sechstkläßler (na gut, nicht viele, aber es gibt trotzdem einige), die schon sexuelle Beziehungen hatten. Das ist sehr bedauerlich. Erstens glaube ich, daß Sex, genau wie Liebe, etwas Heiliges ist. Ich heiße nicht de Broglie, aber wenn ich über die Pubertät hinaus gelebt hätte, wäre es mir wichtig gewesen, daraus ein wunderbares Sakrament zu machen. Zweitens bleibt ein Teenager, der Erwachsener spielt, trotzdem ein Teenager. Sich vorzustellen, man werde plötzlich zu einer vollwertigen Person, weil man am Abend einen Trip reinzieht und miteinander schläft, ist etwa dasselbe wie zu meinen, eine Verkleidung mache aus einem einen Indianer. Und drittens ist es doch eine recht merkwürdige Lebensauffassung, erwachsen werden zu wollen, indem man gerade die katastrophalsten Seiten der Erwachsenheit nachahmt ... Nachdem ich gesehen habe, wie sich meine Mutter mit Antidepressiva und Schlafmitteln vollpumpt, bin ich fürs ganze Leben immun gegen solche Substanzen. Schließlich meinen die Jugendlichen, sie werden erwachsen, wenn sie die Erwachsenen nachäffen, die selbst Kinder geblieben sind und vor dem Leben davonlaufen. Es ist erschütternd. Wohlgemerkt, ich frage mich tatsächlich, was ich den lieben langen Tag machen würde außer Drogen zu nehmen, wenn ich Cannelle Martin wäre, das Pin-up-Girl unserer Klasse. Ihr Schicksal steht ihr schon auf der Stirn geschrieben. In fünfzehn Jahren, nachdem sie eine gute Partie gemacht hat um der guten Partie willen, wird sie von ihrem Mann betrogen werden, der bei anderen Frauen suchen wird, was seine perfekte, kalte und oberflächliche Gattin unfähig war, ihm je zu geben – nennen wir es menschliche und sexuelle Wärme. Sie wird dann ihre ganze Energie auf ihre Häuser und Kinder richten, die sie aus unbewußter Rache zu Klonen ihrer selbst machen wird. Sie wird ihre Töchter wie Luxuskurtisanen schminken und kleiden, sie wird sie dem erstbesten Finanzmann in die Arme treiben, und sie wird ihre Söhne beauftragen, die Welt zu erobern wie ihr Vater und ihre Gattinnen mit nichtsnutzigen Mädchen zu betrügen. Sie finden, ich phantasiere? Ich versichere Ihnen, wenn ich Camille Martin mit ihren langen, duftigen Haaren, ihren großen blauen Augen, ihren Schottenminiröcken, ihren hautengen T-Shirts und ihrem perfekten Bauchnabel anschaue, dann sehe ich es genauso deutlich, als ob es schon passiert wäre. Vorläufig schmelzen alle Jungen der Klasse vor ihr dahin, und sie hat die Illusion, daß diese Huldigungen der männlichen Pubertät an das weibliche Konsumideal, das sie verkörpert, eine Würdigung ihres persönlichen Charmes sei. Sie finden, ich sei boshaft? Keineswegs! Es schmerzt mich wirklich, das zu sehen, es tut mir weh für sie, wirklich weh für sie. Als ich dann Marguerite zum ersten Mal sah … Marguerite ist afrikanischer Abstammung, und wenn sie Marguerite heißt, dann nicht, weil sie in Auteuil wohnt, sondern weil es ein Blumenname ist. Ihre Mama ist Französin und ihr Papa nigerianischer Abstammung. Er arbeitet am Quai d'Orsay, aber er gleicht überhaupt nicht den Diplomaten, die wir kennen. Er ist einfach. Er scheint gerne zu tun, was er tut. Er ist überhaupt nicht zynisch. Und er hat eine bildschöne Tochter: Marguerite ist die Schönheit selbst, traumhafter Teint, traumhaftes Lächeln, traumhaftes Haar. Und sie lächelt die ganze Zeit. Als Achille Grand-Fernet (der Gockel der Klasse) ihr am ersten Tag jenes Chanson von Julien Clerc vorgesungen hat: »Mélissa métisse d'Ibiza vit toujours dévetue«, hat sie ihm mit einem strahlenden Lächeln postwendend mit einem Lied von Alain Souchon geantwortet: »Allô maman bobo, comment tu m'as fait j'suis pas beau.« Also, das ist etwas, was ich an Marguerite bewundere: Es sind keine Giftpfeile auf der begrifflichen oder logischen Ebene, sie hat einfach einen unglaublichen Sinn für die treffende Antwort. Das ist eine Gabe. Ich bin intellektuell hochbegabt, Marguerite ist ein As in Sachen Schlagfertigkeit. Ich würde zu gerne wie sie sein; mir fallen die Entgegnungen immer erst fünf Minuten zu spät ein, und dann formuliere ich den Dialog in meinem Kopf um. Als Colombe das erste Mal, als Marguerite zu uns nach Hause kam, zu ihr gesagt hat: »Marguerite, das ist ein hübscher Name, aber ein Großmuttername«, hat sie ihr wie aus der Pistole geschossen geantwortet: »Wenigstens ist es kein Vogelname.« Colombe hat den Mund nicht mehr zugebracht, es war köstlich! Sie hat bestimmt stundenlang über die Subtilität von Marguerites Antwort gebrütet und sich eingeredet, es sei bestimmt ein Zufall – aber verwirrt war sie trotzdem! Desgleichen, als Jacinthe Rosen, Mamas Busenfreundin, zu ihr gesagt hat: »Solche Haare sind vermutlich nicht einfach zu frisieren« (Marguerite hat die Mähne einer Löwin aus der Savanne), hat sie ihr geantwortet: »Ich nicht verstehen, was weiße Dame sagen.«

Unser gemeinsames Lieblingsthema ist die Liebe. Was ist das? Wie werden wir lieben? Wen? Wann? Warum? Unsere Ansichten gehen auseinander. Merkwürdigerweise hat Marguerite eine intellektuelle Vorstellung von der Liebe, während ich eine unverbesserliche Romantikerin bin. Sie sieht in der Liebe das Ergebnis einer rationalen Wahl (in der Art www.unsere-geschmäcker.com), während ich die Frucht einer köstlichen Regung daraus mache. Wir sind uns jedoch einig über etwas: Lieben darf kein Mittel sein, es muß ein Ziel sein.

Unser anderes bevorzugtes Gesprächsthema ist die Schicksalsforschung. Cannelle Martin: Von ihrem Mann verlassen und betrogen, verheiratet ihre Tochter mit einem Finanzmann, ermutigt ihren Sohn, seine Frau zu betrügen, beschließt ihr Leben in Chatou in einem Zimmer zu achttausend Euro pro

Monat. Achille Grand-Fernet: Wird heroinabhängig, macht mit zwanzig eine Entziehungskur, übernimmt das Plastiktüten-Unternehmen von Papa, heiratet eine Wasserstoffblondine, zeugt einen schizophrenen Sohn und eine magersüchtige Tochter, wird Alkoholiker, stirbt mit fünfundvierzig an Leberkrebs. Usw. Und wenn Sie meine Meinung wissen wollen: Das Schrecklichste ist nicht, daß wir dieses Spiel spielen, sondern daß es gar kein Spiel ist.

Wie auch immer, als Kakuro Marguerite, Mama und mir in der Eingangshalle begegnet ist, hat er gesagt: »Meine Großnichte kommt heute nachmittag zu mir, wollt ihr euch zu uns gesellen?«

Mama hat geantwortet: »Ja, ja, natürlich«, bevor wir Zeit hatten, papp zu machen, denn sie fühlte die Stunde nahen, da sie selbst in den vierten Stock hinuntersteigen wird. Und so sind wir hingegangen. Kakuros Großnichte heißt Yoko, sie ist die Tochter seiner Nichte Élise, die ihrerseits die Tochter seiner Schwester Mariko ist. Sie ist fünf Jahre alt. Das hübscheste kleine Mädchen der Welt! Und reizend überdies. Sie piepst, sie zwitschert, sie gluckst, sie schaut die Leute mit der gleichen gütigen und offenen Miene an wie ihr Großonkel. Wir haben Verstecken gespielt, und als Marguerite sie in einem Schrank in der Küche gefunden hat, hat sie so gelacht, daß sie sich in die Hose machte. Dann haben wir Schokoladenkuchen gegessen und uns dabei mit Kakuro unterhalten, sie hörte zu und schaute uns mit ihren großen Augen (und Schokolade bis hinauf zu den Augenbrauen) freundlich an.

Als ich sie so ansah, habe ich mich gefragt: »Wird auch sie werden wie die anderen?« Ich habe versucht, sie mir zehn Jahre älter vorzustellen, blasiert, mit hohen Stiefeln und einer Zigarette im Mund, und noch zehn Jahre später, in einem sterilen Haus, wie sie auf die Rückkehr ihrer Kinder wartet und die gute japanische Mutter und Ehefrau spielt. Doch es funktionierte nicht.

Da habe ich ein großes Glücksgefühl verspürt. Zum ersten Mal in meinem Leben begegnete ich jemandem, dessen Schicksal für mich nicht vorhersehbar ist, jemandem, dem die Wege des Lebens offenstehen, jemandem voller Frische und Möglichkeiten. Ich habe mir gesagt: »Oh ja, Yoko würde ich gerne heranwachsen sehen«, und ich wußte, daß es nicht nur eine Illusion im Zusammenhang mit ihrem Alter war, denn keines der Kinder der Freunde meiner Eltern hat mir je dieses Gefühl vermittelt. Ich habe mir auch gedacht, daß Kakuro so gewesen sein mußte, als er klein war, und ich habe mich gefragt, ob ihn wohl damals jemand angeschaut hatte, wie ich Yoko anschaute, mit Vergnügen und Neugierde, in Erwartung, daß der Schmetterling aus seiner Puppe schlüpft, im Vertrauen auf die Schönheit der nicht voraussehbaren Zeichnung seiner Flügel.

Da habe ich mir eine Frage gestellt: Warum? Warum sie und nicht die anderen?

Und noch eine: Und ich? Ist mein Schicksal schon auf meiner Stirn abzulesen? Wenn ich sterben will, dann deshalb, weil ich das glaube.

Aber wenn in unserer Welt die Möglichkeit besteht zu werden, was man noch nicht ist … wäre ich fähig, sie zu ergreifen und aus meinem Leben einen anderen Garten zu machen als den meiner Väter?

8

Pest und Hagel

Um sieben Uhr, mehr tot als lebendig, mache ich mich auf zum vierten Stock, während ich bete, ich möge niemandem begegnen, und mir dabei fast die Fingergelenke breche.

Die Eingangshalle ist leer.

Das Treppenhaus ist leer.

Der Treppenabsatz vor Monsieur Ozus Wohnung ist leer.

Diese lautlose Leere, die mich hätte glücklich machen sollen, erfüllt mein Herz mit einer düsteren Vorahnung, und ich werde von einem unwiderstehlichen Verlangen gepackt zu fliehen. Meine finstere Loge erscheint mir plötzlich wie ein behaglicher, strahlender Zufluchtsort, und mich überkommt eine Anwandlung von Sehnsucht, als ich an Leo denke, vor einem Fernseher zusammengerollt, der mir nicht mehr so unbillig erscheint. Was habe ich schon zu verlieren? Ich kann auf dem Absatz kehrtmachen, die Treppe hinuntersteigen und in meine Wohnung zurückkehren. Nichts ist einfacher. Nichts ist naheliegender, im Gegensatz zu dieser Einladung, die an Absurdität grenzt.

Ein Geräusch im fünften Stock, genau über meinem Kopf, unterbricht meine Gedanken. Ich beginne augenblicklich zu schwitzen vor Angst – welche Anmut –, und ohne die Geste zu verstehen, drücke ich wie besessen auf den Klingelknopf.

Nicht einmal Zeit für Herzklopfen: Die Türe geht auf.

Monsieur Ozu empfängt mich mit einem strahlenden Lächeln.

»Guten Abend, Madame!«, schmettert er mit einer, so scheint mir, nicht gespielten Fröhlichkeit.

Pest und Hagel! Das Geräusch im fünften Stock ist jetzt deutlich zu hören: Jemand schließt eine Tür.

»Ja, also, guten Abend«, sage ich und überrenne meinen Gastgeber fast, um eintreten zu können.

»Darf ich Ihnen etwas abnehmen?«, sagt Monsieur Ozu und lächelt immer noch sein strahlendes Lächeln.

Ich reiche ihm meine Handtasche, während ich meinen Blick durch das riesige Entree schweifen lasse.

Mein Blick bleibt an etwas hängen.

9

Mattgolden

Genau gegenüber dem Eingang, in einem Lichtstrahl, hängt ein Bild.

Das ist die Lage: Ich, Renée, vierundfünfzig Jahre alt und mit Hühneraugen an den Füßen, im Schlamm geboren und dazu bestimmt, dortselbst zu bleiben, bei einem reichen Japaner, dessen Concierge ich bin, einzig und allein deshalb zum Essen eingeladen, weil ich bei einem Zitat aus ›Anna Karenina‹ zusammengezuckt bin, ich, Renée, bis ins innerste Mark gehemmt und verängstigt und mir der Ungebührlichkeit und des blasphemischen Charakters meiner Anwesenheit an diesem Ort bis zur Ohnmacht bewußt, einem Ort, der, wenn mir auch räumlich zugänglich, dennoch eine Welt bedeutet, zu der ich nicht gehöre und die sich gegen Conciergen verwahrt, ich, Renée, richte also meinen Blick wie aus Versehen genau hinter Monsieur Ozu auf diesen Lichtstrahl, der auf ein kleines Bild in einem dunklen Holzrahmen fällt.

Nichts anderes als die ganze Herrlichkeit der Kunst vermag zu erklären, weshalb das Bewußtsein meiner Unwürdigkeit plötzlich kollabiert und einer ästhetischen Synkope weicht. Ich kenne mich nicht mehr. Ich gehe um Monsieur Ozu herum, wie magisch angezogen von der Vision.

Es ist ein Stilleben, das einen für ein leichtes Mahl mit Austern und Brot gedeckten Tisch darstellt. Im Vordergrund, auf einem Silberteller, eine halbgeschälte Zitrone, und daneben ein Messer mit ziseliertem Griff. Im Hintergrund zwei geschlossene Austern, ein Stück Muschel, deren Perlmutt sichtbar ist, und ein Zinnteller, der wohl Pfefferkörner enthält. Dazwischen ein liegendes Glas, ein Brötchen mit entblößter weißer Krume und auf der linken Seite ein großes, halb mit einer blaßgoldenen Flüssigkeit gefülltes Glas, gewölbt wie eine umgekehrte Kuppel, mit breitem zylindrischem Fuß, der mit Glaspastillen verziert ist. Die Farbskala reicht von lichtgelb bis ebenholzschwarz. Der Hintergrund ist mattgolden, leicht schmutzig.

Ich bin eine leidenschaftliche Liebhaberin von Stillleben. Ich habe in der Bibliothek alle verfügbaren Werke über die Malerei ausgeliehen und darin den Bildern dieser Gattung nachgestellt. Ich habe den Louvre, das Musée d'Orsay, das Museum für moderne Kunst besucht, und ich habe – mit Staunen, wie eine Offenbarung – die Ausstellung über Chardin im Petit Palais gesehen. Doch das ganze Werk von Chardin wiegt nicht ein einziges Meisterstück der holländischen Malerei des 17. Jahrhunderts auf. Die Stilleben von Pieter Claesz, von Willem Claesz-Heda, von Willem Kalf und Osias Beert sind die Meisterwerke der Gattung – und Meisterwerke schlechthin, für die ich, ohne einen Moment zu zögern, das ganze italienische Quattrocento hergeben würde.

Und dieses hier ist ebenfalls ohne Zögern und unzweifelhaft ein Pieter Claesz.

»Es ist eine Kopie«, sagt hinter mir ein Monsieur Ozu, den ich vollkommen vergessen habe.

Muß mich dieser Mann schon wieder zusammenzucken lassen!

Ich zucke zusammen.

Ich fasse mich wieder und schicke mich an, etwas zu sagen wie:

Es ist sehr hübsch, was in bezug auf die Kunst etwa gleich verwerflich ist wie *dagegen abhelfen* in bezug auf die Schönheit der Sprache.

Ich schicke mich an, nach der wiedererlangten Beherrschung meiner geistigen Fähigkeiten erneut in die Rolle der begriffsstutzigen Hausmeisterin zu schlüpfen, indem ich fortfahre mit:

»Was man heute nicht alles machen kann« (als Antwort auf: Es ist eine Kopie).

Ich schicke mich weiter an, den tödlichen Schlag auszuführen, von dem sich Monsieur Ozus Verdacht nicht erholen wird und der meine offenkundige Unwürdigkeit für immer stützen wird:

»Die Gläser sind aber komisch.«

Ich drehe mich um.

Die Worte:

»Eine Kopie von was?«, die ich plötzlich für die angemessensten halte, bleiben mir im Hals stecken.

Statt dessen sage ich:

»Wie schön.«

10

Welche Übereinstimmung?

Woher rührt das Entzücken, das wir bei gewissen Werken empfinden? Die Bewunderung erwächst aus dem ersten Blick, und wenn wir danach, in der geduldigen Hartnäckigkeit, mit der wir nach den Gründen dafür suchen, entdecken, daß diese ganze Schönheit die Frucht einer Meisterschaft ist, die erst erkennbar wird, wenn wir die Arbeit eines Pinsels erforschen, der den Schatten und das Licht bändigte und, indem er sie verherrlichte, die Formen und Strukturen wiederzugeben vermochte – das durchscheinende Juwel des Glases, die turbulente Oberfläche der Austern, den hellen Samtglanz der Zitrone –, so vermag dies das Geheimnis des ersten bewundernden Staunens weder zu lüften noch zu erklären.

Es ist ein immer neues Rätsel: Die großen Werke sind visuelle Formen, die in uns zur Gewißheit einer zeitlosen Angemessenheit gelangen. Die offenkundige Tatsache, daß gewisse Formen, mit dem charakteristischen Erscheinungsbild, das ihr Schöpfer ihnen verlieh, die Geschichte der Kunst durchqueren und im individuellen Genie immer auch eine Facette des universellen Genies durchscheinen lassen, ist zutiefst verwirrend. Welche Übereinstimmung besteht zwischen einem Claesz, einem Raffael, einem Rubens und einem Hopper? Ungeachtet der Verschiedenartigkeit der Sujets, der Unterlagen und der Techniken, ungeachtet der Bedeutungslosigkeit und der

Vergänglichkeit aller Existenzen, die immer dazu bestimmt sind, nur einer einzigen Zeit und einer einzigen Kultur anzugehören, ungeachtet auch der Einzigartigkeit von jedem Blick, der immer nur sieht, was seine Verfassung ihm zu sehen erlaubt, und der unter der Armut seiner Individualität leidet, ist das Genie der großen Maler bis zum Kern des Geheimnisses vorgedrungen und hat, unter unterschiedlichen Erscheinungsbildern, die gleiche erhabene Form zutage gefördert, die wir in jedem künstlerischen Werk suchen. Welche Übereinstimmung besteht zwischen einem Claesz, einem Raffael, einem Rubens und einem Hopper? Das Auge findet bei ihnen, ohne danach suchen zu müssen, eine Form, die das Gefühl von Angemessenheit hervorruft, denn sie erscheint einem jeden wie das eigentliche Wesen des Schönen, ohne Abweichungen und ohne Einschränkung, ohne Zusammenhang und ohne Anstrengung. Im Stilleben mit Zitrone, das nicht auf die Meisterschaft der Ausführung reduzierbar ist, diesem Werk, das die Empfindung von Angemessenheit vermittelt, die Empfindung, daß es *so und nicht anders angeordnet werden mußte,* das erlaubt, die Macht der Gegenstände und ihrer Wechselwirkung zu spüren und mit dem Auge ihre Verbundenheit und die Magnetfelder zu erfassen, die sie anziehen oder abstoßen, das unnennbare Band, das sie verknüpft und eine *Kraft* erzeugt, jene geheime und unerklärliche Welle, die aus der Spannung und dem Gleichgewicht der Komposition entsteht – im Stilleben mit Zitrone hat die Anordnung der Gegenstände und der Speisen diesen universalen Charakter in der Einzigartigkeit erreicht: die Zeitlosigkeit der angemessenen Form.

11

Eine Existenz ohne Dauer

Wozu dient die Kunst? Dazu, uns die kurze, aber überwältigende Illusion der Kamelie zu bescheren, indem sie einen emotionalen Spalt in der Zeit öffnet, der nicht auf die animalische Logik zurückführbar scheint. Wie entsteht die Kunst? Sie erwächst aus der Fähigkeit des Geistes, den sensorischen Bereich zu gestalten. Was macht die Kunst für uns? Sie verleiht unseren Emotionen *Gestalt* und macht sie sichtbar, und sie drückt ihnen damit jenes Siegel der Ewigkeit auf, das alle Werke tragen, die mittels einer bestimmten Form die Universalität der menschlichen Affekte zu verkörpern vermögen.

Das Siegel der Ewigkeit ... Welches abwesende Leben legen diese Speisen, diese Schalen, diese Teppiche und diese Gläser unserem Herzen nahe? Jenseits des Bildrahmens herrscht sicherlich die Hektik und die Langeweile des Lebens, dieser unaufhörliche, sinnlose, erschöpfende Wettlauf unserer Ziele und Vorhaben – doch im Bildinnern steckt die Fülle eines zum Stillstand gebrachten, der menschlichen Gier entrissenen Augenblicks. Die menschliche Gier! Wir können nicht aufhören zu begehren, und genau das erhebt uns und tötet uns. Die Begehrlichkeit! Sie trägt uns und sie peinigt uns, indem sie uns Tag für Tag auf das Schlachtfeld führt, wo wir am Tag zuvor verloren haben und das uns in der Sonne doch wieder wie ein eroberungswürdiges Gebiet erscheint, sie läßt uns, obschon wir morgen sterben, Imperien errichten, die dazu verurteilt sind, zu Staub zu werden, als wäre das Wissen um ihren baldigen Untergang abgetrennt vom Verlangen, sie jetzt zu errichten, sie verleiht uns die Energie, immer neu zu wollen, was wir nicht besitzen können, und wirft uns im Morgengrauen auf das von Leichen übersäte Gras, und sie versieht uns bis zu unserem Tod mit Vorhaben, die, kaum ausgeführt, schon neu entstehen. Doch es ist so anstrengend, unaufhörlich zu begehren ... Wir streben bald nach einem Vergnügen, dem wir nicht nachjagen müssen, wir träumen von einem glückseligen Zustand, der nicht beginnen und nicht enden würde und in dem die Schönheit nicht mehr Ziel und Plan wäre, sondern ganz selbstverständlich zu unserer Natur gehörte. Nun, dieser Zustand, das ist die Kunst. Denn mußte ich diesen Tisch decken? Muß ich diese Speisen begehren, um sie zu sehen? Irgendwo, *anderswo* hat jemand dieses Mahl gewollt, hat nach dieser mineralischen Transparenz verlangt und den Genuß angestrebt, mit seiner Zunge den seidigen Salzgeschmack einer Auster mit Zitrone zu liebkosen. Es brauchte diese Idee, umrahmt von hundert anderen und tausend neue hervorbringend, diese Absicht, ein Festmahl mit Muscheln vorzubereiten und zu genießen – diese Absicht des anderen, um genau zu sein, damit das Bild Gestalt annehmen konnte.

Doch wenn wir ein Stilleben ansehen, wenn wir uns, ohne sie angestrebt zu haben, an dieser Schönheit ergötzen, die die idealisierte und bewegungslose Darstellung der Dinge beinhaltet, genießen wir, was wir nicht zu begehren brauchten, betrachten wir, was wir nicht zu wollen brauchten, lieben wir, was wir nicht ersehnen mußten. Dann verkörpert das Stilleben die Quintessenz der Kunst, jene Gewißheit der Zeitlosigkeit; denn es stellt eine Schönheit dar, die unser Verlangen anspricht, jedoch demjenigen eines anderen entspringt, es bereitet uns Lust, ohne daß es mit einem unserer Vorhaben zu tun hat, es bietet sich uns dar ohne die Anstrengung, es begehren zu müssen. In der stummen Szene ohne Leben und ohne Bewegung ist eine Zeit frei von Absichten verkörpert, eine der Zeit und ihrer müden Gier entrissene Vollkommenheit – ein Vergnügen ohne Verlangen, eine Existenz ohne Dauer, eine Schönheit ohne Willen.

Denn die Kunst ist die Emotion ohne das Verlangen.

Tagebuch der Bewegung der Welt Nr. 5

Bewegt sich bewegt sich nicht

Heute hat Mama mich zu ihrem Seelenklempner mitgenommen. Der Grund: Ich verstecke mich. Mama hat zu mir gesagt: »Mein Liebes, du weißt genau, daß es uns verrückt macht, wenn du dich so versteckst. Ich glaube, es wäre eine gute Idee, wenn du mit mir zu Doktor Theid kommen würdest, um mit ihm darüber zu reden, vor allem nach dem, was du letzthin gesagt hast.« Erstens ist Doktor Theid nur im gestörten kleinen Hirn meiner Mutter Doktor. Er ist nicht mehr Arzt oder Inhaber eines Doktortitels als ich, aber es bedeutet für Mama offensichtlich die größte Befriedigung, »Doktor« zu sagen, wegen des Ehrgeizes, den er scheinbar hat, sie zu behandeln, wozu er sich jedoch Zeit nimmt (zehn Jahre). Er ist nur ein ehemaliger Linker, der nach ein paar Jahren lockerer Studien in Nanterre und einer unverhofften Begegnung mit einem hohen Tier der Freudschen Sache auf Psychoanalyse umgesattelt hat. Und zweitens sehe ich nicht, wo das Problem liegt. »Ich verstecke mich« ist übrigens nicht richtig: Ich ziehe mich dorthin zurück, wo man mich nicht finden kann. Ich möchte nur in Ruhe meine ›Tiefgründigen Gedanken‹ und mein ›Tagebuch der Bewegung der Welt‹ schreiben können, und vorher wollte ich nur ruhig in meinem Kopf denken können, ohne vom Schwachsinn gestört zu werden, den meine Schwester von sich gibt oder am Radio oder auf ihrer Stereoanlage hört, oder ohne von Mama belästigt zu werden, die mir zuflüstert: »Mamie ist da, mein Schatz, komm und gib ihr einen Kuß«, was einer der am wenigsten packenden Sätze ist, die ich kenne.

Wenn Papa seine verärgerten Augen macht und mich fragt: »Aber warum versteckst du dich denn nur?«, antworte ich im allgemeinen nicht. Was soll ich sagen? »Weil ihr mir auf die Nerven geht und ich ein wichtiges Werk zu schreiben habe, bevor ich sterbe?« Das kann ich natürlich nicht. So habe ich es das letzte Mal mit Humor versucht, um zu entdramatisieren. Ich habe eine etwas verstörte Miene aufgesetzt und habe mit der Stimme einer Sterbenden gesagt, während ich Papa anschaute: »Wegen all der Stimmen in meinem Kopf.« Heiliger Bimbam: Das war das Signal zum allgemeinen Gefecht! Papa fielen fast die Augen aus dem Kopf, Mama und Colombe sind unverzüglich aufgekreuzt, als er sie geholt hat, und alle haben gleichzeitig auf mich eingeredet: »Mein Liebes, das ist nicht schlimm, wir werden dich da herausholen« (Papa), »Ich rufe sofort Doktor Theid an« (Mama), »Wie viele Stimmen hörst du?« (Colombe), usw. Mama hatte ihr Festtagsgesicht, hin- und hergerissen zwischen der Sorge und der Aufregung: und wenn meine Tochter ein Fall für die Wissenschaft wäre? Wie schrecklich, aber wie ruhmreich! Also gut, als ich sah, daß sie sich so aufregten, habe ich gesagt: »Aber nein, ich habe doch nur Spaß gemacht!«, doch ich mußte es mehrmals wiederholen, bevor sie mich hörten, und noch ein paarmal, bevor sie mir glaubten. Und ich bin immer noch nicht sicher, ob ich sie überzeugt habe. Kurz und gut, Mama hat mich bei Dr. T. angemeldet, und heute morgen sind wir hingegangen.

Zuerst haben wir in einem äußerst schicken Wartezimmer mit Zeitschriften aus verschiedenen Epochen gewartet: Das ›Geo‹ von vor zehn Jahren und die letzte ›Elle‹ gut sichtbar obenauf. Und dann ist Dr. T. gekommen. Übereinstimmend mit seinem Foto (in einer Revue, die Mama allen gezeigt hat), aber leibhaftig, das heißt in Farbe und mit Geruch: braun mit Pfeifenduft. Flotte fünfzig Jahre alt, sorgfältig gekleidet, doch vor allem war alles braun: Haare, kurzgeschorener Bart, Teint (Option Seychellen), Pullover, Hose, Schuhe, Uhrarmband: alles braun, alles im gleichen Ton, kastanienbraun, wie eine richtige Kastanie. Oder wie die welken Blätter. Und dazu ein Geruch von Luxuspfeife (blonder Tabak: Honig und Trockenfrüchte). Sehr gut, habe ich mir gesagt, auf zu einer kleinen Sitzung im Stil herbstliche-Unterhaltung-am-Kaminfeuer-unter-gebildeten-Leuten, eine raffinierte, konstruktive und vielleicht sogar seidige (ich liebe dieses Adjektiv) Unterhaltung.

Mama ist mit mir hineingegangen, wir haben uns auf zwei Stühle vor seinem Schreibtisch gesetzt, und er hat sich dahinter gesetzt, in einen großen Drehsessel mit komischen Ohren, ein wenig im Stil von ›Star Trek‹. Er hat die Hände über dem Bauch verschränkt, hat uns angeschaut und gesagt: »Ich bin froh, euch beide zu sehen.«

Das konnte ja gut werden! Ich bin augenblicklich in Harnisch geraten. Der Satz eines Supermarktverkäufers, der Madame und ihrer Tochter hinter ihrem Einkaufswagen doppelseitige Zahnbürsten andrehen will, das erwartet man nicht unbedingt von einem Seelenklempner. Aber meine Wut hat sich plötzlich gelegt, als ich mir einer spannenden Tatsache für mein ›Tagebuch der Bewegung der Welt‹ bewußt wurde. Ich habe gut hingeschaut, während ich mich mit aller Kraft konzentrierte und mir sagte: Nein, das ist nicht möglich. Aber ja doch! Es war möglich! Unglaublich! Ich war so fasziniert, daß ich Mama kaum zuhörte, als sie all ihre kleinen Nöte erzählte (meine Tochter versteckt sich, meine Tochter macht uns angst, indem sie uns erzählt, daß sie Stimmen hört, meine Tochter spricht nicht mit uns, wir machen uns Sorgen um meine Tochter), wobei sie zweihundert Mal »meine Tochter« sagte, obwohl ich nur fünfzehn Zentimeter von ihr weg saß, und als er mich angesprochen hat, bin ich daher fast zusammengezuckt.

Ich muß es Ihnen erklären. Ich wußte, daß Dr. T. lebendig war, weil er vor mir her ins Zimmer gegangen war, sich gesetzt und gesprochen hatte. Aber was den Rest anbelangte, so hätte er genausogut tot sein können: Er bewegte sich nicht. Nachdem er es sich in seinem Raumfahrtsessel bequem gemacht hatte, gab es keine Bewegung mehr: nur gerade die Lippen, die bebten, jedoch äußerst sparsam. Und der Rest: bewegungslos, vollkommen bewegungslos. Wenn man spricht, bewegt man normalerweise nicht nur die Lippen, es kommen notgedrungen andere Bewegungen dazu: Gesichtsmuskeln, ganz leichte Bewegungen von Händen, Hals, Schultern; und wenn man nicht spricht, ist es trotzdem sehr schwierig, vollkommen bewegungslos zu bleiben; es gibt immer ein kleines Zittern irgendwo, ein Blinzeln mit dem Augenlid, eine kaum merkliche Bewegung mit dem Fuß usw.

Aber bei ihm: Nichts! Nada! Nitschewo! Nothing! Eine lebende Statue. Also so was! »Na, junge Dame«, hat er zu mir gesagt, worauf ich zusammenzuckte, »was sagst du zu all dem?« Ich hatte Mühe, meine Gedanken zu ordnen, weil ich von seiner Bewegungslosigkeit vollkommen gebannt war, und so dauerte es einen Moment, bis ich ihm antwortete. Mama wand sich auf ihrem Stuhl, als ob sie Hämorrhoiden hätte, doch der Herr Doktor schaute mich an, ohne mit der Wimper zu zucken. Ich habe mir gesagt: »Ich muß ihn dazu bringen, sich zu bewegen, ich muß ihn dazu bringen, sich zu bewegen, es muß doch etwas geben, das ihn dazu bringt, sich zu bewegen.« Da habe ich gesagt: »Ich spreche nur in Gegenwart meines Anwalts«, in der Hoffnung, das wirke.

Totaler Flop: keine Bewegung. Mama hat geseufzt wie eine Mater dolorosa, doch der andere blieb vollkommen bewegungslos. »Deines Anwalts … Hmm …«, hat er gesagt, ohne sich zu bewegen. Jetzt wurde die Herausforderung wirklich spannend. Bewegt sich, bewegt sich nicht? Ich habe beschlossen, meine ganze Energie in die Schlacht zu stecken. »Wir sind hier nicht vor Gericht«, hat er hinzugefügt, »das weißt du doch, hmm.« Ich habe mir gedacht: Wenn ich ihn dazu bringe, sich zu bewegen, dann lohnt es sich, dann war es für mich kein verlorener Tag! »Gut«, hat die Statue gesagt, »meine liebe Solange, ich werde mit dieser jungen Dame eine kleine Unterhaltung unter vier Augen führen.« Meine liebe Solange ist aufgestanden, wobei sie ihm einen weinerlichen Cockerspanielblick zuwarf, und als sie aus dem Zimmer ging, hat sie eine Menge unnötiger Bewegungen gemacht (zum Ausgleich vermutlich).

»Deine Mama macht sich große Sorgen um dich«, hat er begonnen, wobei er das Kunststück vollbrachte, nicht einmal die Unterlippe zu bewegen. Ich habe einen Augenblick überlegt und entschieden, daß die Taktik der Provokation wenig Aussicht auf Erfolg hatte. Möchten Sie Ihren Psychoanalytiker in der Gewißheit bestärken, daß er seine Kunst beherrscht? Dann provozieren Sie ihn wie ein Jugendlicher seine Eltern. Ich habe also beschlossen, ihm mit großer Ernsthaftigkeit zu sagen: »Glauben Sie, daß es etwas mit der sogenannten Verwerfung des Namens-des-Vaters zu tun hat?« Meinen Sie, das habe ihn dazu gebracht, sich zu bewegen? Keine Spur. Er blieb bewegungslos und unerschütterlich. Aber ich hatte den Eindruck, in seinen Augen etwas wie ein Flackern zu sehen. Ich habe beschlossen, die Fährte weiterzuverfolgen. »Hmm?« hat er gemacht, »ich glaube nicht, daß du verstehst, was du da sagst.« – »Oh doch«, habe ich gesagt, »aber da gibt es etwas, das verstehe ich nicht bei Lacan, nämlich sein genaues Verhältnis zum Strukturalismus.« Er hat den Mund einen Spalt weit aufgemacht, um etwas zu sagen, aber ich war schneller. »Ach ja, und dann auch die sogenannten Mathèmes. All diese Knoten sind ein bißchen verwirrend. Verstehen Sie vielleicht etwas von Topologie? Es ist doch seit langem allgemein bekannt, daß das ein Schwindel ist, nicht wahr?« An diesem Punkt habe ich einen Fortschritt festgestellt. Er hatte keine Zeit gehabt, den Mund wieder zuzumachen, und schließlich ist er offen geblieben. Dann hat er sich wieder gefaßt, und auf seinem unbewegten Gesicht ist ein Ausdruck ohne Bewegung erschienen, in der Art: »Das ist also das Spielchen, das du mit mir spielen willst, meine Hübsche?« Aber ja doch, das ist das Spielchen, das ich mit dir spielen will, meine fette kandierte Kastanie.

Ich habe also gewartet. »Du bist ein sehr intelligentes junges Mädchen, das weiß ich«, hat er gesagt (Kostenpunkt dieser von Meiner lieben Solange übermittelten Information: 60 Euro die halbe Stunde). »Aber man kann sehr intelligent und gleichzeitig sehr hilflos sein, weißt du, sehr hellsichtig und sehr unglücklich.« Ganz im Ernst. Hast du das aus ›Tintin‹? hätte ich beinahe gefragt. Und plötzlich hatte ich Lust, mit stärkerem Geschütz aufzufahren. Ich hatte immerhin den Kerl vor mir, der meine Familie seit einem Jahrzehnt 600 Euro pro Monat kostet, und das für das bekannte Resultat: drei Stunden am Tag Grünpflanzen besprühen und ein beeindruckender Konsum von Substanzen, die in Rechnung gestellt werden.

Ich spürte eine Stinkwut in mir hochsteigen. Ich habe mich zum Schreibtisch vorgebeugt und mit Grabesstimme gesagt: »Hör mir gut zu, mein auf dem Stuhl festgefrorener Herr. Wir beide werden einen kleinen Handel abschließen. Du läßt mich in Ruhe, und als Gegenleistung sehe ich davon ab, dein kleines Geschäft mit dem Unglück zu ruinieren, indem ich in den einflußreichen Politiker- und Geschäftskreisen von Paris üble Gerüchte über dich verbreite. Und du kannst mir glauben, zumindest, wenn du fähig bist zu sehen, wie intelligent ich bin, das liegt durchaus im Bereich meiner Möglichkeiten.« Meiner Meinung nach konnte das nicht funktionieren. Ich glaubte nicht daran. Es muß einer wirklich bescheuert sein, um an eine solche geballte Ladung Unsinn zu glauben. Doch hurra, so unglaublich es auch schien: Ein Schatten von Besorgnis huschte über das Gesicht des guten Doktor Theid. Er hat mir tatsächlich geglaubt. Es ist sagenhaft: Wenn es etwas gibt, was ich nie tun würde, dann ein falsches Gerücht in Umlauf zu setzen, um jemandem zu schaden. Mein republikanischer Vater hat den Virus der Deontologie auf mich übertragen, und wenn ich das auch genauso absurd finde wie den ganzen Rest, so halte ich mich doch strikt daran. Der gute Doktor aber, der sich zur Einschätzung der Familie nur auf die Mutter stützen konnte, hat offenbar beschlossen, daß die Bedrohung real war. Und da, oh Wunder: eine Bewegung! Er hat mit der Zunge geschnalzt, hat die Arme aus der Verschränkung gelöst, eine Hand ausgestreckt und mit der Handfläche auf seine Schreibunterlage aus Chevreauleder gehauen. Eine Geste der Gereiztheit, aber auch der Einschüchterung. Dann ist er aufgestanden, kein bißchen sanft und wohlwollend mehr, er ist zur Tür gegangen, hat Mama gerufen, hat ihr irgend etwas über meine gute geistige Gesundheit vorgeschwafelt und daß es schon wieder werde, und hat uns fix von seinem herbstlichen Kaminfeuer verscheucht.

Zuerst war ich ziemlich zufrieden mit mir. Ich hatte ihn dazu gebracht, sich zu bewegen. Aber je weiter der Tag fortschritt, desto deprimierter fühlte ich mich. Denn das, was passiert ist, als er sich bewegt hat, ist nicht sehr schön, nicht sehr sauber. Obwohl ich weiß, daß es Erwachsene gibt, die unter ihrer zukkersüßen und ach so weisen Maske sehr häßlich und sehr hart sind, obwohl ich weiß, daß man nur daran zu kratzen braucht, damit die Masken fallen, schmerzt es mich, wenn es dann mit dieser Heftigkeit geschieht. Als er auf die Schreibunterlage schlug, bedeutete das: »Sehr gut, du siehst mich so, wie ich bin, unnötig, die Komödie weiterzuspielen, dein erbärmlicher kleiner Pakt soll gelten, geh mir schleunigst aus den Augen.« Nun, das hat mich geschmerzt, ja, es hat mich geschmerzt. Ich weiß zwar, daß die Welt häßlich ist, aber ich habe keine Lust, es zu sehen.

Ja, verlassen wir diese Welt, in der das, was sich bewegt, enthüllt, was häßlich ist.

12

Eine Welle der Hoffnung

Es ist gut und recht, den Phänomenologen ihren katzenlosen Autismus vorzuwerfen; ich habe mein Leben der Suche nach der Zeitlosigkeit geweiht.

Doch wer der Ewigkeit nachstellt, erntet die Einsamkeit.

»Ja«, sagt er und nimmt mir die Handtasche ab, »das finde ich auch. Es ist eines der schmucklosesten, und doch ist es von großer Harmonie.«

Monsieur Ozus Wohnung ist sehr groß und sehr schön. Manuelas Berichte hatten mich auf ein japanisches Interieur vorbereitet, doch wenn es auch Schiebetüren, Bonsais, einen dicken, grau eingefaßten schwarzen Teppich und Gegenstände asiatischer Herkunft gibt – einen niedrigen dunklen Lacktisch oder, auf der ganzen Länge einer eindrucksvollen Fensterflucht, Bambusrollos, die, auf verschiedene Höhen hochgezogen, dem Raum seine fernöstliche Atmosphäre verleihen –, so gibt es daneben auch ein Sofa und Sessel, Konsoltischchen, Lampen und Büchergestelle europäischer Herstellung. Es ist sehr … elegant. Wie Manuela und Jacinthe Rose jedoch bemerkt haben, gibt es nichts Überflüssiges. Es ist auch nicht nüchtern und leer, wie ich es mir vorgestellt hatte, indem ich die Interieurs aus Ozus Filmen in einen luxuriöseren, in der charakteristischen Strenge dieser fremdartigen Kultur jedoch ganz ähnlichen Rahmen versetzt hatte.

»Kommen Sie«, sagt Monsieur Ozu zu mir, »wir werden nicht hierbleiben, das ist zu förmlich. Wir essen in der Küche. Ich koche übrigens selbst.«

Mir fällt auf, daß er eine apfelgrüne Schürze über einem kastanienbraunen Pullover mit Rundkragen und einer beigefarbenen Leinenhose trägt. Seine Füße stecken in schwarzen Lederpantoffeln.

Ich tripple hinter ihm her zur Küche. Allmächtiger! In einem solchen Schmuckkästchen will ich gerne jeden Tag kochen, sogar für Leo. Nichts kann hier gewöhnlich sein, und allein eine Büchse Ronron aufzumachen muß einem hier köstlich erscheinen.

»Ich bin sehr stolz auf meine Küche«, sagt Monsieur Ozu in aller Schlichtheit.

»Das können Sie auch«, antworte ich ohne eine Spur von Sarkasmus.

Alles ist weiß und aus hellem Holz, mit langen Arbeitsflächen und großen Geschirrschränken voll Platten und Schalen aus blauem, schwarzem und weißem Porzellan. In der Mitte der Backofen, die Kochplatten, eine Spüle mit drei Becken und eine Bar mit Hockern, auf einen von denen ich klettere, Monsieur Ozu gegenüber, der sich am Herd zu schaffen macht. Er hat eine kleine Flasche warmen Sake und zwei reizende Schälchen aus blauem Craqueléporzellan vor mich hingestellt.

»Ich weiß nicht, ob Sie die japanische Küche kennen«, sagt er zu mir.

»Nicht sehr gut«, antworte ich.

Eine Welle der Hoffnung hebt mich empor. Man wird sicherlich bemerkt haben, daß wir bis jetzt noch keine zwanzig Worte gewechselt haben, während ich wie eine alte Bekannte Monsieur Ozu gegenübersitze, der in einer apfelgrünen Schürze kocht – nach einer holländischen und hypnotischen Episode, über die niemand ein Wort verloren hat und die schon im Kapitel der vergessenen Begebenheiten eingeordnet ist.

Der Abend könnte sehr gut nichts weiter als eine Einführung in die asiatische Küche werden. Fern sei mir Tolstoi und fern jeder Verdacht: Monsieur Ozu, ein neuer Hausbewohner, der mit der hierarchischen Ordnung nicht sehr vertraut ist, lädt seine Concierge zu einem exotischen Abendessen ein. Sie unterhalten sich über Sashimis und Nudeln mit Sojasauce.

Gibt es eine harmlosere Situation?

Da passiert die Katastrophe.

13

Schwache Blase

Zuvor muß ich gestehen, daß ich eine schwache Blase habe. Wie ist es sonst zu erklären, daß ich nach der kleinsten Tasse Tee unverzüglich aufs Örtchen muß und sich das nach einem Krug voll Tee dessen Fassungsvermögen entsprechend wiederholt? Manuela ist ein wahres Kamel: Sie behält, was sie getrunken hat, über Stunden hinweg und knabbert ihre Schokoladenkekse, ohne sich von ihrem Stuhl zu rühren, während ich so manchen feierlichen Gang zum Klosett mache. Doch das geschieht bei mir zu Hause, und in meinen sechzig Quadratmetern ist die Toilette nie sehr weit entfernt und an einem längst wohlbekannten Ort.

Nun fügt es sich, daß meine schwache Blase sich auch jetzt meldet, und im vollen Bewußtsein des am gleichen Nachmittag literweise getrunkenen Tees muß ich auf ihre Botschaft hören: verminderte Autonomie.

Wie fragt man in der Gesellschaft danach?

»Wo ist das Klo?«, erscheint mir seltsamerweise nicht angebracht.

»Könnten Sie mir bitte den Ort zeigen?«, obwohl delikat in der Bemühung, die Sache nicht beim Namen zu nennen, birgt hingegen die Gefahr in sich, nicht verstanden zu werden und folglich doppelt peinlich zu sein.

»Ich muß mal«, nüchtern und informativ, sagt man nicht bei Tisch und auch nicht zu einem Unbekannten.

»Wo ist das WC?« scheint mir problematisch. Es ist eine kühle Erkundigung, die nach Provinzrestaurant klingt.

Folgende Formulierung gefällt mir nicht schlecht:

»Wo ist die Retirade?«, denn in dieser Bezeichnung, Retirade, schwingt etwas Altmodisches, Vertrautes mit. Doch da gibt es auch eine unausgesprochene Konnotation, die die schlechten Gerüche aufsteigen läßt.

Da durchzuckt mich ein genialer Geistesblitz.

»Die *Ramen* sind ein Gericht chinesischer Herkunft auf der Basis von Nudeln und Bouillon, das die Japaner jedoch häufig zu Mittag essen«, sagt Monsieur Ozu gerade, während er eine beeindruckende Menge von Teigwaren, die er eben im kalten Wasser abgeschreckt hat, in die Luft hebt.

»Wo ist die Toilette, bitte?«, ist die einzige Antwort, die mir einfallen will.

Das ist, wie ich gerne zugebe, etwas schroff.

»Oh, es tut mir leid, ich habe sie Ihnen nicht gezeigt«, sagt Monsieur Ozu vollkommen ungezwungen. »Die Tür hinter Ihnen, und dann im Flur die zweite rechts.«

Könnte nicht immer alles so einfach sein?

Offenbar nicht.

Tagebuch der Bewegung der Welt Nr. 6

Höschen oder van Gogh?

Heute sind wir mit Mama in die Rue Saint-Honoré zum Ausverkauf gegangen. Die Hölle. Vor bestimmten Boutiquen standen die Leute Schlange. Und Sie wissen vermutlich, welche Boutiquen es in der Rue Saint-Honoré gibt: Eine solche Ausdauer, um zu herabgesetzten Preisen Foulards und Handschuhe zu erstehen, die immer noch zum Wert eines van Gogh angeboten werden, ist doch verblüffend. Diese Damen tun das jedoch mit einer unbändigen Leidenschaft. Und sogar mit einer gewissen Taktlosigkeit.

Aber ich kann mich trotzdem nicht völlig beklagen über den Tag, weil ich nämlich eine sehr interessante Bewegung habe festhalten können, wenn sie leider auch nicht sehr ästhetisch war. Dafür sehr intensiv, und wie! Und auch amüsant. Oder tragisch, ich weiß nicht recht. Tatsächlich habe ich schon ziemliche Abstriche gemacht, seit ich dieses Tagebuch begonnen habe. Ich hatte mir vorgenommen, die Harmonie in der Bewegung der Welt zu entdecken, und ich lande bei vornehmen Damen, die sich um ein Spitzenhöschen raufen. Na ja … Vermutlich habe ich ohnehin nicht daran geglaubt. Aber wenn ich schon mal dabei bin, kann ich mich genausogut ein bißchen amüsieren …

Es war so: Mama und ich sind in eine Boutique für *lingerie fine* gegangen. *Lingerie fine*, feine Damenunterwäsche, das ist schon als Name interessant. Wie sollte es sonst heißen? Grobe Damenunterwäsche? Also gut, eigentlich ist damit Reizwäsche gemeint; wenn Sie nach Großmutters guter alter Baumwollunterhose Ausschau halten, sind Sie hier am falschen Ort. Aber da sich die Boutique in der Rue Saint-Honoré befindet, handelt es sich natürlich um schicke Reizwäsche, mit handgemachten Spitzendessous, Seidenstrings und Babydolls aus extrafeinem Kaschmir. Wir brauchten nicht Schlange zu stehen, um hineinzugelangen, aber das wäre gar nicht so schlecht gewesen, denn drinnen stand man Schulter an Schulter. Ich hatte den Eindruck, in eine Wäscheschleuder zu geraten. Zu allem Elend ist Mama augenblicklich in Ekstase gefallen, als sie in Dessous von suspekter Farbe wühlte (Schwarz und Rot oder Petrolblau). Ich habe mich gefragt, wo ich mich verdrükken und Schutz suchen könnte, bis sie (kleine Hoffnung) einen Pyjama gefunden hätte, und ich habe mich bis hinter die Umkleidekabinen durchgeschlängelt. Ich war nicht allein: Ein Mann war dort, der einzige, und er sah genauso unglücklich aus wie Neptun, wenn er Athenes Hinterteil verpaßt. Das ist das Schauermärchen »Ich liebe dich, mein Schatz«: Von einem, der auszog, einer neckischen Anprobesitzung von schicken Dessous beizuwohnen, und der auf Feindesgebiet landet, mit dreißig Weibern in Trance, die ihm auf den Füßen herumtrampeln und ihm vernichtende Blicke zuwerfen, wo auch immer er seinen sperrigen Männerkorpus abzustellen versucht. Was seine sanftmütige Freundin anbelangt, so hatte sie sich in eine Rachefurie verwandelt, bereit zu töten für einen fuchsiaroten Tanga.

Ich habe ihm einen teilnahmsvollen Blick zugeworfen, auf den er mit dem Blick eines gehetzten Tiers antwortete. Von dort, wo ich war, hatte ich freie Sicht auf das ganze Geschäft und auf Mama, die verzückt einen sehr sehr sehr kleinen Büstenhalter mit weißen Spitzen (zumindest das), aber auch sehr großen blaßlila Blumen begutachtete. Meine Mutter ist fünfundvierzig und hat ein paar Kilo zuviel, aber große blaßlila Blumen machen ihr keine angst; die Schlichtheit und der Schick von uni Beige hingegen lähmen sie vor Grauen. Kurz, Mama kramt aus einem der Regale mühsam einen blumigen Mini-Büstenhalter, der ihr die richtige Größe zu haben scheint, und schnappt sich drei Fächer weiter unten das dazu passende Höschen. Sie zieht mit Überzeugung daran, doch plötzlich runzelt sie die Stirn: Am anderen Ende des Höschens zieht nämlich eine andere Dame, die ebenfalls die Stirn runzelt. Sie sehen einander an, schauen auf das Regal, stellen fest, daß das Höschen als einziges seiner Art einen langen Ausverkaufsmorgen überlebt hat, und rüsten zur Schlacht, während sie sich gegenseitig ein höllisches Lächeln zuwerfen.

Und hier die Prämissen der interessanten Bewegung: Ein Höschen zu hundertdreißig Euro mißt trotzdem nur ein paar Zentimeter superfeiner Spitzen. Man muß also der anderen zulächeln, das Höschen standhaft festhalten, es zu sich herüberziehen, jedoch ohne es zu zerreißen. Ich sage es Ihnen ganz unverblümt: Wenn die Gesetze der Physik in unserer Welt konstant sind, dann ist das nicht möglich. Nach einem erfolglosen Versuch von ein paar Sekunden sagen die Damen Newton adieu, geben aber nicht auf. Der Krieg muß also mit anderen Mitteln weitergeführt werden, das heißt mit Diplomatie (eines von Papas Lieblingszitaten). Das ergibt folgende interessante Bewegung: Man muß sich anstellen, als wisse man nicht, daß man entschlossen am Höschen zieht, und so tun, als bitte man höflich mit Worten darum. Und so haben Mama und die Dame plötzlich keine rechte Hand mehr, diejenige, die das Höschen hält. Es ist, als existierte sie nicht, als würden die Dame und Mama sich ruhig über ein Höschen unterhalten, das immer noch im Ständer liegt und das sich niemand gewaltsam anzueignen versucht. Wo ist sie, die rechte Hand? Schwups, davongeflogen! Verschwunden! Bühne frei für die Diplomatie!

Wie allgemein bekannt ist, scheitert die Diplomatie immer, wenn das Kräfteverhältnis ausgeglichen ist. Man hat noch nie gesehen, daß der Stärkere auf die diplomatischen Vorschläge des anderen eingegangen wäre. Die Verhandlungen, die unisono begonnen hatten mit: »Ah, ich glaube, ich war schneller als Sie, chère Madame«, führen folglich zu keinem nennenswerten Ergebnis. Als ich bei Mama ankomme, sind wir bei: »Ich werde es nicht loslassen«, und man kann den beiden kriegsführenden Parteien leicht glauben.

Natürlich hat Mama verloren: Als ich neben ihr stand, hat sie sich plötzlich erinnert, daß sie eine respektable Familienmutter war und der anderen nicht gut mit der linken Hand eine Ohrfeige verpassen konnte, ohne ihre ganze Würde vor mir zu verlieren. Ihre rechte Hand wurde also wieder eine Hand, und sie hat das Höschen losgelassen. Ergebnis des Einkaufswettkampfs: Die eine ist mit dem Höschen abgezogen, die andere mit dem Büstenhalter. Mama war während des Essens in einer Stinklaune. Als Papa sie fragte, was los sei, hat sie geantwortet: »Du als Abgeordneter solltest mehr gegen die Untergrabung der Gesinnung und der Höflichkeit tun.«

Doch kommen wir auf die interessante Bewegung zurück: Zwei geistig völlig gesunde Damen, die plötzlich einen Teil ihres Körpers nicht mehr kennen. Das ergibt ein sehr seltsames Bild: Als ob es in der Wirklichkeit einen Bruch gäbe, ein schwarzes Loch, das sich in Raum und Zeit öffnet, wie in einem echten Science-fiction Roman. Eine negative Bewegung, so etwas wie eine hohle Geste eben.

Ich habe mir gesagt: Wenn man so tun kann, als wisse man nicht, daß man eine rechte Hand hat, bei was sonst noch kann man so tun, als wisse man nicht, daß man es hat? Kann man ein negatives Herz haben, eine hohle Seele?

14

Eine einzige dieser Rollen

Der erste Teil der Operation verläuft gut.

Ich finde die zweite Tür rechts im Flur, ohne versucht zu sein, die sieben anderen zu öffnen, so klein ist meine Blase, und ich verrichte mein Bedürfnis mit einer Erleichterung, der nicht einmal meine Befangenheit etwas anzuhaben vermag. Es wäre ungehörig gewesen, Monsieur Ozu nach seiner Retirade zu fragen. Eine *Retirade* könnte nicht schneeweiß sein, von den Wänden bis zur Schüssel und zu einer Brille, auf die man sich kaum zu setzen wagt aus Angst, sie zu beschmutzen. Doch dieses ganze Weiß wird gedämpft – auf daß der Akt nicht allzu klinisch sei – von einem dicken, weichen, seidigen, samtenen und schmeichelnden sonnengelben Teppich, der den Ort vor der Krankenhausatmosphäre bewahrt. All diese Beobachtungen flößen mir eine große Achtung vor Monsieur Ozu ein. Die klare Einfachheit des Weiß, ohne Marmor und ohne Verschnörkelungen – sehr oft eine Schwäche der Begüterten, die alles, was trivial ist, prunkvoll machen möchten –, und die sanfte Zartheit eines sonnigen Teppichs sind in Sachen WC die eigentlichen Voraussetzungen für Angemessenheit. Was suchen wir, wenn wir uns dorthin begeben? Helligkeit, um nicht an all die dunklen Tiefen zu denken, die zusammentreffen, und etwas auf dem Boden, damit wir unsere Pflicht erfüllen können, ohne daß es zur Bußübung wird, indem wir uns die Füße abfrieren, besonders wenn wir den Ort des Nachts aufsuchen.

Auch das Toilettenpapier strebt nach Kanonisierung. Ich finde dieses Zeichen des Reichtums viel überzeugender als den Besitz eines Maserati oder eines Jaguar Coupé zum Beispiel. Was das Toilettenpapier dem Hinterteil der Leute tut, gräbt eine viel tiefere Kluft zwischen den Ständen als manches äußere Zeichen. Das Papier bei Monsieur Ozu, dick, weich, zart und delikat duftend, ist dazu bestimmt, diesen Teil unseres Körpers zu verwöhnen, der, mehr als jeder andere, förmlich danach lechzt. Wieviel für eine einzige dieser Rollen?, frage ich mich, während ich den mittleren, mit zwei Lotusblumen bezeichneten Knopf der Spülung drücke, denn meine kleine Blase hat trotz ihrer schwachen Autonomie ein großes Fassungsvermögen. Eine Blume erscheint mir zu wenig, drei wären eingebildet.

Da geschieht es.

Ein ohrenbetäubender Krach schlägt gegen meine Ohren und schmettert mich beinahe nieder. Das Beängstigende ist, daß es mir nicht gelingt festzustellen, woher er kommt. Es ist nicht die Spülung, die ich nicht einmal höre, es kommt von oben und fällt über mich her. Mein Herz schlägt wie wild. Sie kennen die drei Alternativen angesichts drohender Gefahr: *fight, flee or freeze.* Ich *freeze.* Ich würde ja gerne *flee,* aber plötzlich weiß ich nicht mehr, wie man eine Tür entriegelt. Stellt mein Hirn Vermutungen an? Vielleicht, sehr klar sind sie jedenfalls nicht. Habe ich den falschen Knopf gedrückt und die produzierte Menge unterschätzt – welche Anmaßung, welche *Hoffart,* Renée, zwei Lotusblumen für einen so lächerlichen Beitrag –, und werde ich dafür von einem göttlichen Gericht bestraft, dessen geräuschvoller Blitz meine Ohren trifft? Habe ich den Akt zu sehr genossen an diesem dazu einladenden Ort – *Wollust* –, wo wir ihn als unrein betrachten sollten? Habe ich mich zum *Neid* hinreißen lassen, als ich dieses fürstliche Toilettenpapier begehrte, und werde ich nun unmißverständlich über diese Todsünde in Kenntnis gesetzt? Haben meine steifen Arbeiterinnenhände in unbewußtem *Zorn* den subtilen Mechanismus des Lotusknopfs malträtiert und in der Wasserleitung eine Sintflut ausgelöst, die den vierten Stock zu überschwemmen droht?

Ich versuche immer noch mit aller Kraft zu fliehen, aber meine Hände sind nicht imstande, meinen Befehlen zu gehorchen. Ich bearbeite den kupfernen Knopf, der mich, korrekt betätigt, befreien sollte, doch nichts Entsprechendes geschieht.

In diesem Moment bin ich fest überzeugt, verrückt geworden oder im Himmel angelangt zu sein, denn der bisher verschwommene Ton wird deutlich und, so undenkbar es scheint, es klingt nach Mozart.

Nach dem *Confutatis* von Mozarts ›Requiem‹, um genau zu sein.

Confutatis maledictis, Flammis acribus addictis!, modulieren wunderschöne Opernstimmen.

Ich bin verrückt geworden.

»Ist alles in Ordnung, Madame Michel?«, fragt hinter der Tür eine Stimme, diejenige von Monsieur Ozu, oder, eher wahrscheinlich, die von Petrus an den Pforten des Fegefeuers.

»Ich …«, sage ich, »ich bekomme die Tür nicht auf!«

Ich hatte mit allen Mitteln versucht, Monsieur Ozu von meinem Schwachsinn zu überzeugen.

Nun, das ist hiermit geschehen.

»Vielleicht drehen Sie den Knopf in die falsche Richtung«, schlägt die Stimme von Petrus respektvoll vor.

Ich prüfe die Information einen Moment, sie bahnt

sich mühsam einen Weg bis zu den zuständigen Schaltstellen.

Ich drehe den Knopf in die andere Richtung.

Die Tür wird entriegelt.

Das *Confutatis* hört sogleich auf. Die Stille überflutet meinen dankbaren Körper wie eine köstliche Dusche.

»Ich …«, sage ich zu Monsieur Ozu – denn niemand anders als er ist es –, »ich … Nun … Wissen Sie, das ›Requiem‹?«

Ich hätte meine Katze Nixsyntax nennen sollen.

»Oh, ich wette, Sie hatten Angst!«, sagt er. »Ich hätte Sie warnen sollen. Es ist eine japanische Sitte, die meine Tochter hier hat einführen wollen. Wenn man die Spülung betätigt, löst sie die Musik aus, das ist … hübscher, verstehen Sie?«

Ich verstehe vor allem, daß wir im Flur vor der Toilette stehen, in einer Situation, die jeden Rekord der Lächerlichkeit überbietet.

»Ah …«, sage ich, »äh … ich war überrascht« (und ich übergehe all jene meiner Sünden, die offen zutage getreten sind).

»Sie sind nicht die Erste«, sagt Monsieur Ozu liebenswürdig und, will mir scheinen, mit einem Anflug von Belustigung auf der Oberlippe.

»Das ›Requiem‹ … auf der Toilette … das ist eine … überraschende Wahl«, antworte ich, um meine Fassung wiederzuerlangen, und bin sofort entsetzt über die Wendung, die ich der Unterhaltung gebe, während wir uns immer noch im Flur befinden und einander mit herabhängenden Armen gegenüberstehen, unsicher, wie es weitergehen wird.

Monsieur Ozu sieht mich an.

Ich sehe ihn an.

Etwas in meiner Brust zerspringt, mit einem ungewöhnlichen kleinen Klick, es ist wie eine Klappe, die sich öffnet und kurz wieder schließt. Und dann wohne ich machtlos dem leichten Zittern bei, das meinen Oberkörper schüttelt, und da scheint mir doch tatsächlich, daß der gleiche Ansatz von Zuckungen auch die Schultern meines Gegenübers erfaßt.

Wir sehen uns zögernd an.

Dann dringt ein ganz leichtes und ganz schwaches Hu Hu Hu aus Monsieur Ozus Mund.

Ich stelle fest, daß das gleiche gedämpfte aber unwiderstehliche Hu Hu Hu aus meiner eigenen Kehle steigt.

Wir machen beide Hu Hu Hu, ganz leise, während wir uns ungläubig ansehen.

Dann wird das Hu Hu Hu von Monsieur Ozu lauter.

Mein Hu Hu Hu schlägt zur Alarmanlage um.

Wir sehen uns immer noch an, während aus unseren Lungen immer wildere Hu Hu Hu hervorbrechen. Jedesmal, wenn sie abflauen, sehen wir uns an und setzen zu einer weiteren Runde an. Ich habe Bauchweh, Monsieur Ozu weint ausgiebig.

Wie lange stehen wir da, vor der WC-Türe, und werden von Lachkrämpfen geschüttelt? Ich weiß es nicht. Doch es dauert lange genug, um unsere ganzen Kräfte zu erschöpfen. Wir entgleisen noch mit ein paar ausgepumpten Hu Hu Hu, bevor wir, mehr vor Müdigkeit als vor Überdruß, wieder ernst werden.

»Kehren wie in die Küche zurück«, sagt Monsieur Ozu, der als ehrenvoller erster wieder zu Atem gekommen ist.

15

Eine sehr zivilisierte Wilde

»Man langweilt sich nicht mit Ihnen«, ist das erste, was Monsieur Ozu zu mir sagt, nachdem wir zurück in der Küche sind und während ich, bequem auf meinem Barhokker thronend, lauwarmen Sake schlürfe und ihn ziemlich mittelmäßig finde.

»Sie sind eine recht ungewöhnliche Person«, fügt er hinzu und schiebt eine weiße Schale mit kleinen Ravioli zu mir herüber, die weder fritiert noch gedämpft, sondern ein bißchen beides scheinen. Er stellt ein Schälchen mit Sojasauce daneben.

»Gyozas«, erläutert er.

»Im Gegenteil«, antworte ich, »ich bin, glaube ich, eine sehr gewöhnliche Person. Ich bin Concierge. Mein Leben ist von einer beispielhaften Banalität.«

»Eine Concierge, die Tolstoi liest und Mozart hört«, sagt er. »Ich wußte nicht, daß das zu den Gepflogenheiten Ihres Berufsstandes gehört.«

Und er zwinkert mir zu. Er hat sich ohne große Umstände zu meiner Rechten gesetzt und mit seinen Stäbchen die eigene Portion Gyozas in Angriff genommen.

Noch nie in meinem ganzen Leben habe ich mich so wohl gefühlt. Wie soll ich es Ihnen erklären? Zum ersten Mal fühle ich mich völlig unbefangen, obwohl ich nicht allein bin. Nicht einmal mit Manuela, der ich doch weiß Gott mein Leben anvertrauen würde, gibt es dieses Gefühl absoluter Sicherheit, aus der Gewißheit heraus entstanden, daß wir uns verstehen. Sein Leben jemandem anzuvertrauen bedeutet nicht, seine Seele preiszugeben, und wenn ich Manuela auch wie eine Schwester liebe, so kann ich mit ihr doch das nicht teilen, was das bißchen Sinn und Gemütsbewegung webt, das meine ungehörige Existenz der Welt entlockt.

Ich nehme die Stäbchen und koste Gyozas mit einer aromatischen Koriander-Fleischfüllung und erlebe ein verblüffendes Gefühl der Entspannung, während ich mit Monsieur Ozu plaudere, als kennten wir uns schon immer.

»Ein bißchen Zerstreuung braucht der Mensch schließlich«, sage ich, »ich gehe zur Stadtbibliothek und entleihe mir alles, was ich kann.«

»Lieben Sie die holländische Malerei?«, fragt er, und ohne eine Antwort abzuwarten: »Wenn Sie die Wahl hätten zwischen der holländischen und der italienischen Malerei, welche würden Sie retten?«

Wir argumentieren während eines kurzen Scheingefechts, bei dem ich mich voller Begeisterung für Vermeers Pinsel einsetze – doch es zeigt sich sehr schnell, daß wir uns ohnehin einig sind.

»Meinen Sie, das sei ein Sakrileg?«, frage ich.

»Aber ganz und gar nicht, chère Madame«, antwortet er mir und schwenkt ungezwungen eine bedauernswerte Teigtasche über seiner Schale, »ganz und gar nicht, habe ich etwa einen Michelangelo kopieren lassen, um ihn in meinem Flur aufzuhängen?«

»Man muß die Nudeln in diese Sauce tunken«, fügt er hinzu und stellt ein mit selbigen gefülltes Weidenkörbchen und eine prächtige blaugrüne Schale vor mich hin, aus der ein Duft nach … Erdnuß aufsteigt. »Es ist ein ›Zalu ramen‹, ein Gericht aus kalten Nudeln und einer leicht süßlichen Sauce. Ich hoffe, es schmeckt Ihnen.«

Und er reicht mir eine große Serviette aus schnurfarbenem Leinen.

»Es können Kollateralschäden entstehen, geben Sie auf Ihr Kleid acht.«

»Danke«, sage ich.

Und wer weiß, warum, füge ich hinzu:

»Es ist nicht meines.«

Ich atme tief durch und sage:

»Wissen Sie, ich lebe schon sehr lange allein, und ich gehe nie aus. Ich fürchte, ich bin ein wenig ...wild.«

»Eine sehr zivilisierte Wilde also«, sagt er lächelnd zu mir.

Der Geschmack der in die Erdnußsauce getunkten Nudeln ist himmlisch. Für den Zustand von Marias Kleid hingegen könnte ich nicht einstehen. Es ist nämlich nicht einfach, einen Meter Nudeln in eine halbflüssige Sauce zu tunken und dann zum Mund zu führen, ohne Schaden anzurichten. Doch da Monsieur Ozu die seinen zwar sehr geschickt, aber auch sehr geräuschvoll verspeist, fühle ich mich von meinen Komplexen befreit, und ich sauge meine Nudelschlangen schwungvoll auf.

»Im Ernst«, sagt Monsieur Ozu, »finden Sie das nicht höchst unwahrscheinlich? Ihre Katze heißt Leo, meine heißen Kitty und Lewin, wir lieben beide Tolstoi und die holländische Malerei, und wir wohnen am selben Ort. Wie groß ist die Wahrscheinlichkeit, daß so etwas geschieht?«

»Sie hätten mir nicht diese wunderschöne Ausgabe schenken dürfen«, sage ich, »das war nicht nötig.«

»Chère Madame«, antwortet Monsieur Ozu, »haben Sie sich darüber gefreut?«

»Ja, also«, antworte ich, »ich habe mich sehr darüber gefreut, aber es hat mich auch ein wenig erschreckt. Wissen Sie, ich lege Wert darauf, unauffällig zu bleiben, ich möchte nicht, daß die Leute hier auf die Idee kommen ...«

»… wer Sie sind?« ergänzt er. »Warum?«

»Ich möchte mich nicht hervortun. Niemand will eine Concierge, die Ambitionen hat.«

»Ambitionen? Aber Sie haben keine Ambitionen, Sie haben Neigungen, Wissen, Qualitäten!«

»Aber ich bin die Concierge!«, sage ich. »Und dann habe ich auch keine Erziehung, ich komme nicht aus der gleichen Gesellschaftsschicht.«

»Wenns weiter nichts ist!«, entgegnet Monsieur Ozu in der gleichen Art, Sie glauben es nicht, wie Manuela, was mich zum Lachen bringt.

Er zieht fragend eine Braue hoch.

»Das ist der Lieblingsausdruck meiner besten Freundin«, sage ich als Erklärung.

»Und was sagt sie, Ihre beste Freundin, zu Ihrer … Unauffälligkeit?«

Na ja, ich weiß es nicht.

»Sie kennen Sie«, sage ich, »es ist Manuela.«

»Ah, Madame Lopes?«, sagt er. »Ist sie eine Freundin von Ihnen?«

»Sie ist meine einzige Freundin.«

»Sie ist eine große Dame«, sagt Monsieur Ozu, »eine Aristokratin. Sehen Sie, Sie sind nicht die einzige, die die gesellschaftlichen Normen widerlegt. Was ist daran so schlimm? Wir leben im 21. Jahrhundert, zum Teufel!«

»Was machten Ihre Eltern?«, frage ich, etwas gereizt über so wenig Einsicht.

Monsieur Ozu stellt sich wohl vor, die Privilegien seien mit Zola verschwunden.

»Mein Vater war Diplomat. Meine Mutter habe ich nicht gekannt, sie ist kurz nach meiner Geburt gestorben.«

»Das tut mir leid«, sage ich.

Er macht eine Geste, wie um zu sagen: Es ist schon lange her.

Ich verfolge meinen Gedanken.

»Sie sind der Sohn eines Diplomaten, ich bin die Tochter armer Bauern. Es ist eigentlich undenkbar, daß ich heute abend bei Ihnen esse.«

»Und dennoch essen Sie heute abend hier.«

Und er fügt mit einem freundlichen Lächeln hinzu:

»Und ich fühle mich sehr geehrt.«

Und die Unterhaltung plätschert ungezwungen und heiter dahin. Wir sprechen der Reihe nach über: Yasujiro Ozu (ein entfernter Verwandter), Tolstoi und Lewin, der mit seinen Bauern auf dem Feld mäht, das Exil und die Nichtableitbarkeit der Kulturen und so manche andere Themen, die wir wie ein Potpourri unbekümmert aneinanderreihen, während wir unsere letzten Nudelschlangen und vor allem die verwirrende Ähnlichkeit unserer Denkweise genießen.

Dann kommt ein Moment, da Monsieur Ozu zu mir sagt:

»Ich möchte, daß Sie mich Kakuro nennen, das ist doch weniger förmlich. Stört es Sie, wenn ich Sie Renée nenne?«

»Nicht im geringsten«, sage ich – und ich meine es wirklich.

Woher kommt diese plötzliche Leichtigkeit im vertrauten Umgang mit jemandem?

Der Sake, der mir angenehm das Gehirn aufweicht, läßt die Frage schrecklich unwichtig erscheinen.

»Wissen Sie, was Azukibohnen sind?« fragt Kakuro.

»Die Berge von Kyoto ...«, sage ich und lächle bei der Erinnerung an die Ewigkeit.

»Wie das?«, fragt er.

»Die Berge von Kyoto haben die Farbe von Azukipudding«, sage ich, wobei ich mich immerhin bemühe, deutlich zu sprechen.

»Das kommt in einem Film vor, nicht wahr?«, fragt Kakuro.

»Ja, in ›Die Munakata-Schwestern‹, ganz am Schluß.«

»Oh, ich habe den Film vor langer Zeit gesehen, aber ich erinnere mich nicht mehr genau.«

»Erinnern Sie sich nicht an die Kamelie auf dem Moos des Tempels?«

»Nein, gar nicht«, antwortet er. »Aber wenn ich Sie so höre, habe ich Lust, ihn nochmals zu sehen. Hätten Sie etwas dagegen, wenn wir ihn uns demnächst zusammen ansehen?«

»Ich habe die Kassette«, sage ich, »ich habe sie noch nicht in die Bibliothek zurückgebracht.«

»Dieses Wochenende vielleicht?« fragt Kakuro.

»Haben Sie einen Videorecorder?«

»Ja«, sagt er und lächelt.

»Also gut, einverstanden«, sage ich. »Aber ich schlage Ihnen folgendes vor: Am Sonntag sehen wir uns den Film zur Teezeit an, und ich bringe das Gebäck.«

»Abgemacht«, antwortet Kakuro.

Und der Abend schreitet voran, während wir immer noch reden, ohne uns um Zusammenhänge oder die Zeit zu kümmern, und dabei endlos und genußvoll einen Kräutertee mit einem seltsamen Algengeschmack schlürfen.

Wie vorauszusehen, zieht es mich erneut zu der schneeweißen Brille und dem sonnengelben Teppich. Ich entscheide mich für den Knopf mit einer einzigen Lotusblume – aus Schaden wird man klug – und ertrage den Ansturm des *Confutatis* mit der Abgeklärtheit der Eingeweihten. Das Verwirrende und gleichzeitig Wunderbare an Kakuro Ozu ist, daß er eine jugendliche Begeisterung und Unbefangenheit mit der Aufmerksamkeit und dem Wohlwollen eines großen Weisen in sich vereint. Ich bin eine solche Beziehung zur Welt nicht gewohnt; mir scheint, er betrachte sie mit Nachsicht und Neugierde, während die anderen Menschen aus meinem Bekanntenkreis ihr mit Mißtrauen und Freundlichkeit (Manuela), mit Naivität und Freundlichkeit (Olympe) oder mit Arroganz und Grausamkeit (der Rest der Welt) begegnen. Die Mischung aus Appetit, Klarsicht und Großmut bildet einen ganz neuen und köstlichen Cocktail.

Und dann fällt mein Blick auf meine Armbanduhr.

Es ist drei Uhr.

Ich springe auf.

»Mein Gott«, sage ich, »haben Sie gesehen, wie spät es ist?«

Er schaut auf seine eigene Uhr und dann besorgt zu mir hoch.

»Ich habe vergessen, daß Sie morgen früh arbeiten. Ich bin im Ruhestand, ich brauche mich nicht mehr darum zu kümmern. Wird es gehen?«

»Ja, natürlich«, sage ich, »aber ein bißchen schlafen muß ich schon.«

Ich verschweige die Tatsache, daß ich, trotz meines fortgeschrittenen Alters und obschon doch die Alten bekanntlich wenig schlafen, mindestens acht Stunden lang Kopfkissenkontakt brauche, um der Welt mit einigem Urteilsvermögen gegenüberzutreten.

»Bis Sonntag«, sagt Kakuro auf der Türschwelle seiner Wohnung.

»Vielen Dank«, sage ich, »ich habe einen wundervollen Abend verbracht, ich bin Ihnen sehr dankbar dafür.«

»Es ist an mir, Ihnen zu danken«, sagt er, »ich habe schon lange nicht mehr so gelacht und auch keine so angenehme Unterhaltung mehr geführt. Soll ich Sie begleiten?«

»Nein, danke«, sage ich, »das ist unnötig.«

Es gibt immer einen potentiellen Pallières, der sich im Treppenhaus herumtreibt.

»Also bis Sonntag«, sage ich, »oder vielleicht begegnen wir uns schon vorher.«

»Vielen Dank, Renée«, sagt er mit einem sehr breiten, jugendlichen Lächeln.

Als ich meine eigene Wohnungstür hinter mir zumache und mich dagegenlehne, entdecke ich Leo, der im Sessel vor dem Fernseher schnarcht wie ein Sägewerk, und ich stelle das Undenkbare fest: Zum ersten Mal in meinem Leben habe ich einen Freund gewonnen.

16

Und dann

Und dann, Sommerregen.

17

Ein neues Herz

Ich erinnere mich an jenen Sommerregen.

Tag für Tag durchschreiten wir unser Leben, wie man einen Flur durchschreitet.

An die Lunge für die Katze denken … haben Sie meinen Roller gesehen, man hat ihn mir schon zum dritten Mal gestohlen … es regnet so stark, man könnte meinen, es sei Nacht … es reicht gerade noch, die Vorstellung beginnt um ein Uhr … möchtest du deine Jacke ausziehen … eine Tasse bitteren Tee … Nachmittagsstille … vielleicht sind wir krank vom Überfluß … all diese Minibäume zu gießen … diese naiven Geschöpfe, die einen liederlichen Lebenswandel führen … schau doch, es schneit … jene Blumen, wie heißen sie … armes Schätzchen, sie machte überall Pipi … es wird jetzt so schnell Nacht … warum riecht man die Abfälle bis in den Hof hinaus … wissen Sie, alles kommt zur rechten Zeit … nein, ich kannte sie nicht besonders, sie waren eine Familie wie die andern hier … man könnte meinen, ein Pudding aus Azukibohnen … mein Sohn sagt, die Ch*ünö*sen seien unnachgiebig … wie heißen seine Katzen … könnten Sie die Pakete der Reinigung entgegennehmen … all diese Weihnachten, diese Lieder, diese Einkäufe, wie anstrengend … um eine Nuß zu essen, muß man ein Tischtuch auflegen … seine Nase läuft, na, so was … es ist noch nicht einmal zehn Uhr und es ist schon heiß ... ich schneide rohe Champignons ganz klein und wir essen unsere Brühe mit den Champignons drin ... sie läßt ihre schmutzigen Höschen unter dem Bett herumliegen ... man müßte die Wand neu tapezieren ...

Und dann, Sommerregen ...

Wissen Sie, was das ist, ein Sommerregen?

Ein Sommerregen, das ist zunächst die reine Schönheit, die den Sommerhimmel aufreißt; diese respektvolle Angst, die das Herz erfaßt; sich so lächerlich zu fühlen inmitten des Erhabenen, so zerbrechlich und so erfüllt von der Majestät der Dinge, sprachlos, gebannt, hingerissen von der großen Freigebigkeit der Welt.

Ein Sommerregen, das ist wie einen Flur zu durchschreiten und plötzlich in ein lichtdurchflutetes Zimmer zu gelangen. Andere Dimension, eben entstandene Gewißheiten. Der Körper ist keine Hülle mehr, der Geist weilt in den Wolken, sein ist die Macht des Wassers, glückliche Tage kündigen sich an, in einer neuen Geburt.

Und dann, wie die Tränen, die, wenn sie rund, stark und authentisch sind, bisweilen einen langen, von Zwietracht gewaschenen Strand hinter sich lassen, ist der Regen im Sommer, wenn er den unbewegten Staub fortspült, für die Seelen der Menschen wie ein endloser Atemzug.

So sind gewisse Sommerregen in uns verankert wie ein neues Herz, das im Gleichklang mit dem anderen schlägt.

18

Süße Schlaflosigkeit

Nach zwei Stunden süßer Schlaflosigkeit schlummere ich friedlich ein.

Tiefgründiger Gedanke Nr. 13

Wer glaubt
Man könne Honig machen
Ohne das Schicksal der Bienen zu teilen?

Jeden Tag sage ich mir, daß meine Schwester nicht tiefer im Sumpf der Erbärmlichkeit versinken könne, und jeden Tag bin ich überrascht zu sehen, daß sie es tut.

Heute nachmittag nach der Schule war niemand zu Hause. Ich habe mir in der Küche Nußschokolade geholt und bin in den Salon gegangen, um sie zu essen. Ich hatte es mir auf dem Sofa bequem gemacht, knabberte an meiner Schokolade und dachte dabei über den nächsten tiefgründigen Gedanken nach. Es sollte ein tiefgründiger Gedanke über die Schokolade sein oder vielmehr über die Art, wie man sie ißt, mit einer zentralen Frage: Was ist an der Schokolade gut? Die Substanz selbst oder die Technik des Zahns, der sie zerbeißt?

Aber so interessant ich das auch finden mochte, ich hatte nicht mit meiner Schwester gerechnet, die früher als vorgesehen nach Hause kam und sich umgehend daranmachte, mir das Leben zu vergällen, indem sie über Italien redete. Seit sie mit Tibères Eltern in Venedig war (im Danieli), redet Colombe von nichts anderem mehr. Zu allem Unglück waren sie am Samstag zum Essen bei Freunden der Grinpards, die in der Toskana ein großes Landgut besitzen. Colombe schmilzt schon dahin, wenn sie nur »Toskaana« sagt, und Mama schmilzt mit.

Lassen Sie es sich gesagt sein: Die Toskana ist keine uralte Region. Sie existiert nur, um Leuten wie Colombe, Mama oder den Grinpards den Kick des Besitzes zu verschaffen. Die »Toskaana« gehört ihnen, genauso wie sie die Kultur, die Kunst und die Kulinarik gepachtet haben.

Was die Toskana betrifft, so bin ich also schon in den Genuß der ewigen Leier über die Esel, das Olivenöl, das Licht bei Sonnenuntergang, die Dolce vita und die ganzen üblichen Klischees gekommen. Doch da ich mich jedesmal unauffällig verdrückt habe, konnte Colombe ihre Lieblingsgeschichte noch nicht an mir ausprobieren. Das hat sie nachgeholt, als sie mich auf dem Sofa entdeckte, und sie hat mir meine Degustation und meinen nächsten tiefgründigen Gedanken gründlich verdorben.

Auf dem Gut der Freunde von Tibères Eltern gibt es Bienenstöcke, und zwar genug, um einen Doppelzentner Honig pro Jahr zu produzieren. Die Toskaner haben einen Bienenzüchter angestellt, der die ganze Arbeit macht, damit sie Honig mit dem Gütesiegel »Tenuta Flibaggi« vermarkten können. Es geht natürlich nicht ums Geld. Doch der Honig »Tenuta Flibaggi« gilt als einer der besten der Welt, und das trägt zum Prestige der Besitzer bei (die im Ruhestand sind), denn er wird in großen Restaurants von großen Köchen verwendet, die viel Getue darum machen ... Colombe, Tibère und Tibères Eltern nahmen an einer Honigdegustation teil, wie man es mit dem Wein macht, und Colombe ist nicht zu bremsen, wenn es um den Unterschied zwischen einem Thymianhonig und einem Rosmarinhonig geht. Warum nicht, wenn es ihr Spaß macht. Bis zu diesem Punkt der Geschichte hörte ich ihr zerstreut zu und dachte an mein ›In-die-Schokolade-Beißen‹, und ich dachte mir, daß ich noch billig davonkäme, wenn es dabei bleiben würde.

Mit Colombe sollte man sich nie solchen Hoffnungen hingeben. Plötzlich hat sie ihre garstige Miene aufgesetzt und begonnen, mir von den Sitten der Bienen zu erzählen. Man hat ihnen offenbar einen kompletten Einführungskurs angedeihen lassen, und die Passage über die Hochzeitsriten der Königinnen und der Drohnen hatte es Colombes gestörtem kleinen Geist besonders angetan. Die unglaubliche Organisation des Bienenstocks hingegen hat sie nicht sonderlich beeindruckt, während ich finde, daß das doch äußerst spannend ist, vor allem, wenn man bedenkt, daß diese Insekten eine kodierte Sprache haben, die die Definitionen der verbalen Intelligenz als etwas spezifisch Menschliches relativieren. Doch das interessiert Colombe nicht im geringsten, obwohl sie keinen Lehrabschluß in Klempnerei anstrebt, sondern einen Master in Philosophie vorbereitet. Die Sexualität der kleinen Tierchen hingegen bringt sie in Wallung.

Ich fasse kurz zusammen: Wenn die Bienenkönigin bereit ist, setzt sie zu ihrem Hochzeitsflug an, verfolgt von einem Schwarm Drohnen. Die erste Drohne, die sie erreicht, begattet sie und stirbt danach, weil ihr Geschlechtsorgan nach dem Akt im Leib der Biene steckenbleibt. Sie verliert es also und stirbt daran. Die zweite Drohne, die die Königin erreicht, muß mit den Beinen das Geschlechtsorgan der Vorgängerin entfernen, um sie zu begatten, und natürlich ereilt sie das gleiche Schicksal, und das geht so weiter mit zehn bis fünfzehn Drohnen, die die Samentasche der Königin füllen und ihr erlauben, während vier oder fünf Jahren zweihunderttausend Eier pro Jahr zu legen.

Das alles erzählt mir Colombe, während sie mich mit ihrer galligen Miene anschaut und den Bericht mit schlüpfrigen Kommentaren ausschmückt, im Stil: »Sie darf nur ein einziges Mal, und darum vernascht sie gleich fünfzehn!« Wenn ich Tibère wäre, sähe ich es nicht gern, daß meine Freundin diese Geschichte allen erzählt. Man kann ja fast nicht anders, als ein bißchen billige Psychologie zu betreiben: Wenn ein erregtes Mädchen erzählt, daß ein Weibchen fünfzehn Männchen braucht, um zufrieden zu sein, und daß es sie zum Dank kastriert und tötet, dann wirft das zwangsläufig Fragen auf. Colombe ist überzeugt, daß sie das als ein befreites-nicht-verklemmtes-Mädchen-das-ganz-natürlich-an-die-Sexualität-herangeht ausweist. Colombe vergißt nur, daß sie mir diese Geschichte bloß erzählt, um mich zu schockieren, und daß die Geschichte zudem einen Inhalt hat, der nicht harmlos ist. Erstens ist die Sexualität für jemanden wie mich, der denkt, daß der Mensch ein Tier ist, kein anstößiges Thema, sondern eine wissenschaftliche Angelegenheit. Ich finde das spannend. Und zweitens möchte ich alle daran erinnern, daß Colombe sich dreimal pro Tag die Hände wäscht und beim geringsten Verdacht auf ein unsichtbares Haar in der Dusche (sichtbare Haare sind unwahrscheinlicher) loskreischt. Ich weiß nicht warum, aber ich finde, das paßt sehr gut zu der Sexualität der Königinnen.

Aber vor allem ist es verrückt, wie die Menschen die Natur interpretieren und meinen, sie können ihr entkommen. Wenn Colombe die Geschichte auf diese Weise erzählt, dann darum, weil sie glaubt, das betreffe sie nicht. Wenn sie sich über die dramatischen Liebesspiele der Drohne lustig macht, dann darum, weil sie überzeugt ist, daß sie ihr Schicksal nicht teilt. Doch ich sehe nichts Schockierendes oder Anstößiges im Hochzeitsflug der Königinnen und im Schicksal der Drohnen, weil ich mich all diesen Tieren zutiefst verwandt fühle, auch wenn meine Lebensgewohnheiten anders sind. Leben, sich ernähren, sich fortpflanzen, die Aufgabe erfüllen, für die man geboren wurde: darin steckt keinerlei Sinn, das stimmt, aber so stehen die Dinge nun einmal. Diese Arroganz der Menschen, zu glauben, sie können die Natur bezwingen oder dem Schicksal entfliehen, das allen kleinen biologischen Dingen bestimmt ist … und diese Verblendung in bezug auf die Grausamkeit und Gewalttätigkeit ihrer eigenen Art und Weise zu leben, zu lieben, sich fortzupflanzen und mit ihren Mitmenschen Krieg zu führen …

Ich für meinen Teil glaube, daß wir nur eines tun können: Die Aufgabe finden, für die wir geboren worden sind, und sie so gut wie möglich erfüllen, mit aller Kraft, ohne die Dinge unnötig zu komplizieren und ohne zu meinen, in unserer animalischen Natur liege etwas Göttliches. Nur so werden wir das Gefühl haben, etwas Konstruktives zu tun, wenn der Tod uns holt. Die Freiheit, die Entscheidung, der Wille: Das sind alles Hirngespinste. Wir meinen, wir können Honig machen, ohne das Schicksal der Bienen zu teilen; doch auch wir sind nur arme Bienen, dazu bestimmt, unsere Aufgabe zu erfüllen und dann zu sterben.

Paloma

1

Geschärft

Am gleichen Morgen klingelt man um sieben Uhr an meiner Loge.

Ich brauche einen Moment, bis ich aus der Leere auftauche. Zwei Stunden Schlaf stimmen einen nicht sonderlich geneigt dem menschlichen Geschlecht gegenüber, und die zahlreichen Klingeltöne, die aufeinanderfolgen, während ich Kleid und Pantoffeln anziehe und mit einer Hand durch die seltsam luftigen Haare fahre, regen meine Nächstenliebe nicht eben an.

Ich öffne die Türe und stehe Colombe Josse gegenüber.

»Nanu«, sagt sie zu mir, »sind Sie in die Wäschetrommel geraten?«

Ich traue meinen Ohren nicht.

»Es ist sieben Uhr«, sage ich.

Sie schaut mich an.

»Ja«, sagt sie, »ich weiß.«

»Die Loge öffnet um acht Uhr«, erkläre ich mit ungeheurer Selbstüberwindung.

»Wie das, um acht Uhr?«, fragt sie schockiert. »Gibt es denn Öffnungszeiten?«

Nein, die Loge der Concierge ist ein geschütztes Allerheiligstes, das weder den sozialen Fortschritt noch die Lohngesetze kennt.

»Ja«, sage ich, unfähig, ein weiteres Wort hervorzubringen.

»Ah«, sagt sie träge. »Nun, wo ich schon einmal hier bin ...«

»... werden Sie später wiederkommen«, sage ich und mache ihr die Tür vor der Nase zu und gehe zum Teekessel.

Hinter der Scheibe höre ich sie ausrufen: »Also, das ist doch der Gipfel!«, bevor sie entrüstet kehrtmacht und wütend den Knopf des Aufzugs bearbeitet.

Colombe Josse ist die ältere Tochter der Josses. Colombe Josse ist auch eine Art großer blonder Lauchstengel, die sich wie eine abgebrannte Bohemienne kleidet. Wenn ich etwas verabscheue, dann ist es diese Perversion der Reichen, sich wie Arme zu kleiden, mit Secondhandklamotten, die zipfeln, grauen Wollmützen, Clochardschuhen und geblümten Hemden unter ausgeleierten Pullovern. Es ist nicht nur häßlich, es ist auch beleidigend; nichts ist verachtenswürdiger als die Verachtung der Reichen für das Begehren der Armen.

Unglücklicherweise ist Colombe Josse auch eine glänzende Studentin. Diesen Herbst ist sie in die Normale sup* eingetreten, Fachrichtung Philosophie.

Ich mache mir Tee und Zwieback mit Mirabellenmarmellade und versuche, das Zittern der Wut zu unterdrücken, das meine Hand erfaßt hat, während sich unter meiner Schädeldecke ein heimtückisches Kopfweh breitmacht. Erregt nehme ich eine Dusche, ziehe mich an, versorge Leo mit widerlichem Futter (Schweinskopfpastete und die Reste einer schlaffen Speckschwarte), gehe in den Hof hinaus, stelle den Müll hinaus, lasse Neptun aus dem Müllraum hinaus, und um acht Uhr, müde von all diesem Hinaus, kehre ich in meine Küche zurück, kein bißchen beruhigt.

* Elitehochschule zur Ausbildung von Lehrern an höheren Schulen.

In der Familie Josse gibt es auch die jüngere Tochter, Paloma, die so diskret und diaphan ist, daß mir fast scheint, ich sehe sie nie, obschon sie jeden Tag zur Schule geht. Nun ist es aber gerade sie, die mir Colombe um Schlag acht als Emissärin entsendet.

Welch feiges Manöver.

Das arme Kind (wie alt ist sie? elf? zwölf?) steht stocksteif auf meiner Fußmatte. Ich atme tief durch – nur nicht auf den Unschuldigen übertragen, was der Böse verursacht hat – und versuche ungezwungen zu lächeln.

»Guten Morgen, Paloma«, sage ich.

Sie knetet abwartend den Saum ihrer rosa Strickjacke.

»Guten Morgen«, sagt sie mit dünner Stimme.

Ich sehe sie aufmerksam an. Wie konnte mir das entgehen? Gewisse Kinder haben die schwierige Gabe, die Erwachsenen erstarren zu lassen. Nichts in ihrem Benehmen entspricht den Normen ihres Alters. Sie sind zu gesetzt, zu ernst, und gleichzeitig schrecklich geschärft. Ja, geschärft. Während ich Paloma mit größerer Wachsamkeit betrachte, entdecke ich eine schneidende Schärfe, einen eisigen Scharfblick, den ich nur für Zurückhaltung hielt, sage ich mir, weil es mir unmöglich war, mir vorzustellen, daß die triviale Colombe einen Richter der Menschheit zur Schwester haben könnte.

»Meine Schwester Colombe schickt mich, um Ihnen zu sagen, daß man einen Umschlag für sie abliefern wird, der für sie von großer Bedeutung ist«, sagt Paloma.

»Sehr gut«, sage ich, wobei ich darauf achte, keinen zuckersüßen Ton anzuschlagen, wie die Erwachsenen es tun, wenn sie mit Kindern reden, was schließlich ein ebenso deutliches Zeichen der Verachtung ist wie die Armeleutekleider der Reichen.

»Sie läßt fragen, ob Sie ihn ihr in die Wohnung bringen können.«

»Ja«, sage ich.

»Abgemacht«, sagt Paloma.

Und sie bleibt stehen.

Sehr interessant.

Sie bleibt stehen und schaut mich ruhig, regungslos an, die Arme seitlich am Köper, den Mund leicht offen. Sie hat dünne Zöpfe, eine Brille mit rosa Gestell und große, helle Augen.

»Kann ich dir eine Schokolade anbieten?«, frage ich, da mir sonst nichts einfällt.

Sie nickt zögernd, immer noch gleich unerschütterlich.

»Komm herein«, sage ich, »ich war gerade dabei, Tee zu trinken.«

Und ich lasse die Tür zur Loge offen, um allen Anschuldigungen wegen Kindsraub zuvorzukommen.

»Ich mag auch lieber Tee, macht es Ihnen etwas aus?«, fragt sie.

»Nein, natürlich nicht«, antworte ich etwas überrascht, während ich im Geist feststelle, daß es langsam eine Anhäufung von gewissen Daten gibt: Richter der Menschheit, hübsche Redewendungen, möchte Tee.

Sie setzt sich auf einen Stuhl und baumelt mit den Füßen im Leeren und schaut mir zu, während ich ihr Jasmintee einschenke. Ich stelle ihn vor sie hin und setze mich vor meine eigene Tasse.

»Ich bringe es fertig, mich von meiner Schwester jeden Tag als Schwachsinnige behandeln zu lassen«, erklärt sie mir nach einem langen Schluck, der sie als Kennerin ausweist. »Meine Schwester, die mit ihren Freunden ganze Abende lang raucht und trinkt und redet wie die Jungen aus den Vorstädten, weil sie meint, ihre Intelligenz sei über jeden Zweifel erhaben.«

Das paßt bestens zu der Obdachlosenmode.

»Ich bin hier als Emissärin, weil sie ein Feigling und

obendrein ein Angsthase ist«, fährt Paloma fort, wobei sie mich immer noch mit ihren großen, klaren Augen unverwandt anschaut.

»Na ja, das hat uns immerhin die Gelegenheit verschafft, uns kennenzulernen«, sage ich höflich.

»Darf ich wiederkommen?«, fragt sie, und es liegt etwas Bittendes in ihrer Stimme.

»Natürlich«, antworte ich, »du bist willkommen. Aber ich fürchte, du wirst dich langweilen, hier gibt es nicht viel zu machen.«

»Ich möchte nur meine Ruhe haben«, erwidert sie mir.

»Kannst du in deinem Zimmer denn nicht deine Ruhe haben?«

»Nein«, sagt sie, »ich habe keine Ruhe, wenn alle wissen, wo ich bin. Bislang habe ich mich versteckt. Aber jetzt sind all meine Verstecke aufgeflogen.«

»Weißt du, ich werde auch ständig gestört. Ich weiß nicht, ob du hier in Ruhe denken kannst.«

»Ich kann dort bleiben«, sie zeigt auf den Sessel vor dem laufenden Fernseher, dessen Ton gedämpft ist. »Die Leute kommen, um Sie zu sehen, sie werden mich nicht stören.«

»Mir soll es recht sein«, sage ich, »aber du mußt zuerst deine Mama fragen, ob sie einverstanden ist.«

Manuela, die ihren Dienst um halb neun Uhr aufnimmt, streckt den Kopf durch die offene Tür. Sie schickt sich an, etwas zu mir zu sagen, als sie Paloma und ihre Tasse dampfenden Tee entdeckt.

»Kommen Sie herein«, sage ich zu ihr, »wir sind eben dabei, etwas zu trinken und zu plaudern.«

Manuela krümmt eine Augenbraue, was, mindestens auf portugiesisch, bedeutet: Was macht sie hier? Ich zucke kaum merklich die Schultern. Sie kneift ratlos die Lippen zusammen.

»Und?« fragt sie mich trotzdem, unfähig zu warten.

»Kommen Sie später wieder?«, frage ich mit einem breiten Lächeln.

»Ah«, sagt sie, als sie mein Lächeln sieht, »sehr gut, sehr gut, ja, ich komme wieder, wie gewohnt.«

Dann schaut sie Paloma an und sagt:

»Gut, ich komme später wieder.«

Und höflich:

»Auf Wiedersehen, Mademoiselle.«

»Auf Wiedersehen«, sagt Paloma und deutet ihr erstes Lächeln an, ein armseliges, zu wenig geübtes kleines Lächeln, das mir das Herz zerreißt.

»Jetzt mußt du aber wieder nach Hause gehen«, sage ich. »Deine Familie wird sich Sorgen machen.«

Sie steht auf und geht schlurfend zur Tür.

»Es ist offenkundig«, sagt sie zu mir, »daß Sie sehr intelligent sind.«

Und da ich vor Verblüffung nichts sage:

»Sie haben das gute Versteck gefunden.«

2

Dieses Unsichtbare

Der Umschlag, den ein Bote für Ihre Majestät Colombe von Lumpenpack in meiner Loge abgibt, ist offen.

Regelrecht offen, ohne je zugeklebt worden zu sein. Die Klappe ist immer noch mit dem weißen Schutzstreifen versehen, und der Umschlag gähnt wie ein alter Schuh und enthüllt ein Bündel Blätter, die von einer Spirale zusammengehalten werden.

Warum hat man sich nicht die Mühe gemacht, ihn zu verschließen?, frage ich mich, wobei ich die Hypothese, daß man der Redlichkeit der Boten und der Concierge vertraut habe, verwerfe und eher vermute, daß man annimmt, der Inhalt des Umschlags interessiere diese nicht.

Ich schwöre bei allen Göttern, daß es das erste Mal ist, und ich bitte inständig, man möge die Sachlage berücksichtigen (kurze Nacht, Sommerregen, Paloma usw.).

Ich ziehe das Bündel vorsichtig aus seinem Umschlag.

Colombe Josse, *Der Begriff de potentia dei absoluta*, Masterarbeit unter der Leitung von Professor Marian, Universität Paris I — Sorbonne.

Auf die Umschlagseite ist mit einer Büroklammer eine Karte geheftet:

Liebe Colombe Josse,
Sie finden beiliegend meine Anmerkungen. Vielen Dank für den Boten.
Wir sehen uns morgen im Saulchoir.
Herzlich,
J. Marian

Es handelt sich um mittelalterliche Philosophie, wie ich aus der Einführung erfahre. Es ist sogar eine Arbeit über Wilhelm von Ockham, Franziskanermönch, Philosoph und Logiker aus dem 14. Jahrhundert. Was das Saulchoir anbelangt, so handelt es sich um eine Bibliothek der »religiösen und philosophischen Wissenschaften«, die sich im 13. Arrondissement befindet und von Dominikanern geführt wird. Sie besitzt einen wichtigen Bestand an mittelalterlicher Literatur, und ich gehe jede Wette ein, daß sich darunter eine fünfzehnbändige Ausgabe der gesammelten Werke von Wilhelm von Ockham in Lateinisch befindet. Warum ich das weiß? Nun, ich bin vor ein paar Jahren einmal hingegangen. Weshalb? Einfach so. Ich hatte auf einem Stadtplan von Paris diese Bibliothek entdeckt, die allen offenzustehen schien, und hatte mich als Sammlerin dorthin begeben. Ich war durch die Gänge der Bibliothek gewandelt, die eher spärlich und ausschließlich von sehr schulmeisterlichen alten Herren oder dünkelhaften Studenten bevölkert waren. Ich bin immer wieder fasziniert von der Selbstverleugnung, mit der wir Menschen fähig sind, eine beträchtliche Energie der Suche nach dem Nichts und dem Wälzen von nutzlosen und absurden Gedanken zu opfern. Ich hatte mit einem jungen Doktoranden diskutiert, der eine Arbeit über griechische Patristik schrieb, und mich gefragt, wie sich so viel Jugend im Dienste des Nichts ruinieren konnte. Wenn man die Tatsache bedenkt, daß das, was den Primaten vor allem beschäftigt, Sex, das Territorium und die Hierarchie sind, scheint eine Betrachtung über den Sinn des Gebets bei Augustinus von Hippo relativ belanglos. Freilich, man wird geltend machen, daß der Mensch nach einem Sinn strebt, der über die Triebe hinausgeht. Aber ich halte dem entgegen, daß das sehr wahr (was fangen wir sonst mit der Literatur an?) und gleichzeitig sehr falsch ist: Die Sinnsuche hat ebenfalls mit einem Trieb zu tun, und es handelt sich dabei sogar um den Trieb, der im höchsten Maß Erfüllung findet, bedient er sich doch des leistungsfähigsten Mittels, des Begriffsvermögens, um ans Ziel zu gelangen. Denn diese Suche nach Sinn und Schönheit ist nicht etwa das Zeichen für ein stolzes Wesen des Menschen, der, indem er seiner Animalität entflieht, in den Erkenntnissen des Geistes die Rechtfertigung seines Seins finden würde: Sie ist eine geschärfte Waffe im Dienste eines materiellen und trivialen Ziels. Und wenn die Waffe sich selbst zum Gegenstand nimmt, ist das eine simple Folge jener spezifischen Verbindung von Neuronen, die uns von den anderen Tieren unterscheidet und die, indem sie uns durch dieses wirkungsvolle Mittel, die Intelligenz, zu überleben erlaubt, uns auch die Komplexität ohne Grundlage, das Denken ohne Nutzen und die Schönheit ohne Funktion ermöglicht. Es ist wie ein *Bug*, eine Folge ohne Folge der Subtilität unserer Großhirnrinde, eine überflüssige Devianz, die ohne jeden Gewinn alle verfügbaren Mittel einsetzt.

Doch selbst wenn die Suche nicht solcherart abschweift, ist sie noch immer eine Notwendigkeit, die nicht von der Animalität abweicht. Die Literatur zum Beispiel hat eine pragmatische Funktion. Wie jede Form der Kunst hat sie die Aufgabe, die Erfüllung unserer lebenswichtigen Pflichten erträglich zu machen. Für ein Lebewesen, das, wie der Mensch, sein Schicksal kraft der Reflexion und der

Reflexivität gestaltet, hat das daraus resultierende Wissen den unerträglichen Charakter aller nackten Hellsicht. Wir wissen, daß wir mit einer Überlebenswaffe ausgestattete Tiere sind und keine Götter, die die Welt durch ihr eigenes Denken gestalten, und etwas muß uns diese Scharfsichtigkeit schließlich erträglich machen, etwas, was uns vom traurigen, ewigen Fieber des biologischen Schicksals errettet.

Und so erfinden wir die Kunst, jene andere Strategie der Tiere, die wir sind, um das Überleben unserer Gattung sicherzustellen.

Die Wahrheit liebt nichts so sehr wie die Schlichtheit der Wahrheit, so lautet die Lehre, die Colombe Josse aus ihren mittelalterlichen Lektüren hätte ziehen sollen. Ein konzeptueller Schnickschnack im Dienste des Nichts ist jedoch der einzige Gewinn, den sie von der ganzen Geschichte zu haben scheint. Es ist eine dieser nutzlosen Schleifen, und es ist auch eine schamlose Verschwendung von Ressourcen, einschließlich des Boten und meiner selbst.

Ich überfliege die kaum mit Anmerkungen versehenen Seiten von dem, was vermutlich eine Endfassung ist, und bin bestürzt. Man mag der jungen Dame eine Feder zugestehen, die gar nicht so übel ist, wenn auch noch etwas unreif. Aber daß die Mittelschicht sich abschuftet, um mit ihrem Schweiß und ihren Steuern eine so unnütze und prätentiöse Arbeit zu finanzieren, das verschlägt mir die Sprache. Sekretärinnen, Handwerker, Angestellte, kleine Beamten, Taxichauffeure und Conciergen sind mit einem öden, grauen Alltag geschlagen, damit die Blüte der französischen Jugend, gebührend untergebracht und entlohnt, die ganze Frucht dieser Öde auf dem Altar lächerlicher Arbeiten verschwenden kann.

Dabei ist es a priori überaus spannend: *Gibt es Univer-*

salien oder nur Einzeldinge? ist, wenn ich recht verstehe, die Frage, der Wilhelm den wichtigsten Teil seines Lebens gewidmet hat. Ich finde das eine faszinierende Fragestellung: Ist jedes Ding eine individuelle Entität – und, wenn ja, ist die Ähnlichkeit zwischen bestimmten Dingen nur eine Illusion oder eine Äußerung der Sprache, die mit Wörtern und Begriffen operiert, mit allgemeinen Bezeichnungen, die mehrere einzelne Dinge umfassen –, oder *gibt es wirklich* allgemeine Formen, die die einzelnen Dinge enthalten und nicht nur Gebilde der Sprache sind? Wenn wir sagen: ein Tisch, wenn wir das Wort Tisch aussprechen, wenn wir den Begriff Tisch bilden, bezeichnen wir dann immer nur diesen einen Tisch, oder verweisen wir *wirklich* auf eine universelle Entität Tisch, die die Realität aller existierenden einzelnen Tische begründet? Ist die *Vorstellung* von einem Tisch real oder gehört sie nur unserem Geist an? Wenn dem so ist, warum sind bestimmte Gegenstände ähnlich? Ist es die Sprache, die sie künstlich und um der Bequemlichkeit des menschlichen Verständnisses willen in allgemeine Kategorien zusammenfaßt, oder gibt es eine universelle Form, in der jede einzelne Form enthalten ist?

Für Wilhelm sind die Dinge einzigartig, der Realismus der Universalien irrig. Es gibt nur besondere Realitäten, das Allgemeine kommt einzig im Geist vor, und von der Existenz generischer Realitäten auszugehen bedeutet, Einfaches kompliziert zu machen. Aber sind wir dessen so sicher? Welche Übereinstimmung besteht zwischen einem Raffael und einem Vermeer?, fragte ich mich noch gestern abend. Das Auge erkennt darin eine gemeinsame Form, in der beide enthalten sind, nämlich die Form der Schönheit. Und ich für meinen Teil glaube, daß in dieser Form Realität enthalten sein muß, daß sie nicht einfach ein Behelf des menschlichen Geistes ist, der einordnet, um zu verstehen, der unterscheidet, um zu erfassen: Denn man kann nichts einordnen, was sich nicht dazu eignet, nichts zusammenfassen, was nicht zusammenfaßbar ist, nichts verknüpfen, was nicht verknüpfbar ist. Nie wird ein Tisch die ›Ansicht von Delft‹ sein: Der menschliche Geist kann diese Unterschiedlichkeit nicht bilden, wie er auch nicht die Macht hat, die tiefe Verbundenheit zu erzeugen, die ein holländisches Stilleben und eine italienische Jungfrau mit Kind knüpft. So, wie jeder Tisch in einer Wesenheit enthalten ist, die ihm seine Form verleiht, ist auch jedes Kunstwerk in einer universellen Form enthalten, die allein ihm den Stempel der Kunst aufzudrücken vermag. Gewiß, wir erkennen diese Universalität nicht direkt: Das ist einer der Gründe, weshalb so viele Philosophen sich gesträubt haben, die Wesenheiten als real zu betrachten, denn wir sehen immer nur diesen einen Tisch und nicht die universelle Form »Tisch«, nur dieses besondere Bild und nicht die eigentliche Wesenheit des Schönen. Und doch … und doch ist sie da, vor unseren Augen: Jedes Bild eines holländischen Meisters ist eine Verkörperung davon, eine kurz aufblitzende Erscheinung, die, wenn wir sie auch nur über das Einzelne betrachten können, uns dennoch Zugang zur Ewigkeit verschafft, zur Zeitlosigkeit einer erhabenen Form.

Die Ewigkeit, dieses Unsichtbare, das wir betrachten.

3

Der gerechte Kreuzzug

Meinen Sie vielleicht, das alles interessiere unsere Anwärterin auf den intellektuellen Ruhm?

Ach woher.

Colombe Josse, die für die Schönheit oder für das Schicksal der Tische keinerlei echte Achtung aufbringt, versteift sich darauf, im Laufe belangsloser semantischer Koketterien Ockhams theologisches Gedankengut zu erforschen. Das Bemerkenswerteste ist die Absicht, die hinter dem Unternehmen steckt: Ockhams philosophische Thesen sollen nur als eine *Folge* seiner Auffassung von Gottes Wirken dargestellt werden, womit die Jahre seiner philosophischen Arbeit zu nebensächlichen Auswüchsen seines theologischen Denkens herabgewürdigt werden. Das ist galaktisch, berauschend wie ein schlechter Wein, und vor allem sehr aufschlußreich in Bezug auf die Funktionsweise der Universität: Wenn du Karriere machen willst, nimm einen abseitigen und exotischen Text (die ›Summa Logicae‹ von Wilhelm von Ockham), der noch wenig erforscht ist, verhöhne seinen eigentlichen Sinn, indem du darin eine Absicht suchst, die der Autor selbst nicht erkannt hatte (denn bekanntlich ist das Unbewußte viel mächtiger als all die bewußten Absichten), verzerre ihn, bis er einer originellen These gleicht (*Die Macht Gottes ist absolut*, eine These, die eine logische Analyse begründet, deren philosophischer Gegenstand übergangen wird), verbrenne, indem du das tust, alle Ikonen (den Atheismus, den Glauben an die Vernunft gegen die Vernunft des Glaubens, die Liebe zur Weisheit und andere den Sozialisten teure Lappalien), widme diesem kleinen unwürdigen Spiel ein Jahr deines Lebens, und zwar auf Kosten der Allgemeinheit, die du um sieben Uhr früh weckst, und schicke einen Boten zu deinem Studienleiter.

Wozu dient die Intelligenz, wenn nicht dazu, zu dienen? Ich spreche nicht von jener falschen Dienstbarkeit, die den hohen Staatsbeamten eigen ist und die diese als Tugendbeweis stolz zur Schau tragen: Das ist eine rein äußere Demut und nichts als Eitelkeit und Verachtung. Étienne de Broglie, der sich jeden Morgen mit der ostentativen Bescheidenheit des großen Dienenden schmückt, hat mich schon lange vom Hochmut seiner Kaste überzeugt. Die Privilegien sind indes mit *echten* Pflichten verbunden. Dem kleinen geschlossenen Kreis der Elite anzugehören bedeutet, dienen zu müssen entsprechend dem Ruhm und der Unbeschwertheit der materiellen Existenz, die man als Preis für diese Zugehörigkeit erntet. Bin ich wie Colombe Josse eine junge Studentin, der die Zukunft offensteht? Dann muß ich mich mit dem Fortschritt der Menschheit beschäftigen, mit der Lösung von entscheidenden Problemen in bezug auf das Überleben, den Wohlstand oder die Erhebung des Menschengeschlechts, mit dem Los der Schönheit in der Welt oder mit dem gerechten Kreuzzug für die philosophische Authentizität. Das ist kein heiliges Amt, es besteht die Möglichkeit zur freien Wahl, die Bereiche sind vielseitig. Man tritt nicht in die philosophische Fakultät ein, wie man ins Priesterseminar eintritt, mit einem Credo als Schwert und einem einzigen Weg als Schicksal. Verfaßt einer eine Arbeit über Platon, Epikur, Descartes, Spinoza, Kant, Hegel oder gar Husserl?

Über die Ästhetik, die Politik, die Ethik, die Erkenntnislehre, die Metaphysik? Widmen wir uns dem Unterricht, dem Aufbau eines Werks, der Forschung, der Kultur? Das ist unwesentlich. In diesen Belangen zählt einzig die Absicht: das Denken zu erheben, dem allgemeinen Interesse zu dienen, oder aber sich einer Scholastik anzuschließen, deren einziges Ziel der eigene Fortbestand und deren einzige Funktion die Reproduktion steriler Eliten ist – wodurch die Universität zur Sekte wird.

Tiefgründiger Gedanke Nr. 14

Geh zu Angelina
Um zu erfahren
Warum die Autos brennen

Heute hat sich etwas Spannendes ereignet! Ich bin zu Madame Michel gegangen, um sie zu bitten, eine Sendung für Colombe in unsere Wohnung zu bringen, sobald der Bote sie in ihrer Loge ablieferte. Es ist ihre Masterarbeit über Wilhelm von Ockham, eine erste Fassung, die ihr Studienleiter gegenlesen mußte und die er ihr mit Anmerkungen versehen zurückschicken wird. Das Lustige ist, daß Colombe von Madame Michel hinausgeworfen wurde, weil sie um sieben Uhr an ihrer Loge geklingelt hat, um sie zu bitten, ihr das Paket zu bringen. Madame Michel hat sie offenbar angeschnauzt (die Loge öffnet erst um acht Uhr), denn Colombe ist wie eine Furie zurückgekommen und hat gebrüllt, die Concierge sei ein altes Miststück, für wen halte sie sich denn, was glaube sie eigentlich! Mama schien sich plötzlich zu erinnern, daß man in einem entwickelten und zivilisierten Land die Concierge tatsächlich nicht zu jeder Tages- und Nachtzeit stört (sie hätte sich besser daran erinnert, bevor Colombe hinunterging), doch das hat meine Schwester nicht beruhigt, die weiter gezetert hat, daß dieses hergelaufene Nichts noch lange nicht das Recht habe, ihr die Türe vor der Nase zuzuschlagen, nur weil sie sich in den Öffnungszeiten getäuscht habe. Mama ist darüber hinweggegangen. Wenn Colombe meine Tochter wäre (Darwin bewahre mich davor), hätte ich ihr zwei Ohrfeigen verpaßt.

Zehn Minuten später ist Colombe mit einem honigsüßen Lächeln in mein Zimmer gekommen. Also das kann ich schon gar nicht leiden. Da ist es mir noch lieber, wenn sie mich anschreit. »Paloma, mein Mäuschen, würdest du mir einen großen Gefallen tun?«, hat sie gegurrt. »Nein«, habe ich geantwortet. Sie hat tief durchgeatmet, während sie bedauerte, daß ich nicht ihre persönliche Sklavin bin – dann hätte sie mich auspeitschen lassen können – sie hätte sich viel besser gefühlt – nervt mich, die Rotznase. »Ich möchte ein Abkommen schließen«, habe ich hinzugefügt. »Du weißt nicht einmal, was ich von dir will«, hat sie mit leicht verächtlicher Miene erwidert. »Du willst, daß ich zu Madame Michel gehe«, habe ich gesagt. Sie brachte den Mund nicht mehr zu. Da sie sich immer einredet, ich sei schwachsinnig, glaubt sie es schließlich auch. »O. K., wenn du einen Monat lang keine laute Musik in deinem Zimmer hörst.« – »Eine Woche«, hat Colombe gesagt. »Dann geh ich nicht«, habe ich gesagt. »O. K.«, hat Colombe gesagt, »geh zu der alten Schachtel und sag ihr, sie soll mir das Paket von Marian bringen, sobald es in ihrer Loge ankommt.« Und beim Hinausgehen hat sie wütend die Tür hinter sich zugeschlagen.

Ich bin also zu Madame Michel gegangen, und sie hat mich zu einem Tee eingeladen.

Vorläufig teste ich sie noch. Ich habe nicht viel gesagt. Sie hat mich merkwürdig angeschaut, als würde sie mich zum ersten Mal sehen. Sie hat nichts über Colombe gesagt. Wenn sie eine echte Concierge wäre, hätte sie etwa gesagt: »Ja, gut, aber Ihre Schwester, also wirklich, die soll nur nicht glauben, sie könne sich alles erlauben.« Statt dessen hat sie mir eine Tasse Tee angeboten, und sie hat sehr höflich mit mir geredet, als ob ich eine richtige Person wäre.

In der Loge lief der Fernseher. Sie schaute nicht hin. Es wurde eine Reportage über die Jungen gezeigt, die in den Vorstädten Autos anzünden. Als ich die Bilder sah, habe ich mich gefragt: Was kann einen Jugendlichen dazu bringen, ein Auto anzuzünden? Was mag wohl in seinem Kopf vorgehen? Und dann ist mir der folgende Gedanke gekommen: Und was ist mit mir? Warum möchte ich die Wohnung anzünden? Die Journalisten sprechen von Arbeitslosigkeit und vom Elend, ich spreche vom Egoismus und von der Falschheit meiner Familie. Doch das ist alles Unsinn. Es hat schon immer Arbeitslosigkeit und Elend und beschissene Familien gegeben. Und man zündet ja trotzdem nicht jeden Tag Autos oder Wohnungen an! Ich habe mir gedacht, daß das am Ende alles falsche Gründe sind. Warum zündet man ein Auto an? Warum will ich die Wohnung anzünden?

Ich habe keine Antwort auf meine Frage gefunden, bis ich mit meiner Tante Hélène, der Schwester meiner Mutter, und meiner Cousine Sophie zum Einkaufen ging. Es ging darum, ein Geschenk für Mamas Geburtstag zu finden, den wir nächsten Sonntag feiern. Wir gaben vor, zusammen ins Museum Dappner zu gehen, doch in Wirklichkeit haben wir im 2. und 8. Arrondissement die Boutiquen abgeklappert. Wir wollten einen Schirmständer finden und auch mein Geschenk für sie kaufen.

Was den Schirmständer angeht, so war die Suche endlos. Es dauerte drei Stunden, obwohl meiner Meinung nach alle, die wir gesehen haben, genau gleich waren, entweder ganz einfache Zylinder, oder dann so Dinger mit Kunstschmiedearbeiten im Stil der Antiquitätenhändler. Alles zu horrenden Preisen. Stört Sie der Gedanke nicht irgendwie, daß ein Schirmständer zweihundertneunundneunzig Euro kosten kann? Genau das ist aber der Preis, den Hélène bezahlt hat für ein prätentiöses Stück aus »gealtertem Leder« (wer's glaubt, wird selig: mit der Stahlbürste bearbeitet, ja) mit Sattlernähten, als würden wir in einem Gestüt wohnen. Ich habe Mama in einer asiatischen

Boutique eine kleine schwarze Lackdose für die Schlaftabletten gekauft. Dreißig Euro. Ich fand das schon ganz schön happig, aber Hélène hat mich gefragt, ob ich noch etwas dazukaufen wolle, da es nur etwas Kleines sei. Hélènes Mann ist Gastroenterologe, und ich garantiere Ihnen, im Land der Ärzte ist der Gastroenterologe nicht der ärmste … Aber ich mag Hélène und Claude trotzdem gern, weil sie … also, ich weiß nicht, wie ich sagen soll … irgendwie ganz sind. Sie sind mit ihrem Leben zufrieden, glaube ich, jedenfalls geben sie nicht vor, etwas anderes zu sein, als sie sind. Und sie haben Sophie. Meine Cousine Sophie ist ein Mädchen mit Down-Syndrom. Ich bin nicht der Typ, der vor Kindern mit Down-Syndrom in Entzücken ausbricht, wie es in meiner Familie zum guten Ton gehört (sogar Colombe macht mit). Der übliche Spruch lautet: Sie sind behindert, aber sie sind so anziehend, so anhänglich, so rührend! Ich persönlich empfinde Sophies Anwesenheit eher als mühsam: Sie sabbert, sie schreit, sie schmollt, sie ist eigensinnig und sie versteht nichts. Aber das will nicht heißen, daß ich Hélène und Claude nicht schätze. Sie sagen selbst, daß es hart ist mit ihr und daß es eine wahre Strapaze ist, eine Tochter mit Down-Syndrom zu haben, aber sie lieben sie und kümmern sich sehr gut um sie, finde ich. Das und ihr »ganzer« Charakter machen, daß ich sie gern mag. Wenn man sieht, wie Mama die moderne Frau spielt, die sich wohl fühlt in ihrer Haut, oder Jacinthe Rosen, die eine feine-Dame-von-der-Wiege-auf spielt, dann macht das einem Hélène, die gar nichts spielt und zufrieden ist mit dem, was sie hat, richtig sympathisch.

Doch kurz und gut, nach dem Theater mit dem Schirmständer sind wir zu Angelina, dem Teesalon an der Rue de Rivoli, gegangen, um Kuchen zu essen und Schokolade zu trinken. Sie werden mir sagen, daß nichts weiter entfernt ist von der Thematik »Jugendliche aus den Vorstädten zünden Autos an«. Nun, ganz und gar nicht! Ich habe bei Angelina etwas gesehen, was mir erlaubt hat, gewisse Dinge zu verstehen. Am Tisch nebenan saß ein Paar mit einem Baby. Ein weißes Paar mit einem asiatischen Baby, einem kleinen Jungen namens Theo. Hélène und die beiden haben sympathisiert und eine Weile miteinander geplaudert. Sie haben natürlich als Eltern von andersartigen Kindern sympathisiert, daran haben sie sich erkannt, und so sind sie ins Gespräch gekommen. Wir haben erfahren, daß Theo ein kleiner adoptierter Junge ist, daß er fünfzehn Monate alt war, als sie ihn aus Thailand hierhergebracht haben, daß seine Eltern beim Tsunami umgekommen sind, genau wie alle seine Brüder und Schwestern. Ich habe mich umgeschaut und mir gedacht: Wie wird er es machen? Wir waren immerhin bei Angelina: All diese gutgekleideten Leute, die geziert an sündhaft teuren Kuchen knabberten, und die nur da waren wegen ... nun, nur wegen der Bedeutung des Ortes, der Zugehörigkeit zu einer bestimmten Welt, mit ihren Überzeugungen, ihren Kodes, ihren Plänen, ihrer Geschichte, usw. Ein symbolischer Akt: Wenn man bei Angelina Tee trinkt, ist man in Frankreich, in einer reichen, hierarchisch gegliederten, rationalen, kartesianischen, zivilisierten Welt. Wie wird er es machen, der kleine Theo? Er hat seine ersten Lebensmonate in einem Fischerdorf in Thailand verbracht, in einer von eigenen Werten und Emotionen geprägten orientalischen Welt, wo sich die symbolische Zugehörigkeit vielleicht bei einem Dorffest zeigt, wenn man dem Gott des Regens huldigt, wo die Kinder mit dem Glauben an Magie und Zauberei aufwachsen, usw. Und da ist er nun in Frankreich, in Paris, bei Angelina, übergangslos in eine andere Kultur hineinversetzt, in eine Situation, die sich völlig umgekehrt hat: von Asien nach Europa, von der Welt der Armen in die Welt der Reichen.

Da habe ich mir plötzlich gedacht: Theo hat vielleicht später einmal Lust, Autos anzuzünden. Weil es eine Geste der Wut und der Frustration ist, und vielleicht ist die größte Wut und die größte Frustration nicht die Arbeitslosigkeit, nicht das Elend, nicht die fehlende Zukunft: Vielleicht ist es das Gefühl, keine Kultur zu haben, weil man hin- und hergerissen wird zwischen Kulturen, zwischen unvereinbaren Symbolen. Wie soll man existieren, wenn man nicht weiß, wo man ist? Wenn man gleichzeitig mit der Kultur thailändischer Fischer und der Kultur des Pariser Großbürgertums fertigwerden muß? Mit der Kultur von Einwanderersöhnen und derjenigen von Mitgliedern einer alten, konservativen Nation? Dann zündet man Autos an, denn wenn man keine Kultur hat, ist man kein zivilisiertes Tier mehr, sondern ein wildes Tier. Und ein wildes Tier legt Feuer, tötet, plündert.

Ich weiß, das ist nicht sehr tiefgründig, aber danach ist mir trotzdem ein tiefgründiger Gedanke gekommen, als ich mich gefragt habe: und ich? Was ist mein kulturelles Problem? Inwiefern bin ich zwischen unvereinbaren Denkweisen und Überzeugungen hin- und hergerissen? Inwiefern bin ich ein wildes Tier?

Da hatte ich eine Erleuchtung: Ich habe mich an Mamas beschwörerische Pflege ihrer Grünpflanzen erinnert, an Colombes manische Phobien, an Papas schreckliches Unbehagen, weil Mamie im Altenheim ist, und an eine ganze Reihe anderer solcher Tatsachen. Mama glaubt, man könne das Schicksal mit ein paar Spritzern auf die Grünpflanzen beschwören, Colombe, man könne die Angst fernhalten, indem man sich die Hände wäscht, und Papa, er sei ein schlechter Sohn, der bestraft werde, weil er seine Mutter verlassen hat: Am Ende glauben sie trotzdem an Zauberei und Magie und hängen einem primitiven Volksglauben an, aber im Gegensatz zu thailändischen Fischern können sie nicht damit umgehen, weil sie gebildete-reiche-rationale Franzosen sind.

Und ich bin vielleicht das größte Opfer dieses Widerspruchs, weil ich aus einem unbekannten Grund hypersensibel bin für alles, was dissonant ist, als ob ich eine Art absolutes Gehör für die Mißtöne, für die Widersprüche hätte.

Für diesen Widerspruch und für all die anderen … Und daher erkenne ich mich in keiner Überzeugung wieder, in keiner dieser zusammenhangslosen Familienkulturen.

Vielleicht bin ich das Symptom für die Widersprüche einer Familie und folglich diejenige, die verschwinden muß, damit es der Familie gutgeht.

4

Elementare Lebensweisheit

Bevor Manuela um zwei Uhr von den de Broglies zurückkommt, bleibt mir Zeit, die Masterarbeit wieder in den Umschlag zu stecken und bei den Josses abzugeben.

Bei dieser Gelegenheit komme ich zu einer interessanten Unterhaltung mit Solange Josse.

Man wird sich erinnern, daß ich für die Hausbewohner eine geistig beschränkte Concierge bin, die sich am verschwommenen Rand ihres ätherischen Blickfeldes bewegt. In dieser Beziehung bildet Solange Josse keine Ausnahme, doch da sie mit einem sozialistischen Parlamentarier verheiratet ist, unternimmt sie zumindest Anstrengungen.

»Guten Tag«, sagt sie, als sie die Tür öffnet und den Umschlag entgegennimmt, den ich ihr überreiche.

Soviel zu den Anstrengungen.

»Wissen Sie«, fährt sie fort, »Paloma ist ein sehr exzentrisches kleines Mädchen.«

Sie schaut mich an, um sicherzustellen, daß ich das Wort verstanden habe. Ich nehme einen neutralen Ausdruck an, einen meiner bevorzugten, da er völlige Freiheit bei der Interpretation zuläßt.

Solange Josse ist Sozialistin, doch sie glaubt nicht an den Menschen.

»Ich will sagen, sie ist ein bißchen sonderbar«, artikuliert sie, als würde sie mit einer Schwerhörigen sprechen.

»Sie ist sehr nett«, sage ich und übernehme es, ein wenig Menschenfreundlichkeit in die Unterhaltung einfließen zu lassen.

»Ja, ja«, sagt Solange Josse mit dem Ton dessen, der gerne auf den springenden Punkt kommen möchte, doch zuerst die Hindernisse überwinden muß, die ihm die mangelnde Kultur des anderen in den Weg legt. »Sie ist ein nettes kleines Mädchen, aber sie benimmt sich manchmal sonderbar. Sie versteckt sich zum Beispiel liebend gern, sie verschwindet stundenlang.«

»Ja«, sage ich, »sie hat's mir gesagt.«

Das birgt ein leichtes Risiko, verglichen mit der Strategie, die darin besteht, nichts zu sagen, nichts zu tun und nichts zu verstehen. Doch ich glaube, den Part spielen zu können, ohne mein Wesen zu verraten.

»Ah, sie hat's Ihnen gesagt?«

Solange Josses Stimme klingt plötzlich vage. Wie soll man wissen, was die Concierge verstanden hat von dem, was Paloma ihr gesagt hat?, lautet die Frage, die ihre kognitiven Ressourcen mobilisiert, sie ablenkt und ihr einen abwesenden Ausdruck verleiht.

»Ja, sie hat's mir gesagt«, erwidere ich mit einem, wie ich gestehe, gewissen Talent zur Knappheit.

Hinter Solange Josse erblicke ich Constitution, die mit herabgesetzter Geschwindigkeit vorbeigeht, die Nase blasiert in die Luft gestreckt.

»Oh, Achtung, die Katze«, sagt sie.

Und sie kommt auf den Treppenabsatz heraus und schließt die Tür hinter sich. Die Katze nicht hinaus- und die Concierge nicht hereinlassen, ist die elementare Lebensweisheit der sozialistischen Damen.

»Kurz«, fährt sie fort, »Paloma hat mir gesagt, daß sie ab und zu in Ihre Loge kommen möchte. Sie ist ein sehr träumerisches Kind, sie liebt es, sich irgendwohin zu setzen und nichts zu tun. Wenn ich ehrlich sein soll, wäre es mir lieber, sie täte das zu Hause.«

»Ah«, sage ich.

»Aber ab und zu, wenn es Sie nicht stört … Dann weiß ich wenigstens, wo sie ist. Wir werden alle verrückt, sie überall zu suchen. Colombe, die nicht weiß, wo ihr der Kopf steht vor Arbeit, ist nicht gerade erfreut, stundenlang Himmel und Hölle in Bewegung setzen zu müssen, um ihre Schwester zu finden.«

Sie öffnet die Tür einen Spaltbreit, um zu sehen, ob Constitution abgezogen ist.

»Stört es Sie nicht?«, fragt sie, schon mit etwas anderem beschäftigt.

»Nein«, sage ich, »sie stört mich nicht.«

»Ah, sehr gut, sehr gut«, sagt Solange Josse, deren Aufmerksamkeit offenkundig von einer dringenden und viel wichtigeren Angelegenheit in Anspruch genommen wird. »Danke, vielen Dank, das ist sehr liebenswürdig von Ihnen.«

Und sie macht die Tür wieder zu.

5

Antipode

Danach verrichte ich meinen Conciergedienst, und zum ersten Mal an diesem Tag habe ich Zeit zu meditieren. Die Erinnerung an den Vorabend enthält einen merkwürdigen Nachgeschmack. Da ist ein angenehmer Duft nach Erdnuß, aber auch der Beginn einer dumpfen Beklemmung. Ich versuche, mich davon abzulenken, indem ich mich ins Gießen der Grünpflanzen auf den Treppenabsätzen des Hauses versenke, die Art von Beschäftigung, die ich für den eigentlichen Antipoden der menschlichen Intelligenz halte.

Eine Minute vor zwei Uhr trifft Manuela ein, die genauso gebannt scheint wie Neptun, wenn er von weitem eine Zucchinischale sichtet.

»Und?«, fragt sie erneut, ohne abzuwarten, während sie mir ein rundes Weidenkörbchen mit Madeleines reicht.

»Ich werde Ihre Dienste nochmals benötigen«, sage ich.

»Ah ja?«, moduliert sie und zieht das »ja-aaa« sehr stark und ohne zu wollen in die Länge.

Noch nie habe ich Manuela in einem solchen Zustand der Erregung gesehen.

»Wir trinken am Sonntag zusammen Tee, und ich bringe das Gebäck mit«, sage ich.

»Ooooooh«, sagt sie strahlend, »das Gebäck!«

Und sofort pragmatisch:

»Ich muß Ihnen etwas machen, was sich hält.«

Manuela arbeitet bis Samstag mittag.

»Am Freitag abend mache ich Ihnen einen *Gulgopf*«, erklärt sie nach kurzem Überlegen. Der *Gulgopf* ist ein etwas gefräßiger Elsässer Kuchen.

Doch Manuelas *Gulgopf* ist auch ein Nektar. Alles Schwere und Trockene des Elsaß verwandelt sich unter ihren Händen in ein duftendes Meisterwerk.

»Haben Sie denn Zeit?«, frage ich.

»Natürlich«, sagt sie, im siebten Himmel, »ich habe immer Zeit für einen *Gulgopf* für Sie!«

Da erzähle ich ihr alles: die Ankunft, das Stilleben, der Sake, Mozart, die Gyozas, das Zalu, Kitty, die Munakata-Schwestern und alles andere.

Beschränken Sie sich auf eine einzige Freundin, aber wählen Sie sie gut aus.

»Sie sind sensationell«, sagt Manuela am Schluß meines Berichts. »All die Dummköpfe hier, und Sie, wenn zum ersten Mal ein echter Herr kommt, werden Sie zu ihm eingeladen.«

Sie verschlingt eine Madeleine.

»Ha!«, ruft sie plötzlich aus, wobei sie das »H« stark aspiriert. »Ich werde Ihnen auch ein paar Whiskytörtchen machen!«

»Nein«, sage ich, »geben Sie sich nicht so viel Mühe, Manuela, der … *Gulgopf* genügt.«

»Mir Mühe geben?«, antwortet sie. »Aber Renée, Sie sind es, die mir so viel gegeben hat in all den Jahren!«

Sie überlegt einen Moment, kramt eine Erinnerung hervor.

»Was hat Paloma hier gemacht?«, fragt sie.

»Nun ja«, sage ich, »sie ruhte sich ein bißchen von ihrer Familie aus.«

»Ah«, sagt Manuela, »die Ärmste! Allerdings, bei der Schwester, die sie hat …«

Manuelas Gefühle für Colombe, die sie am liebsten zu einer kleinen Kulturrevolution ins Lager schicken würde, nachdem sie ihre Pennerklamotten verbrannt hat, sind unmißverständlich.

»Der kleine Pallières bringt den Mund nicht mehr zu, wenn sie vorbeigeht«, fügt sie hinzu. »Aber sie sieht ihn nicht einmal. Er sollte sich vielleicht einen Müllsack über den Kopf stülpen. Ah, wenn alle jungen Mädchen des Hauses wie Olympe wären ...«

»Das stimmt, Olympe ist sehr nett«, sage ich.

»Ja«, sagt Manuela, »sie ist ein gutes Mädchen. Neptun hat am Dienstag *Durchfälle* gehabt, müssen Sie wissen, und sie hat ihn behandelt.«

Ein einfacher Durchfall wäre allzu schäbig.

»Ich weiß«, sage ich, »wir kommen deswegen sogar zu einem neuen Teppich in der Eingangshalle. Er wird morgen geliefert. Um so besser, der andere war scheußlich.«

»Wissen Sie«, sagt Manuela, »Sie können das Kleid behalten. Die Tochter der Dame hat zu Maria gesagt: ›Behalten Sie alles‹, und Maria hat mir gesagt, ich soll Ihnen sagen, daß sie Ihnen das Kleid schenkt.«

»Oh«, sage ich, »das ist wirklich sehr freundlich, aber das kann ich nicht annehmen.«

»Ah, fangen Sie nicht wieder damit an«, sagt Manuela ärgerlich. »Auf jeden Fall müssen Sie eine Reinigung bezahlen. Sehen Sie sich das an, das sieht ja aus wie nach einer *Orange*.«

Die Orange ist vermutlich eine tugendhafte Form der Orgie.

»Ja, also dann, richten Sie Maria meinen Dank aus«, sage ich, »ich bin wirklich sehr gerührt.«

»So ist es schon besser«, sagt sie. »Ja, ja, ich richte ihr Ihren Dank aus.«

Man klopft zweimal kurz an die Tür.

6

Habiskusrasen

Es ist Kakuro Ozu.

»Guten Tag, guten Tag«, sagt er und stürmt in die Loge. »Oh, guten Tag, Madame Lopes«, fügt er hinzu, als er Manuela sieht.

»Guten Tag, Monsieur Ozu«, antwortet sie, wobei sie fast kreischt.

Manuela ist eine sehr enthusiastische Person.

»Wir wollten gerade Tee trinken, gesellen Sie sich zu uns?«, sage ich.

»Ah, aber gerne«, sagt Kakuro und nimmt einen Stuhl. Und als er Leo erblickt: »Oh, was für ein Prachtstück! Ich habe ihn das letzte Mal nicht richtig gesehen. Man könnte meinen, ein Sumo!«

»Nehmen Sie doch eine Madeleine, mit *Orgien*geschmack«, sagt Manuela, die vor Aufregung alles durcheinanderbringt, und schiebt das Körbchen zu Kakuro hinüber.

Die Orgie ist wahrscheinlich eine lasterhafte Form der Orange.

»Danke«, sagt Kakuro und nimmt sich eine.

»Hervorragend«, bringt er hervor, sobald er den Bissen hinuntergeschluckt hat.

Manuela windet sich auf ihrem Stuhl und scheint selig.

»Ich bin gekommen, um Sie um Ihre Meinung zu bitten«,

sagt Kakuro nach der vierten Madeleine. »Ich bin mit einem Freund mitten in einer Auseinandersetzung über das europäische Supremat in Sachen Kultur«, fährt er fort und zwinkert mir übermütig zu.

Manuela, die gut daran täte, mit dem kleinen Pallières etwas nachsichtiger zu sein, bringt den Mund nicht mehr zu.

»Er tendiert zu England, ich bin natürlich für Frankreich. Ich habe daher gesagt, ich kenne jemanden, der den Ausschlag geben könnte. Wären Sie so freundlich, den Schiedsrichter zu spielen?«

»Aber ich bin Richter und Partei«, sage ich, während ich mich setze. »Ich kann nicht abstimmen.«

»Nein, nein, nein«, sagt Kakuro, »Sie sollen nicht abstimmen. Sie sollen nur auf meine Frage antworten: Welches sind die zwei wichtigsten Errungenschaften der französischen Kultur und der britischen Kultur? Madame Lopes, ich habe Glück heute nachmittag, Sie werden ebenfalls Stellung nehmen, wenn Sie so freundlich sein wollen«, fügt er hinzu.

»Die Engländer ...«, beginnt Manuela in Hochform, dann hält sie inne. »Zuerst Sie, Renée«, sagt sie, plötzlich auf der Hut, weil ihr wohl wieder eingefallen ist, daß sie Portugiesin ist.

Ich überlege einen Moment.

»Für Frankreich: die Sprache des 18. Jahrhunderts und der Weichkäse.«

»Und für England?«, fragt Kakuro.

»Für England ist es einfach«, sage ich.

»Der Poudinnguö?«, schlägt Manuela vor, wobei sie es genau so ausspricht.

Kakuro lacht aus vollem Hals.

»Und jetzt das andere«, sagt er.

»Also, das Rutebi«, sagt sie, immer noch gleich britisch.

»Ha, ha«, lacht Kakuro. »Ich bin ganz Ihrer Meinung! Und Sie, Renée?«

»Der habeas corpus und der Rasen«, sage ich lachend.

Und das bringt uns alle zum Lachen, einschließlich Manuela, die »Habiskusrasen« verstanden hat, was zwar nichts bedeutet, aber trotzdem ulkig ist.

Genau in diesem Moment klopft man an die Loge.

Es ist unglaublich, wie diese Loge, die gestern noch niemanden interessierte, heute im Zentrum der weltweiten Aufmerksamkeit zu stehen scheint.

»Herein«, rufe ich im Feuer der Unterhaltung, ohne zu überlegen.

Solange Josse streckt den Kopf durch den Türspalt.

Wir sehen sie alle drei fragend an, als wären wir die Gäste eines Banketts, die von einer unhöflichen Magd belästigt werden.

Sie öffnet den Mund, besinnt sich eines anderen.

Paloma streckt den Kopf auf der Höhe des Schlosses herein.

Ich fasse mich wieder, stehe auf.

»Kann ich Ihnen Paloma für eine Stunde überlassen?«, fragt Madame Josse, die sich ebenfalls gefangen hat, aber schier platzt vor Neugier.

»Guten Tag, cher Monsieur«, sagt sie zu Kakuro, der aufgestanden ist und ihr die Hand gibt.

»Guten Tag, chère Madame«, sagt er liebenswürdig. »Guten Tag, Paloma, ich freue mich, dich zu sehen. Nun, liebe Freundin, sie ist in guten Händen, Sie können Sie uns getrost überlassen.«

Wie verabschiedet man jemanden anmutig und unwiderruflich.

»Öh ... gut ... ja ... Danke«, sagt Solange Josse und tritt langsam den Rückzug an, immer noch leicht benommen.

Ich mache die Tür hinter ihr zu.

»Möchtest du eine Tasse Tee?«, erkundige ich mich.

»Sehr gern«, antwortet sie mir.

Eine echte Prinzessin bei den Parteikadern.

Ich schenke ihr eine halbe Tasse Jasmintee ein, während Manuela sie mit den unserer Gefräßigkeit entkommenen Madeleines versorgt.

»Was haben deiner Meinung nach die Engländer erfunden?«, fragt Kakuro, immer noch bei seinem Kulturwettbewerb.

Paloma denkt intensiv nach.

»Den Hut als Wahrzeichen ihrer Psychorigidität«, sagt sie.

»Wunderbar«, sagt Kakuro.

Ich stelle fest, daß ich Paloma wahrscheinlich weit unterschätzt habe und die Angelegenheit zu vertiefen wäre, aber da aller guten Dinge drei und alle Verschwörer dazu verurteilt sind, eines Tages entlarvt zu werden, trommelt man erneut an die Scheibe der Loge und vertagt meine Überlegungen.

Paul N'Guyen ist die erste Person, die sich über nichts zu wundern scheint.

»Guten Tag, Madame Michel«, sagt er zu mir, und dann: »Guten Tag allerseits.«

»Ah, Paul«, sagt Kakuro, »wir haben England endgültig diskreditiert.«

Paul lächelt freundlich.

»Sehr gut«, sagt er. »Ihre Tochter hat eben angerufen. Sie versucht es in fünf Minuten nochmals.«

»In Ordnung«, sagt Kakuro. »Nun denn, meine Damen, ich muß mich verabschieden.«

Er verbeugt sich vor uns.

»Auf Wiedersehen«, stoßen wir alle mit einer Stimme hervor, wie ein Chor von Jungfrauen.

»Na«, sagt Manuela, »das hätten wir geschafft.«

»Was?« frage ich.

»Alle Madeleines sind aufgegessen.«

Wir lachen.

Sie schaut mich nachdenklich an, lächelt.

»Es ist unglaublich, nicht wahr?«, sagt sie zu mir.

Ja, es ist unglaublich.

Renée, die jetzt zwei Freunde hat, ist nicht mehr so menschenscheu.

Aber Renée, die jetzt zwei Freunde hat, spürt ein formloses Entsetzen in sich hochsteigen.

Als Manuela gegangen ist, kuschelt sich Paloma ungezwungen in den Katzensessel vor dem Fernseher, und während sie mich mit ihren großen, ernsten Augen ansieht, fragt sie mich:

»Glauben Sie, daß das Leben einen Sinn hat?«

7

Nachtblau

In der Reinigung hatte ich mich dem Ingrimm der Dame des Ortes zu stellen.

»Solche Flecken auf einem Kleid dieser Qualität«, hatte sie vor sich hin geschimpft», als sie mir einen himmelblauen Coupon aushändigte.

Heute morgen ist es eine andere, die meinen Zettel entgegennimmt. Jünger und weniger wach. Sie stöbert endlos in den kompakten Kleiderbügelreihen und reicht mir dann ein schönes Kleid aus pflaumenblauem Leinen, das in durchsichtiges Plastik geschnürt ist.

»Danke«, sage ich, als ich es nach einem winzigen Zögern entgegennehme.

Dem Register meiner Schandtaten muß also noch die widerrechtliche Aneignung eines Kleides hinzugefügt werden, das mir nicht gehört, als Ersatz für das Kleid einer Toten, das ich dieser gestohlen habe. Das Böse steckt übrigens im winzigen Moment des Zögerns. Wäre es aus einem mit dem Eigentumsbegriff verbundenen Schuldgefühl heraus entstanden, könnte ich allenfalls den heiligen Petrus noch um Vergebung bitten; doch es ist, so fürchte ich, allein der Zeit zuzuschreiben, die ich brauchte, um die Durchführbarkeit der Missetat zu erwägen.

Um ein Uhr kommt Manuela in der Loge vorbei, um ihren *Gulgopf* abzuliefern.

»Ich wollte früher kommen, aber Madame de Broglie hat mich aus den Winkeln überwacht.«

Manuela hält das Bestimmungswort *Augen* für eine geradezu unverständliche Präzisierung.

Was den *Gulgopf* anbelangt, so thronen, in einer verschwenderischen Fülle von zerzaustem, nachtblauem Seidenpapier, ein kreativ abgewandelter prachtvoller Elsässer Kuchen, Whiskytörtchen, so fein, daß man Angst hat, sie zu zerbrechen, und Mandelplätzchen, die am Rand schön karamelisiert sind. Mir läuft augenblicklich das Wasser im Mund zusammen.

»Danke, Manuela«, sage ich, »aber wir sind nur zu zweit, wissen Sie.«

»Sie können ja sofort damit beginnen«, sagt sie.

»Vielen Dank nochmals, wirklich«, sage ich, »das hat Sie bestimmt viel Zeit gekostet.«

»Ach woher!«, sagt Manuela. »Ich habe alles doppelt gemacht, und Fernando läßt danken.«

Tagebuch der Bewegung der Welt Nr. 7

Jener abgebrochene Stengel, den für euch ich geliebt habe

Ich frage mich, ob ich nicht dabei bin, mich in eine beschauliche Ästhetin zu verwandeln. Mit einem ausgeprägten Hang zum Zen und gleichzeitig einer Spur Ronsard.

Lassen Sie mich erklären. Es handelt sich um eine etwas spezielle »Bewegung der Welt«, weil es keine Bewegung des Körpers ist. Aber als ich heute morgen frühstückte, habe ich eine Bewegung gesehen. DIE Bewegung. Die Bewegung in ihrer Vollendung. Gestern (es war Montag) hat Madame Grémont, die Aufwartefrau, Mama einen Rosenstrauß gebracht. Madame Grémont hat den Sonntag bei ihrer Schwester verbracht, die einen kleinen Schrebergarten in Suresnes hat, einen der letzten, und sie hat einen Strauß mit den ersten Rosen der Saison gebracht: gelbe Rosen, von einem schönen Blaßgelb, so einem Primelgelb. Laut Madame Grémont heißt diese Rose »The Pilgrim«, »Der Pilger.« Nur schon das hat mir gefallen. Das ist doch erhabener, poetischer oder weniger abgeschmackt, als die Rosen »Madame Figaro« oder »Moulin Rouge« zu nennen (ich erfinde nichts).

Gut, übergehen wir die Tatsache, daß Madame Grémont Mama Rosen schenkt. Sie beide haben die gleiche Beziehung wie jede progressive Bourgeoise und ihre Aufwartefrau, obwohl Mama überzeugt ist, daß sie ein Sonderfall ist: Eine gute alte paternalistische Beziehung mit einem Trend zu Rosen (man bietet Kaffee an, man bezahlt anständig, man tadelt nie, man verschenkt die alten Kleider und die kaputten Möbel, man interessiert sich für die Kinder, und als Gegenleistung hat man Anspruch auf Rosensträuße und gehäkelte beigebraune Tagesdecken). Aber diese Rosen hier … Die waren etwas Besonderes.

Ich saß also beim Frühstück und schaute den Strauß an, der in der Küche auf der Arbeitsfläche stand. Ich glaube, ich dachte an nichts. Vielleicht ist das übrigens der Grund, weshalb ich die Bewegung gesehen habe; wenn ich mit etwas anderem beschäftigt gewesen wäre, wenn es in der Küche nicht still gewesen wäre, wenn ich nicht allein in der Küche gewesen wäre, dann wäre ich vielleicht nicht genügend aufmerksam gewesen. Doch ich war allein und ruhig und leer. Ich konnte die Bewegung also in mich aufnehmen.

Es gab ein leichtes Geräusch, so ein Säuseln der Luft, das ganz, ganz, ganz leise »schhhhh« machte: Eine Rosenknospe mit einem Stückchen des abgebrochenen Stengels, die auf die Arbeitsfläche fiel. Als sie dort landete, hat es »puf« gemacht, ein ultraschallmäßiges »Puf«, nur für Mäuseohren, oder für menschliche Ohren, wenn es ganz, ganz, ganz still ist. Mit dem Löffel in der Luft saß ich völlig gebannt da. Es war großartig. Aber was war so großartig? Ich konnte es nicht fassen: Es war nur eine Rosenknospe an einem Stück abgebrochenem Stengel, die eben auf die Arbeitsfläche gefallen war. Na und?

Ich habe es begriffen, als ich hinging und die regungslose Rosenknospe betrachtete, die ihren Fall beendet hatte. Es hat mit der Zeit zu tun, nicht mit dem Raum. Oh, sicher, eine Rosenknospe, die anmutig abfällt, ist immer hübsch. Und so künstlerisch: Man könnte jede Menge davon malen! Aber das erklärt nicht DIE Bewegung. Die Bewegung, die für uns etwas Räumliches ist …

Als ich diesen Stengel und diese Knospe fallen sah, habe ich eine Tausendstelsekunde lang das Wesen der Schönheit erahnt. Ja, ich, ein Gör von zwölfeinhalb Jahren, hatte dieses unerhörte Glück, weil heute morgen alle Voraussetzungen erfüllt waren: leerer Geist, ruhiges Haus, hübsche Rosen, Fall einer Knospe. Und deshalb habe ich an Ronsard gedacht, ohne zuerst genau zu verstehen warum: Denn es ist eine Frage der Zeit und der Rosen. Was schön ist, erhaschen wir, während es vergeht. Es zeigt sich in der vergänglichen Gestalt der Dinge in dem Moment, da wir gleichzeitig ihre Schönheit und ihren Tod sehen.

Oh, weh!, habe ich mir gesagt, heißt das, daß man sein Leben auf diese Weise führen sollte? Immer im Gleichgewicht zwischen der Schönheit und dem Tod, der Bewegung und ihrer Auflösung?

Vielleicht heißt lebendig sein das: Augenblicke zu verfolgen, die sterben.

8

Mit glücklichen kleinen Schlucken

Und dann ist es Sonntag.

Um fünfzehn Uhr mache ich mich auf zum vierten Stock. Das pflaumenblaue Kleid ist etwas zu groß – ein Glücksfall an diesem *Gulgopf*-Tag –, und mein Herz fühlt sich an wie ein ängstlich zu einem Knäuel zusammengerolltes Kätzchen.

Zwischen dem dritten und vierten Stock stehe ich unvermittelt Sabine Pallières gegenüber. Schon seit mehreren Tagen mustert sie jedes Mal, wenn sie mir begegnet, ostentativ und mißbilligend mein duftiges Haar. Man wird zu schätzen wissen, daß ich es aufgegeben habe, meine neue Erscheinung vor der Welt zu verbergen. Doch diese Beharrlichkeit macht mich verlegen, sosehr ich mich auch von den gesellschaftlichen Zwängen befreit haben mag. Unsere sonntägliche Begegnung bildet keine Ausnahme.

»Guten Tag, Madame«, sage ich und setze meinen Aufstieg fort.

Sie antwortet mit einem strengen Kopfnicken, während sie meinen Schädel betrachtet, und als sie meine Aufmachung sieht, bleibt sie plötzlich auf einer Stufe stehen. Eine Welle der Panik erfaßt mich und bringt meine Schweißregulierung durcheinander, was mein gestohlenes Kleid mit schändlichen Rändern zu verunstalten droht.

»Können Sie die Blumen auf dem Treppenabsatz gießen, da Sie schon hinaufgehen?«, sagt sie gereizt zu mir.

Muß ich daran erinnern? Es ist Sonntag.

»Sind das Kuchen?«, fragt sie plötzlich.

Ich trage auf einem Tablett Manuelas Werke, eingeschlagen in nachtblaues Seidenpapier, und ich stelle fest, daß mein Kleid davon verdeckt wird, sodaß nicht meine Ambition in Sachen Bekleidung Madames Mißbilligung erregt, sondern die mutmaßliche Naschhaftigkeit einer Hungerleiderin.

»Ja, eine unvorhergesehene Lieferung«, sage ich.

»Also, dann gießen Sie bei der Gelegenheit gleich die Blumen«, sagt sie und setzt ihren ungehaltenen Abstieg fort.

Ich erreiche den vierten Stock und klingle mühevoll, denn ich halte auch die Videokassette in einer Hand, doch Kakuro öffnet beflissen und nimmt mir sogleich mein sperriges Tablett ab.

»Oh, là là«, sagt er, »es war Ihnen also ernst, mir läuft jetzt schon das Wasser im Mund zusammen.«

»Sie können Manuela danken«, sage ich und folge ihm in die Küche.

»Tatsächlich?«, fragt er, während er den *Gulgopf* vom Übermaß an blauem Seidenpapier befreit. »Sie ist eine wahre Perle.«

Ich stelle plötzlich fest, daß Musik läuft.

Sie ist nicht sehr laut und kommt aus unsichtbaren Lautsprechern, die den Klang in der ganzen Küche verbreiten.

Thy hand, lovest soul, darkness shades me,
On thy bosom let me rest.
When I am laid in earth
May my wrongs create

No trouble in thy breast.
Remember me, remember me,
But ah! Forget my fate.

Es ist der Tod von Dido, in ›Dido und Aeneas‹ von Purcell. Wenn Sie meine Meinung hören wollen: das schönste Gesangswerk der Welt. Es ist nicht einfach schön, es ist erhaben, und das liegt an der unglaublich dichten Folge der Töne, als wären sie durch eine unsichtbare Kraft miteinander verbunden und als würden sie, obschon sie sich voneinander abheben, miteinander verschmelzen, an der Grenze der menschlichen Stimme, fast im Bereich der animalischen Klage – jedoch mit einer Schönheit, die die Schreie der Tiere nie erreichen werden, einer Schönheit, die aus der Zersetzung der Lautbildung entsteht und aus der Mißachtung der Sorgfalt, die die verbale Sprache normalerweise darauf verwendet, die Töne zu unterscheiden.

Den Fluß durchbrechen, die Töne verschmelzen.

Die Kunst ist das Leben, jedoch in einem anderen Rhythmus.

»Gehen wir!«, sagt Kakuro, der auf einem großen, schwarzen Tablett Tassen, Teekrug, Zucker und kleine Papierservietten angeordnet hat.

Ich gehe voraus in den Flur und öffne, seinen Anweisungen folgend, die dritte Tür links.

»Haben Sie einen Videorecorder?«, hatte ich Kakuro Ozu gefragt.

»Ja«, hatte er mit einem rätselhaften Lächeln geantwortet.

Die dritte Tür links führt zu einem Kinosaal en miniature. Mit einer großen weißen Leinwand, einer Menge glänzender und rätselhafter Apparate, drei Reihen zu je fünf mit tiefblauem Samt überzogenen echten Kinosesseln, einem langen, niedrigen Tisch vor der ersten Reihe und Wänden und Decken, die mit dunkler Seide ausgeschlagen sind.

»In Wirklichkeit war das mein Beruf«, sagt Kakuro.

»Ihr Beruf?«

»Mehr als dreißig Jahre lang habe ich für große Luxusmarken Hi-Fi-Anlagen der Spitzenklasse nach Europa importiert. Ein sehr lukratives Geschäft – aber vor allem wunderbar spielerisch für mich, der sich für alle elektronischen Gadgets begeistert.«

Ich nehme auf einem komfortabel gepolsterten Sessel Platz, und die Vorstellung beginnt.

Wie soll ich diesen Moment der Wonne beschreiben? Wir sehen uns die ›Munakata-Schwestern‹ auf einer Großleinwand an, in sanftes Dämmerlicht getaucht, den Rükken gegen eine schön weiche Lehne, während wir *Gulgopf* essen und mit glücklichen kleinen Schlucken heißen Tee trinken. Von Zeit zu Zeit hält Kakuro den Film an, und gemeinsam kommentieren wir ausgiebig die Kamelien auf dem Moos des Tempels und das Schicksal der Menschen, wenn das Leben allzu hart ist. Zweimal gehe ich hinaus, um meinen Freund *Confutatis* zu begrüßen, und ich komme in den Vorführungsraum zurück wie in ein warmes, behagliches Bett.

Es ist eine Zeit außerhalb der Zeit ... Wann habe ich zum ersten Mal diese köstliche Gelöstheit verspürt, die nur zu zweit möglich ist? Die Seelenruhe, die wir empfinden, wenn wir allein sind, jene Gewißheit unserer selbst in der inneren Heiterkeit der Einsamkeit ist nichts im Vergleich zum Gehen-Lassen, Kommen-Lassen und Sprechen-Lassen, das wir in der Gesellschaft des anderen erleben, in der Eintracht mit dem Gegenüber ... Wann habe ich zum ersten Mal diese glückliche Entspanntheit in Gegenwart eines Mannes verspürt?

Es ist heute das erste Mal.

9

Sanae

Als ich mich um neunzehn Uhr anschicke, nach Hause zu gehen, nachdem wir uns noch angeregt unterhalten und Tee getrunken haben, und wir den großen Salon durchqueren, bemerke ich auf einem niedrigen Tisch neben einem Sofa die gerahmte Fotografie einer sehr schönen Frau.

»Das war meine Frau«, sagt Kakuro leise, als er sieht, daß ich sie betrachte. »Sie ist vor zehn Jahren gestorben, an Krebs. Sie hieß Sanae.«

»Das tut mir leid«, sage ich. »Sie war eine … sehr schöne Frau.«

»Ja«, sagt er, »sehr schön.«

Ein kurzes Schweigen tritt ein.

»Ich habe eine Tochter, die in Hongkong lebt«, fügt er hinzu, »und schon zwei Enkelkinder.«

»Sie fehlen Ihnen bestimmt«, sage ich.

»Ich fahre ziemlich oft hin. Ich habe sie sehr gern. Mein Enkel, der Jack heißt (sein Papa ist Engländer) und sieben Jahre alt ist, hat mich heute morgen angerufen, um mir zu sagen, daß er seinen ersten Fisch gefangen hat. Das Ereignis der Woche, wie Sie sich vorstellen können!«

Erneutes Schweigen.

»Sie sind selbst Witwe, glaube ich«, sagt Kakuro, während er mich ins Entree begleitet.

»Ja«, sage ich, »ich bin seit über fünfzehn Jahren Witwe.«

Meine Kehle ist wie zugeschnürt.

»Mein Mann hieß Lucien. Auch Krebs ...«

Wir stehen vor der Tür und sehen uns voller Trauer an.

»Gute Nacht, Renée«, sagt Kakuro.

Und mit einer Spur wiedergefundener Fröhlichkeit:

»Es war ein wundervoller Tag.«

Eine riesige Niedergeschlagenheit bricht mit Überschallgeschwindigkeit über mich herein.

10

Dunkle Wolken

»Du bist eine arme Idiotin«, sage ich zu mir, als ich das pflaumenblaue Kleid ausziehe und dabei Whiskyglasur auf einem Knopfloch entdecke. »Was dachtest du denn? Du bist nur eine arme Concierge. Es ist keine Freundschaft möglich zwischen den Klassen. Und überhaupt, was dachtest du denn, du arme Irre?«

»Was dachtest du denn, du arme Irre?«, wiederhole ich unaufhörlich, während ich meine abendliche Toilette mache und dann unter die Bettdecke schlüpfe, nach einem kurzen Kampf mit Leo, der kein Gelände preisgeben will.

Das schöne Gesicht von Sanae Ozu tanzt vor meinen geschlossenen Augen, und ich fühle mich wie eine alte Kreatur, die plötzlich in eine freudlose Wirklichkeit zurückgeholt wird.

Mit bangem Herzen schlafe ich ein.

Am nächsten Morgen habe ich ein Gefühl, das einem Kater nahekommt.

Doch die Woche verläuft höchst angenehm. Kakuro taucht ein paarmal spontan auf, um mein Schiedsrichtertalent in Anspruch zu nehmen (Sahneeis oder Sorbet? Atlantik oder Mittelmeer?), und seine erfrischende Gesellschaft bereitet mir wieder das gleiche Vergnügen, trotz der dunklen Wolken, die lautlos über meinem Herzen kreuzen. Manuela schüttet sich aus vor Lachen, als sie das pflaumenblaue Kleid entdeckt, und Paloma nistet sich in Leos Sessel ein.

»Später werde ich einmal Concierge«, erklärt sie ihrer Mutter, die mich mit einem neuen, mit Vorsicht durchwirkten Blick betrachtet, wenn sie in meine Loge kommt, um ihren Sprößling abzugeben.

»Gott bewahre dich«, antworte ich mit einem liebenswürdigen Lächeln an Madames Adresse. »Du wirst Prinzessin.«

Neben ihrem zur neuen Brille passenden bonbonrosa T-Shirt trägt sie die kampfeslustige Miene des Mädchens-das-allen-vor-allem-meiner-Mutter-zum-Trotz-Concierge-wird zur Schau.

»Was riecht hier so?«, fragt Paloma.

Ich habe ein Kanalisationsproblem in meinem Badezimmer, und es stinkt wie in einer Stubengemeinschaft von Rekruten. Ich habe den Klempner vor sechs Tagen angerufen, aber er schien nicht sonderlich begeistert beim Gedanken, hierherzukommen.

»Die Kanalisation«, sage ich, nicht gewillt, näher auf das Problem einzugehen.

»Versagen des Liberalismus«, sagt sie, als hätte ich nicht geantwortet.

»Nein«, sage ich, »es ist der verstopfte Abfluß.«

»Das sage ich Ihnen ja«, sagt Paloma. »Warum ist der Klempner noch nicht gekommen?«

»Weil er andere Kunden hat?«

»Überhaupt nicht«, erwidert sie. »Die richtige Antwort lautet: ›Weil er es nicht nötig hat.‹ Und warum hat er es nicht nötig?«

»Weil die Konkurrenz nicht groß genug ist«, sage ich.

»Genau«, sagt Paloma triumphierend, »es gibt zu wenig Regulierung. Zu viele Eisenbahner, zu wenig Klempner. Ich persönlich würde die Kolchose vorziehen.«

Leider wird dieser spannende Dialog unterbrochen, als man an die Scheibe klopft.

Es ist Kakuro, mit etwas vage Feierlichem im Ausdruck.

Er kommt herein und bemerkt Paloma.

»Oh, guten Tag, junge Dame«, sagt er. »Renée, soll ich vielleicht später wiederkommen?«

»Wenn Sie möchten«, sage ich. »Geht es Ihnen gut?«

»Ja, ja«, antwortet er.

Dann besinnt er sich und faßt sich ein Herz.

»Möchten Sie morgen abend mit mir essen?«

»Öh«, sage ich, während ich spüre, wie mich eine panische Angst überfällt, »also, ich ...«

Es ist, als würden die verschwommenen Ahnungen der letzten Tage plötzlich Gestalt annehmen.

»Ich möchte Sie in ein Restaurant ausführen, das mir sehr lieb ist«, fährt er mit der Miene des Hundes fort, der sich einen Knochen erhofft.

»Ins Restaurant?«, sage ich mit wachsender Panik.

Zu meiner Linken macht Paloma ein Geräusch wie eine Maus.

»Hören Sie«, sagt Kakuro, der etwas verlegen scheint, »ich bitte Sie aufrichtig darum. Morgen ist ... morgen ist mein Geburtstag, und ich wäre glücklich, wenn Sie meine Begleiterin wären.«

»Oh«, sage ich, unfähig, mehr zu sagen.

»Ich fahre am Montag zu meiner Tochter, ich werde ihn dort natürlich mit der Familie feiern, aber ... morgen abend ... wenn es Ihnen recht ist ...« Er macht eine kleine Pause, schaut mich hoffnungsvoll an.

Ist es nur ein Eindruck? Mir scheint, Paloma versuche sich im Apnoetauchen.

Ein kurzes Schweigen entsteht.

»Hören Sie«, sage ich, »es tut mir wirklich leid. Ich glaube nicht, daß das eine gute Idee ist.«

»Aber warum denn?«, fragt Kakuro, sichtlich verwirrt.

»Es ist sehr freundlich von Ihnen«, sage ich, wobei ich einer Stimme, die zum Erschlaffen neigt, Festigkeit verleihe, »ich bin Ihnen sehr dankbar, aber ich möchte lieber nicht, danke. Ich bin sicher, Sie haben Freunde, mit denen Sie den Anlaß feiern können.«

Kakuro schaut mich betroffen an.

»Ich ...«, sagt er schließlich, »ich ... ja, natürlich, aber ... also ... wirklich, ich möchte sehr gerne ... ich sehe nicht ein ...«

Er runzelt die Stirn.

»Also«, sagt er, »ich verstehe nicht.«

»Es ist besser so«, sage ich, »glauben Sie mir.«

Und während ich ihn sanft zur Tür dränge, indem ich auf ihn zugehe, füge ich hinzu:

»Ich bin sicher, wir werden noch andere Gelegenheiten zum Plaudern haben.«

Er zieht den Rückzug an mit der Miene des Fußgängers, der seinen Gehsteig verloren hat.

»Nun, das ist wirklich schade«, sagt er, »ich habe mich so darauf gefreut. Immerhin ...«

»Auf Wiedersehen«, sage ich und mache ihm sanft die Tür vor der Nase zu.

11

Der Regen

Das Schlimmste ist überstanden, sage ich mir.

Ich habe nicht mit einem bonbonrosa Schicksal gerechnet: Als ich mich umdrehe, stehe ich unverhofft Paloma gegenüber.

Die überhaupt nicht zufrieden scheint.

»Darf man wissen, welches Spiel Sie spielen?«, fragt sie in einem Ton, der mich an Madame Billot, meine allerletzte Lehrerin, erinnert.

»Ich spiele gar kein Spiel«, sage ich schwach, im vollen Bewußtsein, wie kindisch mein Verhalten ist.

»Haben Sie morgen abend etwas Besonders vor?«, fragt sie.

»Ja, also, nein«, sage ich, »aber es geht nicht darum ...«

»Und darf man wissen, warum genau?«

»Ich glaube, es ist keine gute Idee«, sage ich.

»Und warum nicht?«, läßt mein Politkommissar nicht locker.

Warum?

Weiß ich es denn?

Da setzt unvermittelt der Regen ein.

12

Schwestern

All dieser Regen …

In meinem Dorf regnete es im Winter. Ich erinnere mich an keine Sonnentage: nur Regen, das Kreuz des Morasts und der Kälte, die Feuchtigkeit, die sich in unseren Kleidern, unseren Haaren festsetzte, und die sich nicht einmal vor dem Kaminfeuer je wirklich auflöste. Wie oft habe ich seither an diesen Regenabend gedacht, wie viele Male in mehr als vierzig Jahren mich an ein Ereignis erinnert, das heute unter diesem prasselnden Regen wieder an die Oberfläche steigt.

All dieser Regen …

Meiner Schwester hatte man den Vornamen einer totgeborenen älteren Schwester gegeben, die schon denjenigen einer verstorbenen Tante trug. Lisette war schön, und wenn ich auch erst ein Kind war, so verstand ich es schon, obwohl meine Augen die Form der Schönheit noch nicht zu erkennen, sondern sie erst in ihrem Ansatz zu erahnen vermochten. Da man nicht sprach bei mir zu Hause, wurde das nie auch nur erwähnt; doch in der Nachbarschaft schwatzten die Leute, und wenn meine Schwester vorbeiging, ließ man Bemerkungen über ihre Schönheit fallen. »So schön und so arm, wahrhaftig ein übles Schicksal«, kommentierte die Kurzwarenhändlerin auf dem Schulweg. Ich, häßlich und geradezu verkrüppelt an Körper und Geist, hielt die Hand meiner Schwester, und Lisette ging hocherhobenen Hauptes und leichten Schrittes einher und ließ sich im Vorbeigehen all die unheilvollen Schickungen vorhersagen, an die sie jeder zu verkaufen befleißigte.

Mit sechzehn ging sie in die Stadt, um Kinder von Reichen zu hüten. Wir sahen sie ein ganzes Jahr lang nicht. Sie kam zurück, um Weihnachten bei uns zu verbringen, mit seltsamen Geschenken (Lebkuchen, Bändern in leuchtenden Farben, kleinen Lavendelkissen) und dem Aussehen einer Königin. Konnte man ein rosigeres, lebhafteres, vollkommeneres Gesicht finden als ihres? Zum ersten Mal erzählte uns jemand eine Geschichte, und wir hingen an ihren Lippen, gierig nach der geheimnisvollen Ahnung, die sich bei ihren Worten in uns regte, den Worten dieses Bauernmädchens, das Dienstmädchen der Mächtigen geworden war und von einer unbekannten, bunten und schillernden Welt sprach, wo Frauen Auto fuhren und am Abend in Häuser zurückkehrten, in denen es Apparate gab, die die Arbeit anstelle der Menschen verrichteten oder Nachrichten aus der Welt brachten, wenn man einen Knopf drückte …

Wenn ich an all das denke, ermesse ich die bittere Not, in der wir lebten. Wir wohnten nur fünfzig Kilometer von der Stadt entfernt, und zwölf Kilometer von uns lag eine größere Ortschaft, aber wir fristeten unser Dasein wie zur Zeit der Burgen, ohne Komfort und ohne Hoffnung, solange unsere innere Gewißheit andauerte, daß wir immer Bauerntölpel sein würden. Bestimmt gibt es noch heute in irgendwelchen entfernten Winkeln auf dem Land eine Handvoll Alte, die dahintreiben, ohne etwas vom modernen Leben zu wissen, aber bei uns handelte es sich um eine noch junge und aktive Familie, die, wenn Lisette die weihnachtlich beleuchteten Straßen der Städte beschrieb, entdeckte, daß eine Welt existierte, von der sie nicht einmal etwas geahnt hatte.

Lisette ging wieder fort. Ein paar Tage lang wurde noch ein wenig geredet, wie durch mechanische Trägheit. Während ein paar Abenden kommentierte der Vater am Tisch die Geschichten seiner Tochter. »Hm, hart ist's, komisch, das alles.« Dann kamen wieder das Schweigen und die Schreie über uns, wie die Pest über die Unglücklichen.

Wenn ich daran denke … All der Regen, all die Toten … Lisette trug den Namen von zwei Verstorbenen; man hatte mir nur eine zugestanden, meine Großmutter mütterlicherseits, die kurz vor meiner Geburt gestorben war. Meine Brüder trugen die Vornamen von Cousins, die im Krieg gefallen waren, und meine Mutter selbst hatte den ihren von einer ihr unbekannten Cousine, die im Kindbett gestorbenen war. So lebten wir ohne Worte in dieser Welt von Toten, in die Lisette an einem Novemberabend aus der Stadt zurückkehrte.

Ich erinnere mich an all den Regen … Das Geräusch des Wassers, das auf das Dach trommelte, die triefenden Wege, das Meer von Morast vor unserem Hof, der schwarze Himmel, der Wind, das entsetzliche Gefühl einer endlosen Feuchtigkeit, die genauso schwer auf uns lastete wie dieses Leben ohne Bewußtsein und ohne Auflehnung. Wir saßen dicht gedrängt am Feuer, als meine Mutter plötzlich aufstand und damit die ganze Meute aus dem Gleichgewicht brachte; überrascht schauten wir ihr zu, wie sie zur Tür ging und diese, von einer dunklen Eingebung getrieben, mit einem Ruck aufmachte.

All der Regen, ach, all der Regen … In der Tür stand Lisette, regungslos, mit starrem Blick, die Haare im Gesicht klebend, das Kleid völlig durchnäßt, die Schuhe mit Schlamm überzogen. Wie hatte meine Mutter es gewußt?

Wie hatte diese Frau, die, wenn sie uns auch nicht mißhandelte, uns doch nie zu verstehen gegeben hatte, daß sie uns liebte, weder mit Gesten noch mit Worten, wie hatte diese ungehobelte Frau, die ihre Kinder auf die Welt brachte, wie sie die Erde umgrub oder die Hühner fütterte, wie hatte diese Analphabetin, die so abgestumpft war, daß sie uns nicht einmal bei den Vornamen rief, die sie uns gegeben hatte, und an die sie sich vermutlich nicht immer erinnerte, wie hatte diese Frau gewußt, daß ihre halbtote Tochter – die sich nicht bewegte und nicht sprach und unter dem prasselnden Regenguss die Tür anstarrte, ohne auch nur daran zu denken anzuklopfen – wartete, bis jemand öffnete und sie in die Wärme einließ?

Ist das die Mutterliebe, diese Intuition mitten im Unglück, dieser emphatische Funken, der bestehen bleibt, auch wenn der Mensch dazu verurteilt ist, wie ein Tier zu leben? Das hatte mir Lucien gesagt: Eine Mutter, die ihre Kinder liebt, weiß immer, wenn sie in Not sind. Ich für meinen Teil neige nicht zu dieser Interpretation. Ich hege auch keinen Groll gegen diese Mutter, die keine war. Das Elend ist ein Schnitter: Er mäht alles, was wir an Fähigkeit zum Umgang mit dem anderen besitzen, in uns nieder und hinterläßt uns leer, gefühllos, um uns die ganze Trostlosigkeit der Gegenwart erträglich zu machen. Aber ich hänge auch keinen so schönen Überzeugungen an; da war keine Mutterliebe in dieser Intuition meiner Mutter, sondern einzig die in Gesten umgesetzte Gewißheit des Unglücks. Es war eine Art angeborenes Bewußtsein, in der Tiefe der Herzen verankert, das daran erinnerte, daß arme Schlucker wie uns immer ein entehrtes Mädchen erwartet, das an einem Regenabend zurückkommt, um zu Hause zu sterben.

Lisette lebte noch lang genug, um ihr Kind zur Welt zu bringen. Das Neugeborene tat, was von ihm erwartet wurde: Es starb nach drei Stunden. Aus dieser Tragödie, die meinen Eltern als der natürliche Lauf der Dinge erschien, so daß sie nicht mehr – und nicht weniger – erschüttert waren, als wenn sie eine Ziege verloren hätten, habe ich zwei Gewißheiten gewonnen: Es leben die Starken und sterben die Schwachen, den Freuden und Leiden ihrer hierarchischen Stellung gemäß, und so, wie Lisette schön und arm gewesen war, war ich intelligent und unbemittelt und zu ebensolcher Strafe verurteilt, wenn ich hoffte, meiner Klasse zum Trotz Nutzen aus meiner Intelligenz zu ziehen. Da ich aber auch nicht aufhören konnte zu sein, was ich war, schien mir klar, daß mein Weg der Weg der Geheimhaltung war: Ich mußte verschweigen, was ich war, und durfte mich nie mit der anderen Welt einlassen.

Von der Schweigenden wurde ich also zum Maulwurf.

Und plötzlich wird mir bewußt, daß ich in meiner Küche sitze, in Paris, in jener anderen Welt, in der ich meine kleine unsichtbare Nische gegraben und mit der ich mich mit Bedacht nie eingelassen habe, und daß ich heiße Tränen vergieße, während ein kleines Mädchen mit einem unglaublich warmen Blick meine Hand hält, die sie sanft streichelt – und mir wird auch bewußt, daß ich alles gesagt, alles erzählt habe: Lisette, meine Mutter, der Regen, die geschändete Schönheit, und am Ende die eiserne Faust des Schicksals, das den Totgeborenen Mütter gibt, die den Tod finden, weil sie wiedergeboren werden wollten. Ich weine dicke, heiße, lange und wohltuende Tränen, verwirrt, doch unbegreiflich glücklich über die Verwandlung von Palomas traurigem und strengem Blick in warme Quellen, an denen ich mein Schluchzen erwärme.

»Mein Gott«, sage ich, als ich mich ein bißchen beruhigt habe, »mein Gott, Paloma, was bin ich doch dumm!«

»Madame Michel«, antwortet sie mir, »wissen Sie, Sie schenken mir neue Hoffnung.«

»Hoffnung?«, sage ich und schniefe pathetisch.

»Ja«, sagt sie, »es ist anscheinend möglich, das Schicksal zu verändern.«

Und wir sitzen minutenlang so da, während wir uns die Hand halten, ohne etwas zu sagen. Ich bin die Freundin einer schönen Seele von zwölf Jahren geworden, für die ich ein Gefühl großer Dankbarkeit empfinde, und die Ungehörigkeit dieser vom Alter, von der Stellung und von den Umständen her unsymmetrischen Zuneigung vermag meine Emotion nicht zu beeinträchtigen. Als Solange Josse in der Loge erscheint, um ihre Tochter abzuholen, sehen wir uns mit der Eintracht der unzerstörbaren Freundschaften an und verabschieden uns in der Gewißheit eines baldigen Wiedersehens.

Nachdem ich die Tür geschlossen habe, setze ich mich in den Fernsehsessel, die Hand auf der Brust, und ich überrasche mich dabei, wie ich laut sage: Vielleicht ist es das, leben.

Tiefgründiger Gedanke Nr. 15

Wenn du dich heilen willst
Heile
Die anderen
Und lächle oder weine
Über diese glückliche Schicksalswende

Wissen Sie was? Ich frage mich, ob ich nicht etwas verpaßt habe. Ein bißchen wie jemand, der in schlechter Gesellschaft ist und dann einen anderen Weg entdeckt, als er einem guten Menschen begegnet. Meine schlechte Gesellschaft, das sind Mama, Colombe, Papa und die ganze Sippschaft. Aber heute bin ich wirklich einem guten Menschen begegnet. Madame Michel hat mir ihr Trauma erzählt: Sie geht Kakuro aus dem Weg, weil sie vom Tod ihrer Schwester Lisette ein Trauma davongetragen hat, die von einem Sohn aus gutem Haus verführt und dann verlassen worden ist. Sich nicht mit den Reichen verbrüdern, um nicht daran zu sterben, ist seither ihre Überlebenstaktik.

Als ich Madame Michel zuhörte, habe ich mich gefragt: Was bewirkt das größere Trauma? Eine Schwester, die stirbt, weil sie verlassen worden ist, oder die bleibenden Auswirkungen dieses Ereignisses: die Angst zu sterben, wenn man nicht an seinem Platz bleibt? Den Tod ihrer Schwester, den hätte Madame Michel vielleicht überwinden können; aber kann man die Inszenierung seiner eigenen Bestrafung überwinden?

Und dann habe ich vor allem etwas anderes gespürt, ein neues Gefühl, und jetzt, da ich es aufschreibe, bin ich ganz ergriffen, ich mußte meinen Füller übrigens einen Moment beiseite legen, um zu weinen. Ich habe also folgendes gespürt: Als ich Madame Michel zuhörte und sah, wie sie weinte, aber vor allem als ich fühlte, wie gut es ihr tat, mir, Paloma, das alles zu sagen, habe ich etwas begriffen: Ich habe begriffen, daß ich litt, weil ich niemandem in meiner Umgebung Gutes tun konnte. Ich habe begriffen, daß ich Papa, Mama und vor allem Colombe böse bin, weil ich unfähig bin, ihnen nützlich zu sein, weil ich nichts für sie tun kann. Sie sind zu stark in ihrer Krankheit gefangen und ich bin zu schwach. Ich sehe wohl ihre Symptome, aber ich bin nicht fähig, sie zu heilen, und das macht mich genauso krank wie sie, aber ich sehe es nicht. Als ich jedoch Madame Michels Hand hielt, habe ich gespürt, daß auch ich krank bin. Und eines steht jedenfalls fest: Ich kann mich nicht heilen, indem ich diejenigen bestrafe, die ich nicht retten kann. Ich sollte vielleicht die Geschichte mit der Brandstiftung und dem Selbstmord nochmals überdenken. Im übrigen muß ich gestehen: Ich habe keine große Lust mehr zu sterben, ich habe Lust, Madame Michel wiederzusehen, und Kakuro und Yoko, seine kleine Nichte mit dem unvorhersehbaren Schicksal, und sie um Hilfe zu bitten. Oh, ich werde natürlich nicht bei ihnen aufkreuzen und sagen: please, help me, ich bin ein selbstmordgefährdetes kleines Mädchen. Aber ich habe Lust zuzulassen, daß die anderen mir Gutes tun: Schließlich bin ich nur ein unglückliches kleines Mädchen, und daß ich außerordentlich intelligent bin, ändert nichts an dieser Tatsache, nicht wahr? Ein unglückliches kleines Mädchen, das im schlimmsten Moment die Chance hat, glückliche Begegnungen zu machen. Habe ich moralisch gesehen das Recht, diese Chance vorbeigehen zu lassen?

Pah. Ich weiß es nicht. Im Grunde ist diese Geschichte eine Tragödie. Es gibt wertvolle Menschen, freue dich!, hatte ich

Lust, mir zu sagen, aber welche Trostlosigkeit herrscht doch letztlich! Sie enden im Regen! Ich weiß gar nicht mehr, was ich denken soll. Einen Moment lang glaubte ich, daß ich meine Berufung gefunden hatte; ich glaubte zu verstehen, daß ich die anderen heilen muß, um mich selbst zu heilen, wenigstens die »heilbaren« anderen, diejenigen, die gerettet werden können, statt daß ich Trübsal blase, weil ich die anderen nicht retten kann. So sollte ich also Ärztin werden? Oder Schriftstellerin? Das ist ja ein bißchen das gleiche, nicht wahr?

Aber wie viele Colombes, wie viele triste Tibères kommen auf eine Madame Michel?

13

In den Alleen der Hölle

Nachdem Paloma gegangen ist, bleibe ich lange völlig aufgewühlt in meinem Sessel sitzen.

Dann nehme ich meinen ganzen Mut zusammen und wähle Kakuro Ozus Nummer.

Paul N'Guyen antwortet beim zweiten Klingelton.

»Ah, guten Tag, Madame Michel«, sagt er zu mir, »was kann ich für Sie tun?«

»Ja, also«, sage ich, »ich hätte gerne mit Kakuro gesprochen.«

»Er ist nicht da«, sagt er, »soll er Sie anrufen, sobald er zurückkommt?«

»Nein, nein«, sage ich, erleichtert, über einen Mittelsmann handeln zu können. »Könnten Sie ihm bitte ausrichten, daß ich glücklich wäre, morgen abend mit ihm essen zu gehen, wenn er es sich nicht anders überlegt hat.«

»Mit Vergnügen«, sagt Paul N'Guyen.

Als ich den Hörer aufgelegt habe, lasse ich mich erneut in den Sessel fallen und vertiefe mich während einer kurzen Stunde in unzusammenhängende, aber angenehme Gedanken.

»Das riecht aber nicht sehr gut bei Ihnen«, sagt eine sanfte männliche Stimme in meinem Rücken. »Hat Ihnen das jemand repariert?«

Er hat die Türe so leise geöffnet, daß ich ihn nicht gehört habe. Es ist ein schöner, brünetter junger Mann mit ein wenig zerzausten Haaren, einer nagelneuen Jeansjacke und den großen Augen eines friedlichen Cockerspaniels.

»Jean? Jean Arthens?«, frage ich, ohne zu glauben, was ich sehe.

»Jäa«, sagt er und neigt den Kopf zur Seite wie früher.

Aber das ist auch das einzige, was vom Wrack, von der versengten jungen Seele mit dem abgezehrten Körper übrigbleibt; Jean Arthens, einst so nah dem Untergang, hat sich offensichtlich für die Wiedergeburt entschieden.

»Sie sehen phantastisch aus!«, sage ich und schenke ihm mein schönstes Lächeln.

Er schaut mich freundlich an.

»Guten Tag, Madame Michel«, sagt er, »es freut mich, Sie wiederzusehen. Das steht Ihnen aber gut«, fügt er hinzu, wobei er auf meine Haare zeigt.

»Vielen Dank«, sage ich. »Aber was führt Sie hierher? Nehmen Sie eine Tasse Tee?«

»Ah ...«, sagt er mit einem Anflug des früheren Zögerns, »aber ja, sehr gern.«

Ich mache Tee, während er auf einem Stuhl Platz nimmt und Leo perplex anschaut.

»War der Kater schon vorher so dick?«, erkundigt er sich ohne die geringste Hinterhältigkeit.

»Ja«, sage ich, »er ist nicht besonders sportlich.«

»Es ist nicht zufällig er, der so schlecht riecht?«, fragt er bedauernd, während er an ihm schnuppert.

»Nein, nein«, sage ich, »es gibt ein Problem mit dem Abfluß.«

»Es kommt Ihnen bestimmt komisch vor, daß ich einfach so bei Ihnen hereinschneie«, sagt er, »vor allem, da wir nie viel miteinander geredet haben, hm, ich war nicht sehr gesprächig zur Zeit ... nun ja, zur Zeit meines Vaters.«

»Ich freue mich, Sie zu sehen, und vor allem scheint es Ihnen gutzugehen«, sage ich aufrichtig.

»Jä …«, sagt er, »ich bin noch einmal davongekommen.«

Wir trinken beide gleichzeitig zwei kleine Schlucke heißen Tee.

»Ich bin geheilt, also, ich glaube wenigstens, daß ich geheilt bin«, sagt er, »wenn man überhaupt eines Tages geheilt ist. Aber ich nehme keine Drogen mehr, ich habe ein prima Mädchen kennengelernt, also vielmehr ein phantastisches Mädchen, muß ich sagen« (seine Augen leuchten auf, und er zieht leicht die Nase hoch, während er mich anschaut), »und ich habe einen netten kleinen Job gefunden.«

»Was machen Sie?«, frage ich.

»Ich arbeite in einem Geschäft für Bootszubehör.«

»Segelboote und Motorboote?«, frage ich.

»Jäa, und es ist ganz nett. Ich habe dort unten ein wenig das Gefühl, im Urlaub zu sein. Die Typen kommen und reden mit mir über ihr Boot, über die Meere, zu denen sie aufbrechen, die Meere, von denen sie zurückkommen, das gefällt mir, und dann bin ich froh, daß ich arbeiten kann, wissen Sie.«

»Worin besteht Ihre Arbeit genau?«

»Ich bin ein bißchen das Mädchen für alles, der Lagerist, der Laufbursche, aber mit der Zeit habe ich einiges gelernt, und jetzt vertraut man mir schon interessantere Aufgaben an: Segel und Wanten reparieren, das Tauwerk mit allen Leinen und Trossen überprüfen oder ein Schiff takeln.«

Sind Sie empfänglich für die Poesie dieser Ausdrücke? Wanten, Tauwerk, Trossen, takeln … An alle, die nicht verstanden haben, daß der Zauber der Sprache aus solchen Subtilitäten erwächst, richte ich folgende Bitte: Seien Sie aufmerksam, nicht nur bei den Kommata!

»Sie scheinen aber auch in Hochform zu sein«, sagt er und schaut mich freundlich an.

»Ach wirklich?«, sage ich. »Nun ja, es gibt da einige Veränderungen, die mir guttun.«

»Wissen Sie«, sagt er, »ich bin nicht zurückgekommen, um die Wohnung oder die Leute hier zu sehen. Ich bin nicht einmal sicher, daß sie mich wiedererkennen würden; ich habe übrigens meinen Personalsausweis eingesteckt, für den Fall, daß sogar Sie mich nicht wiedererkennen würden. Nein«, fährt er fort, »ich bin gekommen, weil ich mich nicht an etwas zu erinnern vermag, was mir sehr geholfen hat, schon als ich krank war, und dann nachher, während meiner Kur.«

»Und ich kann Ihnen nützlich sein?«

»Ja, Sie haben mir nämlich einmal den Namen jener Blumen gesagt. In der Rabatte dort hinten«, er zeigt mit dem Finger zum hinteren Teil des Hofs, »gibt es hübsche kleine Blumen, weiße und rote. Sie haben sie gepflanzt, nicht wahr? Und eines Tages habe ich Sie gefragt, wie sie heißen, aber ich war unfähig, den Namen zu behalten. Dabei habe ich die ganze Zeit an diese Blumen gedacht, ich weiß nicht, warum. Sie sind so hübsch, und als es mir so schlechtging, dachte ich an die Blumen, und das hat mir gutgetan. Und da war ich vorhin hier in der Nähe und habe mir gedacht: ›Ich gehe zu Madame Michel und frage sie, ob sie es mir sagen kann.‹«

Er wartet gespannt und etwas verlegen auf meine Reaktion.

»Das kommt Ihnen bestimmt komisch vor, nicht wahr? Ich hoffe, ich mache Ihnen keine angst mit meinen Blumengeschichten.«

»Nein«, sage ich, »ganz und gar nicht. Wenn ich gewußt hätte, wie gut sie Ihnen taten ... dann hätte ich überall welche gepflanzt!«

Er lacht wie ein glücklicher Junge.

»Ah, Madame Michel, wissen Sie, das hat mir praktisch das Leben gerettet. Das ist schon ein Wunder! Können Sie mir nun bitte sagen, was für Blumen es sind?«

Ja, mein Engel, ich kann. In den Alleen der Hölle, in der Sintflut, nach Luft ringend und Galle brechend, ein winziger Lichtschein: Es sind Kamelien.

»Ja«, sage ich. »Es sind Kamelien.«

Er starrt mich mit geweiteten Augen an. Dann rinnt eine kleine Träne die Wange des dem Tode entkommenen Kindes entlang.

»Kamelien …«, sagt er, verloren in einer Erinnerung, die ihm allein gehört. »Kamelien, ja«, wiederholt er und schaut mich erneut an. »Genau. Kamelien.«

Ich spüre, wie eine Träne über meine eigene Wange rollt.

Ich nehme seine Hand.

»Jean, Sie können nicht wissen, wie glücklich ich bin, daß Sie heute gekommen sind«, sage ich.

»Ach ja?«, sagt er erstaunt. »Aber warum?«

Warum?

Weil eine Kamelie das Schicksal verändern kann.

14

Von einem Korridor zu den Alleen

Was ist das für ein Krieg, den wir angesichts der Eindeutigkeit unserer Niederlage führen? Morgen für Morgen, schon erschöpft von all den kommenden Schlachten, erneuern wir den Schrecken des Alltags, diesen endlosen Korridor, der uns in den letzten Stunden zum Schicksal gereicht, weil er so lange abgeschritten worden ist. Ja, mein Engel, das ist der Alltag: trostlos, leer und leidgeprägt. Die Alleen der Hölle haben sehr wohl etwas damit zu tun; man landet eines Tages dort, weil man zu lange hiergeblieben ist. Von einem Korridor zu den Alleen: Der Sturz erfolgt ohne Aufprall und ohne Überraschung. Jeden Tag knüpfen wir an die Trostlosigkeit des Korridors an, und Schritt für Schritt begehen wir den Weg unserer düsteren Verdammnis.

Hat er die Alleen gesehen? Wie wird man wiedergeboren, nachdem man gefallen ist? Wie entstehen neue Pupillen auf verkohlten Augen? Wo beginnt der Krieg und wo hört der Kampf auf?

Und dann eine Kamelie.

15

Auf den verschwitzten Schultern

Um zwanzig Uhr erscheint Paul N'Guyen in meiner Loge, die Arme mit Paketen beladen.

»Monsieur Ozu ist noch nicht zurück – ein Problem mit seinem Visum in der Botschaft –, daher hat er mich gebeten, Ihnen dies zu überbringen«, sagt er mit einem hübschen Lächeln.

Er stellt die Pakete auf den Tisch und reicht mir eine kleine Karte.

»Danke«, sage ich. »Sie trinken doch etwas?«

»Danke«, sagt er, »aber ich habe noch viel zu tun. Ich hebe mir Ihre Einladung für eine andere Gelegenheit auf.«

Und wieder lächelt er mir zu, mit einem warmen und glücklichen Etwas, das mir rückhaltlos guttut.

Als ich wieder allein bin in meiner Küche, setze ich mich vor die Pakete und öffne den Umschlag.

»Ohne zu begreifen, was es war und woher es kam, hatte er plötzlich eine angenehme Empfindung von Kühle auf den verschwitzten Schultern. Während er seine Sense dengelte, schaute er zum Himmel auf. Eine dicke, niedere Wolke war heraufgezogen, und es regnete in schweren Tropfen.«

Nehmen Sie bitte diese Geschenke in aller Einfachheit an.

Kakuro.

Sommerregen auf den Schultern des mähenden Lewin …
Ich fasse mir mit der Hand an die Brust, ergriffen wie noch nie.

Ich öffne die Pakete.

Ein perlgraues Seidenkleid mit einem kleinen Kelchkragen, vorne übereinandergeschlagen und von einer Lasche aus schwarzem Satin zusammengehalten.

Eine purpurrote Stola, leicht und dicht wie der Wind.

Pumps mit einem kleinen Absatz, aus so feinem und zartem schwarzem Leder, daß ich mir damit über die Wange fahre.

Ich sehe das Kleid an, die Stola, die Schuhe.

Ich höre Leo, der draußen an der Tür kratzt und miaut, um hereingelassen zu werden.

Ich beginne leise und langsam zu weinen, eine zitternde Kamelie in der Brust.

16

Etwas muß zu Ende gehen

Am nächsten Tag klopft man um zehn Uhr an die Scheibe.

Es ist eine Art lange Latte, ganz in Schwarz gekleidet, mit einer marineblauen Mütze auf dem Kopf und Militärstiefeln an den Füßen, die Vietnam miterlebt haben. Es ist auch der Freund von Colombe und ein Weltmeister in der Ellipse der Höflichkeitsform. Er heißt Tibère.

»Ich suche Colombe«, sagt Tibère.

Man beachte bitte, wie lächerlich dieser Satz ist. »Ich suche Julia«, sagt Romeo, ist doch erheblich glanzvoller.

»Ich suche Colombe«, sagt also Tibère, der nur das Shampoo fürchtet, wie sich herausstellt, als er sich seiner Kopfbedeckung entledigt, nicht etwa, weil er höflich ist, sondern weil ihm zu warm ist.

Es ist Mai, Teufel auch.

»Paloma hat mir gesagt, sie sei hier«, fügt er hinzu.

Und hängt an:

»Scheiße, verdammter Mist.«

Wie gut du dich doch amüsierst, Paloma.

Ich schicke ihn kurzerhand weg und vertiefe mich in merkwürdige Gedanken.

Tibère … Illustrer Name für so erbärmliches Gebaren … Ich rufe mir Colombe Josses Prosa in Erinnerung, die stillen Gänge des Saulchoir … und mein Geist schweift nach Rom … Tibère … Unvermittelt taucht die Erinnerung an das Gesicht von Jean Arthens auf, ich sehe das Gesicht seines Vaters und jene unpassende Künstlerschleife, ins Lächerliche verliebt … All dieses Suchen, all diese Welten … Können wir so ähnlich sein und in Welten leben, die so weit voneinander entfernt sind? Ist es möglich, daß wir die gleiche Hektik teilen, obgleich wir weder vom gleichen Boden noch vom gleichen Blut sind, noch nach dem gleichen streben? Tibère … Ich fühle mich müde, um ehrlich zu sein, müde von all den Reichen, müde von all den Armen, müde von dieser ganzen Farce … Leo springt von seinem Sessel herunter und reibt sich an meinem Bein. Diese Katze, die einzig aus Barmherzigkeit fettleibig ist, ist auch eine edelmütige Seele, die die Schwankungen der meinen spürt. Müde, ja müde …

Etwas muß zu Ende gehen, etwas muß neu beginnen.

17

Die Leiden des Putzes

Um zwanzig Uhr bin ich bereit.

Das Kleid und die Schuhe haben genau meine Größe (40 und 37).

Die Stola ist römisch (60 cm breit, 2 m lang).

Ich habe die 3mal gewaschenen Haare mit dem Babyliss-Föhn 1600 Watt getrocknet und sie 2mal in alle Richtungen gebürstet. Das Ergebnis ist erstaunlich.

Ich habe mich 4mal hingesetzt und bin 4mal wieder aufgestanden, was erklärt, daß ich derzeit stehe und nicht weiß, was ich noch machen soll.

Mich setzen, vielleicht.

Ich habe aus einem Etui hinter der Bettwäsche ganz hinten im Schrank 2 Ohrringe hervorgeholt, die ich von meiner Schwiegermutter, der fürchterlichen Yvette, geerbt habe – alte Ohrgehänge aus Silber mit zwei birnenförmig geschliffenen Granaten. Ich habe 6 Versuche unternommen, bevor es mir gelang, sie mir richtig an die Ohren zu klemmen, und jetzt muß ich mit dem Gefühl leben, zwei dickbäuchige Katzen an meinen überdehnten Ohrläppchen hängen zu haben. 54 Jahre ohne Schmuck bereiten nicht auf die Leiden des Putzes vor. Ich habe meine Lippen mit 1 Schicht Lippenstift »tiefes Karminrot« angemalt, den ich vor 20 Jahren für die Hochzeit einer Cousine gekauft hatte. Die Langlebigkeit dieser albernen Dinge, während jeden Tag wertvolle Leben zugrunde gehen, wird mich immer verblüffen. Ich gehöre zu den 8 Prozent der Weltbevölkerung, die ihre Angst besänftigen, indem sie sich in Zahlen verlieren.

Kakuro Ozu klopft 2mal an meine Tür.

Ich öffne.

Er ist sehr schön. Er trägt einen Anzug, zusammengesetzt aus einem anthrazitgrauen Sakko mit Stehkragen und farblich abgestimmtem Posamentenverschluß und einer dazu passenden geraden Hose, sowie Slipper aus weichem Leder, die wie Luxuspantoffeln aussehen. Sehr … eurasisch.

»Oh, Sie sehen wunderbar aus!«, sagt er zu mir.

»Oh, danke«, sage ich bewegt, »aber Sie sind auch sehr schön. Alles Gute zum Geburtstag!«

Er lächelt mir zu, und nachdem ich sorgfältig die Tür hinter mir und vor Leo zugemacht habe, der einen Ausbruch versuchte, reicht er mir einen Arm, auf den ich eine leicht zitternde Hand lege. Wenn uns nur niemand sieht, fleht eine Instanz in mir, die Widerstand leistet, diejenige von Renée dem Maulwurf. Wenn ich auch schon manche Ängste auf den Scheiterhaufen geworfen habe, so bin ich doch noch nicht bereit, die Gazetten der Rue de Grenelle mit Stoff zu versorgen.

Wen wundert es also?

Die Eingangstür, der wir zustreben, geht auf, noch bevor wir sie erreicht haben.

Es sind Jacinthe Rosen und Anne-Hélène Meurisse.

Pest und Teufel! Was tun?

Wir sind schon bei ihnen angelangt.

»Guten Abend, guten Abend, werte Damen«, trillert Kakuro, während er mich energisch nach links zieht und flink an ihnen vorbeigeht, »guten Abend, meine Teuren, wir haben uns verspätet, wir grüßen Sie ehrerbietig und sputen uns!«

»Ah, guten Abend, Monsieur Ozu«, poussieren sie, während sie sich beide gleichzeitig umdrehen, um uns gebannt mit den Augen zu folgen.

»Guten Abend, Madame«, sagen sie zu mir (zu mir!) und lächeln mir mit ihrem breitesten Lächeln zu. Ich habe noch nie so viele Zähne auf einmal gesehen.

»Auf Wiedersehen, chère Madame«, säuselt Anne-Hélène Meurisse und schaut mich gierig an, während wir durch die Türe entschlüpfen.

»Gewiß, gewiß!«, zwitschert Kakuro und stößt mit dem Absatz den Türflügel zu.

»Oh, mein Gott«, sagt er, »wenn wir stehengeblieben wären, hätte es stundenlang gedauert.«

»Sie haben mich nicht erkannt«, sage ich.

Ich bleibe mitten auf dem Gehsteig stehen, vollkommen erschüttert.

»Sie haben mich nicht erkannt«, wiederhole ich.

Er bleibt seinerseits stehen, meine Hand noch immer auf seinem Arm.

»Sie haben Sie eben noch nie gesehen«, sagt er zu mir. »Ich würde Sie in jeder Situation erkennen.«

18

Das bewegte Wasser

Man muß nur einmal erlebt haben, daß man im vollen Licht blind sein und im Dunkeln sehen kann, um sich die Frage nach der visuellen Wahrnehmung zu stellen. Warum sehen wir? Als ich ins Taxi steige, das Kakuro bestellt hatte, und während ich an Jacinthe Rosen und Anne-Hélène Meurisse denke, die von mir nur das gesehen hatten, was sie sehen konnten (am Arm von Monsieur Ozu, in einer Welt von Hierarchien), trifft mich die Erkenntnis, daß der Blick wie eine Hand ist, die das bewegte Wasser zu fassen versucht, mit unerhörter Wucht. Ja, der Blick nimmt wahr, aber erforscht nicht, er glaubt, aber hinterfragt nicht, er nimmt auf, aber sucht nicht – ohne Verlangen, ohne Hunger und fern jedem Kreuzzug.

Und während das Taxi in der fortschreitenden Abenddämmerung dahingleitet, sinniere ich.

Ich sinniere über Jean Arthens, mit den von Kamelien erhellten, verbrannten Pupillen.

Ich sinniere über Pierre Arthens, scharfe Augen und Blindheit eines Bettlers.

Ich sinniere über jene gierigen Damen, heischende Augen, so nutzlos blind.

Ich sinniere über Gégène, tote und kraftlose Augenhöhlen, die nur noch den Niedergang sehen.

Ich sinniere über Lucien, untauglich zu sehen, weil die Dunkelheit bisweilen doch zu stark ist.

Ich sinniere sogar über Neptun, dessen Augen eine Nase sind, die sich nicht zu belügen vermag.

Und ich frage mich, ob ich denn selbst gut sehe.

19

Er glitzert

Haben Sie ›Black Rain‹ gesehen?

Denn wenn Sie ›Black Rain‹ nicht gesehen haben – oder allenfalls ›Blade Runner‹ –, wird es für Sie schwierig sein zu verstehen, warum ich das Gefühl habe, in einen Film von Ridley Scott einzutauchen, als wir das Restaurant betreten. Ich sehe jene Szene in ›Blade Runner‹ vor mir, die in der Bar der Schlangenfrau spielt, von der aus Deckard mit einem Bildtelefon Rachel anruft. Oder die Callgirl-Bar in ›Black Rain‹, mit Kate Capshaws blonden Haaren und nacktem Rücken. Und jene Aufnahmen mit dem Licht von Kirchenfenstern und der Helle von Kathedralen, die von der ganzen Dämmerung der Hölle umgeben sind.

»Ich finde das Licht wunderschön«, sage ich zu Kakuro, als ich mich setze.

Man hat uns zu einem ruhigen kleinen Abteil geführt, das in ein sonniges, von glitzernden Schatten eingefaßtes Licht getaucht ist. Wie der Schatten glitzern kann? Er glitzert, Punktum.

»Haben Sie ›Black Rain‹ gesehen?«, fragt mich Kakuro.

Ich hätte nie gedacht, daß zwischen zwei Menschen eine solche Übereinstimmung von Vorlieben und psychischen Abläufen existieren könnte.

»Ja«, sage ich, »mindestens ein Dutzend mal.«

Die Atmosphäre ist strahlend, perlend, gediegen, gedämpft, kristallklar. Wundervoll.

»Wir werden eine Sushi-Orgie feiern«, sagt Kakuro, während er mit einer begeisterten Geste seine Serviette entfaltet. »Sie sind mir hoffentlich nicht böse, ich habe schon bestellt; ich möchte Sie unbedingt mit dem bekanntmachen, was ich für das Beste der japanischen Küche in Paris halte.«

»Gar nicht«, sage ich und sperre die Augen auf, weil die Kellner eben Sakeflaschen vor uns hingestellt haben und dazu, in einer Myriade von kostbaren Schälchen, verschiedenste kleingeschnittene Gemüsestücke, die in einem köstlich erscheinenden Ich-weiß-nicht-Was mariniert zu sein scheinen.

Und wir beginnen. Ich angle mir eine marinierte Gurke, die nur das Aussehen einer Gurke in Marinade hat, sosehr erweist sie sich auf der Zunge als Köstlichkeit. Kakuro faßt mit seinen rotbraunen Holzstäbchen behutsam ein Stück ... Mandarine? Tomate? Mango? und läßt es geschickt verschwinden. Ich stochere umgehend im gleichen Schälchen.

Es ist eine süße Karotte für Feinschmeckergötter.

»Also dann, alles Gute zum Geburtstag!«, sage ich und erhebe mein Glas mit Sake.

»Danke, vielen Dank!«, sagt er und stößt mit mir an.

»Ist das Tintenfisch?«, frage ich, denn ich habe eben ein kleines Stück gezackten Tentakel in einem Schälchen mit safrangelber Sauce entdeckt.

Man bringt zwei randlose, dicke Holzbrettchen, die mit rohen Fischstücken beladen sind.

»Sashimis«, sagt Kakuro. »Auch hier ist Tintenfisch dabei.«

Ich versenke mich in die Betrachtung dieses Kunstwerks. Es ist atemberaubend schön fürs Auge. Ich klemme ein kleines Stück weißgraues Fleisch zwischen meine ungeschickten Stäbchen (Scholle, erklärt Kakuro entgegenkommend), und, fest entschlossen zur Ekstase, koste ich.

Was suchen wir die Ewigkeit im Äther unsichtbarer Essenzen? Dieses kleine, weißliche Ding ist ein greifbarer Krümel davon.

»Renée«, sagt Kakuro zu mir, »ich bin sehr glücklich, meinen Geburtstag in Ihrer Gesellschaft zu feiern, aber ich habe einen anderen, noch wichtigeren Beweggrund, mit Ihnen zu essen.«

Obschon wir uns erst seit drei Wochen kennen, beginne ich Kakuros Beweggründe ziemlich gut zu kennen. Frankreich oder England? Vermeer oder Caravaggio? ›Krieg und Frieden‹ oder die teure Anna?

Ich verschlinge ein weiteres ätherisches Sashimi – Thon? – von ansehnlicher Größe, das, nun ja, verlangt hätte, daß man es ein wenig zerlegte.

»Ich hatte Sie natürlich eingeladen, um meinen Geburtstag zu feiern, aber in der Zwischenzeit habe ich von jemandem sehr wichtige Informationen erhalten. Und ich habe Ihnen etwas Wichtiges zu sagen.«

Das Stück Thon beansprucht meine ganze Aufmerksamkeit und bereitet mich nicht auf das Folgende vor.

»Sie sind nicht Ihre Schwester«, sagt Kakuro und schaut mir dabei in die Augen.

20

Die Gagausenstämme

Meine Damen.

Meine Damen, handeln Sie, wenn Sie eines Abends von einem reichen und sympathischen Mann in ein luxuriöses Restaurant zum Essen eingeladen werden, in allem mit gleichbleibender Eleganz. Überrascht man Sie, ärgert man Sie, irritiert man Sie, behalten Sie stets die gleiche distinguierte Gefaßtheit und reagieren Sie auf überraschende Worte mit der Vornehmheit, die solchen Umständen ziemt. Statt dessen, und weil ich ein Bauerntrampel bin, der seine Sashimis in sich hineinschlingt, wie er es mit Kartoffeln tun würde, schlucke ich krampfartig, und als ich entsetzt spüre, daß mir der Krümel Ewigkeit im Hals steckenbleibt, versuche ich mit der Vornehmheit eines Gorillas, denselben wieder auszuspucken. An den Nachbarstischen tritt Stille ein, während es mir, nach wiederholtem Aufstoßen und in einem letzten, äußerst melodischen Krampf, schließlich gelingt, den Schuldigen auszuquartieren und ihn, nach meiner Serviette langend, in allerletzter Minute darin unterzubringen.

»Muß ich es wiederholen?«, fragt Kakuro, der sich – Teufel! – zu amüsieren scheint.

»Ich … khö … khö …«, huste ich.

Das Khö Khö ist ein traditioneller Wechselgesang im brüderlichen Gebet der Gagausenstämme.

»Ich, also … khö … khö …«, fahre ich mit Bravour fort.

Und dann, mit einer Klasse, die die Gipfel umwirbt:

»Kwii?«

»Ich sage es Ihnen ein zweites Mal, damit es ganz klar ist«, erklärt er mit jener unendlichen Geduld, die man mit Kindern aufbringt, oder vielmehr mit geistig Beschränkten. »Renée, Sie sind nicht Ihre Schwester.«

Und da ich nur dumm dasitze und ihn ansehe:

»Ich wiederhole es Ihnen ein letztes Mal, in der Hoffnung diesmal, daß Sie sich nicht an Sushis verschlucken, die, nur nebenbei gesagt, dreißig Euros das Stück kosten und ein wenig mehr Feingefühl beim Essen verlangen: Sie sind nicht Ihre Schwester, wir können Freunde sein. Und sogar alles, was wir wollen.«

21

All die Tassen Tee

Toum toum toum toum toum toum toum
Look, if you had one shot, one opportunity,
To seize everything you ever wanted
One moment
Would you capture it or just let it slip?

Das ist Eminem. Ich bekenne, daß es mir, als Prophetin der modernen Eliten, schon einmal passiert, mir seine Musik anzuhören, wenn es nicht länger möglich ist, darüber hinwegzusehen, daß Dido den Tod gefunden hat.

Aber vor allem: große Verwirrung.

Ein Beweis?

Hier ist er.

Remember me, remember me
But ah forget my fate
Dreißig Euro das Stück
Would you capture it
Or just let it slip?

Das kommt in meinem Kopf vor und ohne Kommentar aus. Die merkwürdige Art, wie sich die Lieder meinem Geist einprägen, wird mich immer überraschen (ohne auch nur einen gewissen *Confutatis* zu bemühen, großer Freund der Conciergen mit Blasenschwäche), und mit einem beiläufigen, wenn auch aufrichtigen Interesse stelle ich fest, daß diesmal das *Medley* den Sieg davonträgt.

Und dann beginne ich zu weinen.

In der ›Brasserie des Amis‹ von Puteaux stellt eine Tischgenossin, die fast erstickt, gerade noch einmal davonkommt und dann in Tränen ausbricht, die Nase in der Serviette vergraben, eine ausgesuchte Belustigung dar. Doch hier, in diesem Sonnentempel der pro Stück verkauften Sashimis, haben meine Exzesse die gegenteilige Wirkung. Eine Welle stummer Mißbilligung dämmt mich ein, und da schluchze ich also mit triefender Nase und muß zu einer ohnehin schon arg in Mitleidenschaft gezogenen Serviette greifen, um die Schandmale meiner Emotion abzuwischen und tunlichst zu verbergen, was die öffentliche Meinung verurteilt.

Ich schluchze erneut los.

Paloma hat mich verraten.

Da zieht in meinem Herzen, angeschwemmt von meinem Schluchzen, dieses ganze in der Heimlichkeit eines einsamen Geistes verbrachte Leben vorbei, all die langen Stunden abgeschiedener Lektüre, all die von Krankheit geprägten Winter, all der Novemberregen auf Lisettes schönem Gesicht, all die aus der Hölle zurückgekehrten und auf dem Moos des Tempels gestrandeten Kamelien, all die Tassen Tee in der Wärme der Freundschaft, all die wundervollen Worte in Mademoiselles Mund, die Stillleben, die so ganz *wabi* sind, jene zeitlose Essenz, die deren jeweiliges Abbild erstrahlen läßt, und auch der Sommerregen, der in der Überraschung der Lust plötzlich einsetzt, wie Flocken, die zum Singsang des Herzens tanzen, und dann, in der Schatulle des alten Japan, das reine Gesicht von Paloma. Und ich weine, weine unaufhaltsam, heiße und dicke und wunderbare Tränen des Glücks, während die Welt um uns herum versinkt und keine andere Empfindung mehr hinterläßt als die des Blicks eines Mannes, in dessen Gesellschaft ich mich als jemand fühle und der meine Hand nimmt und mir mit der ganzen Wärme der Welt zulächelt.

»Danke«, gelingt es mir zu hauchen.

»Wir können Freunde sein«, sagt er, »und sogar alles, was wir wollen.«

Remember me, remember me,
And ah! envy my fate

22

Das Gras der Wiesen

Was man erleben muß, bevor man stirbt, das weiß ich jetzt. Ja, ich kann es Ihnen sagen. Was man erleben muß, das ist ein prasselnder Regen, der sich in Licht verwandelt.

Ich habe die ganze Nacht nicht geschlafen. Nach und trotz meinen graziösen Herzensergüssen war der Abend wundervoll: seidig, verschwörerisch, mit langen, köstlichen Momenten des Schweigens. Kakuro hat mich zu meiner Wohnungstür begleitet und mir lange die Hand geküßt, und so sind wir auseinandergegangen, ohne ein Wort, mit einem schlichten und elektrischen Lächeln.

Ich habe die ganze Nacht nicht geschlafen.

Und wissen Sie, warum?

Natürlich wissen Sie es.

Natürlich ahnt jeder, daß, abgesehen von allem anderen, das heißt von einem Erdstoß, der eine plötzlich aufgetaute Existenz vollkommen erschüttert hat, etwas in dem kleinen Kopf eines fünfzigjährigen Backfischs herumgeistert. Und daß dieses Etwas heißt: »Und sogar alles, was wir wollen.«

Um sieben Uhr stehe ich auf, wie von einer Feder geschnellt, wobei ich meine entrüstete Katze ans andere Bettende katapultiere. Ich habe Hunger. Ich habe Hunger im eigentlichen Sinn des Wortes (eine gewaltige Brotschnitte, die sich unter der Butter und der Mirabellenmarmelade fast biegt, vermag meinen dantesken Appetit nur gerade anzuregen), und ich habe Hunger im übertragenen Sinn: Ich brenne darauf, die Fortsetzung zu erfahren. Ich gehe in meiner Küche herum wie ein wildes Tier im Käfig, lege mich mit einer Katze an, die mir nicht die geringste Beachtung schenkt, verschlinge ein zweites Fuder Brot-Butter-Marmelade, gehe auf und ab und hin und her und räume dabei Dinge auf, die keineswegs aufgeräumt zu werden brauchen, und rüste mich zu einer dritten Butterbrotrunde.

Und dann, um acht Uhr, beruhige ich mich plötzlich.

Auf unerklärliche Weise rieselt unvermittelt ein Gefühl großer Ruhe auf mich herab. Was ist geschehen? Eine Mutation. Ich sehe keine andere Erklärung; den einen wachsen Kiemen, mich überkommt die Vernunft.

Ich lasse mich auf einen Stuhl fallen, und das Leben geht seinen gewohnten Gang weiter.

Ein im übrigen wenig erhebender Gang: Ich rufe mir ins Gedächtnis, daß ich immer noch Concierge bin und um neun Uhr in die Rue du Bac gehen muß, um Kupferputzmittel zu kaufen. »Um neun Uhr« ist von kapriziöser Genauigkeit: Sagen wir im Laufe des Morgens. Doch als ich gestern meine heutige Arbeit plante, habe ich mir gesagt: »Ich gehe gegen neun Uhr.« Ich nehme also mein Einkaufsnetz und meine Handtasche und ziehe hinaus in die weite Welt auf der Suche nach einer Substanz, die den Zierat in den Häusern der Reichen auf Hochglanz poliert. Draußen ist ein wundervoller Frühlingstag. Von weitem sehe ich Gégène, der sich aus seinen Kartons schält; ich freue mich für ihn über die wärmeren Tage, die vor der Tür stehen. Ich sinniere kurz über die Zuneigung des Clochards zum großen, arroganten Papst der Gastronomie, und ich muß lächeln; dem, der glücklich ist, erscheint der Klassenkampf auf einmal nebensächlich, sage ich zu mir selbst, überrascht über die Wankelmütigkeit meines rebellischen Bewußtseins.

Und dann passiert es: Plötzlich schwankt Gégène. Ich bin nur noch ein Dutzend Schritte von ihm entfernt und runzle besorgt die Stirn. Er schwankt stark, wie auf einem stampfenden Schiff, und ich kann sein Gesicht und seinen verstörten Ausdruck sehen. »Was ist los?«, frage ich laut und eile auf den armen Teufel zu. Gewöhnlich ist Gégène zu dieser Stunde nicht betrunken, und überdies verträgt er den Alkohol wie die Kuh das Gras der Wiesen. Zu allem Unglück ist die Straße praktisch menschenleer; ich bin die einzige, die bemerkt hat, wie der Unglückliche taumelt. Er macht ein paar ungeschickte Schritte auf die Straße zu, bleibt stehen, und dann, als ich nur noch zwei Meter von ihm entfernt bin, setzt er plötzlich zu einem Sprint an, als würden ihn tausend Dämonen verfolgen.

Und das ist die Fortsetzung.

Eine Fortsetzung, von der ich, wie jedermann, gewollt hätte, daß sie nie stattfände.

23

Meine Kamelien

Ich sterbe.

Ich weiß mit an Hellsehen grenzender Gewißheit, daß ich dabei bin zu sterben, daß ich an einem schönen Frühlingsmorgen in der Rue du Bac verscheiden werde, weil ein Clochard namens Gégène, vom Veitstanz erfaßt, kopflos auf die leere Fahrbahn gelaufen ist, ohne sich um Gott oder die Welt zu kümmern.

Nun, sie war nicht ganz so leer, die Fahrbahn.

Ich habe Handtasche und Einkaufsnetz fallen gelassen und bin hinter Gégène hergelaufen.

Und dann wurde ich getroffen.

Erst im Fallen, nach einem Moment der Verblüffung und der völligen Verständnislosigkeit und bevor der Schmerz mich zu zermalmen begann, habe ich gesehen, was mich getroffen hatte. Ich liege jetzt auf dem Rücken, mit freier Sicht auf die Seite eines Reinigungslieferwagens. Er hat versucht, mir auszuweichen, und ist auf die linke Seite ausgeschert, aber zu spät: Sein rechter vorderer Kotflügel hat mich mit voller Wucht erfaßt. »Reinigung Malavoin« heißt es auf dem Logo des kleinen, weißen Nutzfahrzeugs. Wenn ich könnte, würde ich lachen. Die Wege Gottes sind so deutlich für den, der sich anheischig macht, sie zu ergründen ... Ich denke an Manuela, die sich bis an ihr Lebensende Vorwürfe machen wird wegen dieses Todes durch die Reinigung, der nur die Strafe sein kann für den zweifachen Diebstahl, den ich durch ihre sehr große Schuld auf dem Gewissen habe ... Der Schmerz überflutet mich; der Schmerz des Körpers, der sich strahlenförmig ausbreitet, aufbrandet und der das Kunststück vollbringt, nirgends im besonderen zu sein und überall dort einzudringen, wo ich etwas spüren kann; und dann der Schmerz der Seele, weil ich an Manuela gedacht habe, die ich allein zurücklasse, die ich nicht wiedersehen werde, ein Gedanke, der meinem Herzen eine stechende Wunde zufügt.

Man sagt, im Moment des Sterbens sehe man sein ganzes Leben noch einmal. Doch vor meinen weit offenen Augen, die nichts mehr erkennen, weder den Lieferwagen noch seine Fahrerin, die junge Angestellte der Reinigung, die mir das pflaumenblaue Kleid gegeben hatte und die jetzt ungeachtet des guten Geschmacks weint und schreit, noch die Passanten, die nach dem Zusammenstoß herbeigeeilt sind und auf mich einreden, ohne daß es für mich einen Sinn ergibt – vor meinen weit offenen Augen, die nichts mehr von dieser Welt sehen, ziehen geliebte Gesichter vorbei, und jedem von ihnen gilt ein herzzerreißender Gedanke.

Was die Gesichter anbelangt, so sehe ich als erstes eine rosa Nase mit Schnurrhaar. Ja, mein erster Gedanke gilt meiner Katze, nicht, weil sie das wichtigste von allen wäre, sondern weil ich vor der wirklichen Qual und den wirklichen Adieus das Bedürfnis habe, mich zu beruhigen, was das Schicksal meines vierbeinigen Gefährten angeht. Ich lächle innerlich, als ich an das unersättliche, träge Fäßchen denke, das mir während der letzten zehn Jahre der Witwenschaft und der Einsamkeit als Kamerad gedient hat, ich lächle ein wenig traurig und voller Zärtlichkeit, denn vom Tod aus gesehen erscheint die Nähe zu unseren Haustieren nicht mehr als jene nebensächliche Selbstverständlichkeit, die der Alltag banal macht; zehn Lebensjahre haben in Leo Kontur angenommen, und ich ermesse, wie sehr diese lächerlichen und überflüssigen Katzen, die mit der Gelassenheit und Gleichgültigkeit der Einfältigen unsere Existenz durchqueren, die Verwahrer von deren guten und fröhlichen Momenten und von deren glücklichem Schicksalsfaden sind, sogar im Unglück. Adieu, Leo, sage ich zu mir selbst, während ich einem Leben adieu sage, an dem ich viel mehr hänge, als ich gedacht hätte.

Dann lege ich das Schicksal meiner Katze in die Hände von Olympe Saint-Nice, und die Gewißheit, daß sie sich gut um sie kümmern wird, verschafft mir tiefe Erleichterung.

Jetzt kann ich den anderen gegenübertreten.

Manuela.

Manuela, meine Freundin.

An der Schwelle des Todes duze ich dich endlich.

Entsinnst du dich der Tassen Tee in der Seide der Freundschaft? Zehn Jahre Tee und sich siezen, und schließlich eine Wärme in meiner Brust, und diese unendliche Dankbarkeit gegenüber ich weiß nicht wem oder was, dem Leben vielleicht, daß es mir vergönnt war, deine Freundin zu sein. Weißt du, daß ich meine schönsten Gedanken in deiner Nähe hatte? Muß ich sterben, um mir dessen endlich bewußt zu werden … All die Teestunden, die langen Momente erlesenen Genusses, diese schlichte, große Dame ohne Geschmeide und ohne Schloß, ohne die ich, Manuela, nur eine Concierge gewesen wäre; doch in einer Art Übertragung, weil die Aristokratie des Herzens eine ansteckende Regung ist, hast du aus mir eine Frau gemacht, die fähig zur Freundschaft ist … Hätte ich meinen Hunger der Unbemittelten so leicht in Kunstgenuß umwandeln und mich entflammen können für blaues Porzellan, für säuselndes Blätterwerk, für träge Kamelien und für all diese die Jahrhunderte überdauernden Juwelen, für all die kostbaren Perlen in der unaufhörlichen Bewegung des Flusses, wenn du mir nicht Woche für Woche dein Herz geschenkt und zusammen mit mir dem geheiligten Teeritual gehuldigt hättest?

Wie sehr du mir schon fehlst … An diesem Morgen begreife ich, was sterben heißt: Zur Stunde unseres Abschieds sterben die anderen für uns, denn ich liege hier auf dem kalten Pflaster, und es ist mir gleichgültig, daß ich verscheide; das hat heute morgen nicht mehr Sinn als gestern. Doch ich werde all jene, die ich liebe, nicht wiedersehen, und wenn sterben das ist, dann ist es wirklich so tragisch, wie man sagt.

Manuela, meine Schwester, möge es dein Schicksal nicht sein, daß ich für dich war, was du für mich warst: eine Brüstung gegen das Unglück, ein Schutzwall gegen die Trivialität. Mach weiter und lebe, und denke an mich mit Freude.

Doch dich nie mehr wiederzusehen ist für mein Herz eine unendliche Qual.

Und da bist du, Lucien, auf einer vergilbten Fotografie, als Medaillon vor meinen Augen, in der Erinnerung. Du lächelst, du pfeifst vor dich hin. Hast du es auch so empfunden, meinen Tod und nicht den deinen, das Ende unserer Blicke, lange vor dem Grauen, in der Dunkelheit zu versinken? Was bleibt von einem Leben, wenn diejenigen, die es mit uns gelebt haben, schon so lange tot sind? Mich überkommt heute ein merkwürdiges Gefühl, das Gefühl, dich zu verraten; sterben, das ist, als würde ich dich wirklich töten. Es ist also noch nicht Prüfung genug, daß wir spüren, wie sich die anderen entfernen; man muß auch noch jene zu Tode bringen, die nur noch durch uns fortbestehen. Und doch lächelst du, pfeifst du vor dich hin, und plötzlich lächle auch ich. Lucien ... Na komm, ich hab dich ganz gern gehabt, und vielleicht verdiene ich dafür die Ruhe. Wir werden auf dem kleinen Kirchhof unseres Dorfes in Frieden schlafen. In der Ferne hört man den Fluß. Man fängt darin Alsen, aber auch Gründlinge. Kinder kommen hierher zum Spielen, sie schreien aus Leibeskräften. Am Abend, bei Sonnenuntergang, hört man das Angelusläuten.

Und Sie, Kakuro, lieber Kakuro, der Sie mich an die Möglichkeit einer Kamelie haben glauben lassen ... Ich denke heute nur flüchtig an Sie; ein paar Wochen liefern noch keinen Schlüssel; ich kenne Sie kaum über das hinaus, was Sie für mich waren: ein himmlischer Wohltäter, ein Wunderbalsam gegen die Gewißheiten des Schicksals. Hätte es anders sein können? Wer weiß ... Mein Herz krampft sich unwillkürlich zusammen, wenn ich an diese Ungewißheit denke. Und wenn? Und wenn Sie mich weiter zum Lachen und Sprechen und Weinen gebracht und damit diese ganzen Jahre vom Makel der Schuld reingewaschen und, in der Verbundenheit einer unwahrscheinlichen Liebe, Lisette ihre verlorene Ehre wiedergegeben hätten? Welch ein Jammer ... Sie verlieren sich in der Nacht, und zur Stunde, da ich Sie nie mehr wiedersehen werde, muß ich darauf verzichten, die Antwort des Schicksals je zu erfahren ...

Ist sterben das? Ist es so erbärmlich? Und wie lange noch?

Eine Ewigkeit, wenn ich es immer noch nicht weiß.

Paloma, meine Tochter.

Dir wende ich mich zu. Dir, als letzte.

Paloma, meine Tochter.

Ich habe keine Kinder gehabt, weil es sich nicht gefügt hat. Habe ich darunter gelitten? Nein. Aber wenn ich eine Tochter gehabt hätte, wärst du sie gewesen. Und ich bitte mit aller Kraft inständig darum, daß sich das Leben dessen, was du versprichst, würdig erweisen wird.

Und dann kommt die Erleuchtung.

Eine echte Erleuchtung: Ich sehe dein schönes, ernstes und reines Gesicht, deine rosa Brille und jene Art, den Saum deiner Strickjacke zu kneten, einem direkt in die Augen zu sehen und die Katze zu streicheln, als ob sie sprechen könnte. Und ich beginne zu weinen. Innerlich vor Freude zu weinen. Was sehen die Schaulustigen, die sich über meinen gebrochenen Körper beugen? Ich weiß es nicht.

Doch im Inneren, eine Sonne.

Wie bestimmt man den Wert eines Lebens? Was zählt, hat Paloma eines Tages zu mir gesagt, ist nicht, daß man stirbt, sondern was man tut in dem Moment, da man stirbt. Was tat ich in dem Moment, da ich starb?, frage ich mich, und die Antwort ist schon in der Wärme meines Herzens bereit.

Was tat ich?

Ich war dem anderen begegnet, und ich war bereit, ihn zu lieben.

Nach vierundfünfzig Jahren affektiver und moralischer Wüste, nur gerade verschönt von der Zärtlichkeit eines Lucien, der kaum mehr war als der resignierte Schatten meiner selbst, nach vierundfünfzig Jahren der Heimlichkeit und der stummen Triumphe im gepolsterten Innern eines vereinsamten Geistes, nach vierundfünfzig Jahren des Hasses auf eine Welt und eine Kaste, die ich zum Ventil meiner bedeutungslosen Frustrationen gemacht hatte, nach diesen vierundfünfzig Jahren des Nichts, in denen ich niemandem begegnet bin und nie in des anderen Nähe war:

Manuela, immer.

Aber auch Kakuro.

Und Paloma, verwandte Seele.

Meine Kamelien.

Ich nähme gern eine letzte Tasse Tee mit euch.

Da trottet ein gutmütiger Cockerspaniel mit hängender Zunge und hängenden Ohren in mein Blickfeld. Es ist albern … aber das bringt mich noch zum Lachen. Adieu, Neptun. Du bist ein einfältiger Hund, aber der Tod bringt uns offenbar etwas aus dem Takt; vielleicht bist du es, an den ich zuletzt denke. Und wenn das einen Sinn hat, so entzieht er sich mir gänzlich.

Ah, nein. Sieh an.

Ein letztes Bild.

Wie sonderbar … ich sehe keine Gesichter mehr …

Es ist bald Sommer. Sieben Uhr. In der Dorfkirche läuten die Glocken. Ich sehe meinen Vater wieder, der mit gebeugtem Rücken und kräftigen Armbewegungen die Junierde umgräbt. Die Sonne sinkt. Mein Vater richtet sich auf, trocknet sich mit dem Ärmelaufschlag die Stirn, kommt nach Hause zurück.

Ende des Tagewerks.

Es ist bald neun Uhr.

Ich sterbe in Frieden.

Letzter tiefgründiger Gedanke

Was tun
Dem Nie gegenüber
Wenn nicht
Das Immer suchen
In ein paar geheimen Aufzeichnungen?

Heute morgen ist Madame Michel gestorben. Sie wurde vom Lieferwagen einer Reinigung angefahren, in der Nähe der Rue du Bac. Ich kann nicht glauben, daß ich dabei bin, diese Worte zu schreiben.

Kakuro hat mir die Nachricht überbracht. Offenbar ist Paul, sein Sekretär, in jenem Moment die Straße hochgegangen. Er hat den Unfall von weitem gesehen, aber als er dort ankam, war es zu spät. Sie wollte Gégène zu Hilfe eilen, dem Clochard von der Ecke der Rue du Bac, der sternhagelvoll war. Sie ist ihm hinterhergelaufen, aber sie hat den Lieferwagen nicht gesehen. Man mußte die Fahrerin anscheinend ins Krankenhaus bringen, sie hatte einen Nervenzusammenbruch.

Kakuro hat gegen elf Uhr bei uns geklingelt. Er hat nach mir gefragt, und dann hat er meine Hand genommen und zu mir gesagt. »Es gibt kein Mittel, dir diesen Schmerz zu ersparen, Paloma, also sage ich dir, wie es passiert ist: Renée hat vorhin, gegen neun Uhr, einen Unfall gehabt. Einen sehr schweren Unfall. Sie ist tot.« Er weinte. Er drückte ganz fest meine Hand. »Mein Gott, wer ist denn Renée?«, hat Mama erschrocken gefragt. »Madame Michel«, hat Kakuro ihr geantwortet. »Oh!«, hat Mama erleichtert gemacht. Er hat sich angewidert von ihr abgewendet. »Paloma, ich muß mich um eine ganze Menge nicht sehr lustiger Dinge kümmern, aber wir sehen uns nachher, abgemacht?«, hat er zu mir gesagt. Ich habe genickt und auch ganz fest seine Hand gedrückt. Wir haben uns kurz nach japanischer Art gegrüßt, mit einer raschen Verbeugung. Wir verstehen uns. Es tut so weh.

Als er gegangen war, wollte ich nur eines: mir Mama vom Leib halten. Sie machte den Mund auf, doch ich habe die Hand gehoben, die Handfläche zu ihr hin, um zu sagen: »Versuch es gar nicht erst.« Sie hat kurz leer geschluckt, aber sie ist nicht näher gekommen, sie ließ mich in mein Zimmer gehen. Dort habe ich mich auf dem Bett zusammengerollt. Nach einer halben Stunde hat Mama leise an die Tür geklopft. Ich habe gesagt: »Nein.« Sie versuchte es nicht weiter.

Seither sind zehn Stunden vergangen. Im Haus sind viele Dinge geschehen. Ich fasse zusammen: Olympe Saint-Nice ist zur Loge geeilt, als sie die Neuigkeit erfahren hat (ein Schlosser war gekommen und hatte die Tür geöffnet), um Leo zu holen, den sie bei sich einquartiert hat. Ich denke, daß Madame Michel, daß Renée … ich denke, daß sie das so gewollt hätte. Das hat mich erleichtert. Madame de Broglie hat die Leitung der Operationen übernommen, unter dem Oberbefehl von Kakuro. Komisch, wie diese alte Ziege mir fast sympathisch erschienen ist. Sie hat zu Mama, ihrer neuen Freundin, gesagt: »Sie war seit siebenundzwanzig Jahren hier. Sie wird uns fehlen.« Sie hat unverzüglich eine Kollekte für die Blumen organisiert und hat es übernommen, Renées Familienmitglieder zu benachrichtigen. Gibt es welche? Ich weiß es nicht, aber Madame de Broglie wird sich erkundigen.

Das Schlimmste ist Madame Lopes. Es war ebenfalls Madame de Broglie, die es ihr gesagt hat, als sie um zehn Uhr zur Arbeit kam. Sie ist offenbar zwei Sekunden lang dagestanden, ohne es zu verstehen, mit der Hand auf dem Mund. Und dann ist sie hingefallen. Als sie eine Viertelstunde später wieder zu sich kam, hat sie nur gemurmelt: »Verzeihung, oh, Verzeihung«, und dann hat sie ihr Kopftuch wieder umgebunden und ist nach Hause gegangen.

Ein schrecklicher Kummer.

Und ich? Was empfinde ich? Ich plaudere von den kleinen Ereignissen der Rue de Grenelle 7, aber ich bin nicht sehr mutig. Ich habe Angst, in mich selbst zu gehen und zu sehen, was darin vorgeht. Ich schäme mich auch. Ich glaube, ich wollte sterben und daß Colombe und Mama und Papa litten, weil ich selbst noch nicht wirklich gelitten hatte. Oder vielmehr: Ich litt, aber ohne daß es schmerzte, und deshalb waren all meine kleinen Projekte der Luxus eines Teenagers ohne Probleme. Das Rationalisieren eines kleinen Mädchens aus reichem Haus, das sich interessant machen will.

Aber nun habe ich zum ersten Mal Schmerz verspürt, einen fürchterlichen Schmerz. Es ist wie ein Faustschlag in den Bauch, man kann kaum noch atmen, das Herz ist wie Mus, der Magen völlig zerquetscht. Ein unerträglicher körperlicher Schmerz. Ich habe mich gefragt, ob ich mich eines Tages von diesem Schmerz erholen werde. Ich hätte schreien mögen vor Schmerz. Aber ich habe nicht geschrieen. Was ich spüre, jetzt, wo der Schmerz immer noch da ist, aber mich nicht mehr am Gehen oder Sprechen hindert, ist ein Gefühl der totalen Ohnmacht und Absurdität. So ist das also? Plötzlich werden alle Möglichkeiten ausgelöscht? Ein Leben voller Pläne, voll kaum begonnener Diskussionen, voll noch nicht einmal erfüllter Wünsche erlöscht von einer Sekunde auf die andere, und es bleibt nichts mehr, man kann nichts mehr tun, man kann nicht mehr zurück?

Zum ersten Mal in meinem Leben habe ich den Sinn des Wortes »nie« gespürt. Es ist schrecklich. Man spricht das Wort hundertmal am Tag aus, aber man weiß nicht, was man sagt, bevor man nicht mit einem wirklichen »Nie mehr« konfrontiert worden ist. Schließlich hat man immer die Illusion, man kontrolliere, was passiert; nichts erscheint uns als endgültig. Ich habe mir zwar in den ganzen letzten Wochen gesagt, daß ich bald Selbstmord begehen werde, aber glaubte ich es wirklich? Hat dieser Entschluß mich wirklich den Sinn des Wortes »nie« spüren lassen? Ganz und gar nicht. Er ließ mich meine Macht spüren, entscheiden zu können. Und ich glaube, daß selbst ein paar Sekunden, bevor ich Selbstmord begehen würde, »nie mehr« und »für ewig vorbei« immer noch leere Worte wären. Aber wenn jemand, den man liebt, stirbt … also ich kann Ihnen sagen, dann spürt man, was das heißt, und es schmerzt ganz furchtbar schrecklich. Es ist wie ein Feuerwerk, das plötzlich verlöscht, und alles wird schwarz. Ich fühle mich allein, krank, mir ist schlecht, und jede Bewegung kostet mich eine gewaltige Anstrengung.

Und dann ist etwas geschehen. Es ist kaum zu glauben, an einem so traurigen Tag. Kakuro und ich sind gegen fünf Uhr zusammen zur Loge von Madame Michel (ich meine von Renée) hinuntergegangen, weil er Kleider holen wollte, um sie zur Leichenhalle des Krankenhauses zu bringen. Er hat bei uns geklingelt und hat Mama gefragt, ob er mit mir sprechen könne. Doch ich hatte erraten, daß er es war: Ich stand schon da. Natürlich wollte ich ihn begleiten. Wir beide haben den Aufzug genommen, ohne zu sprechen. Er schien sehr müde, mehr müde als traurig; ich habe mir gesagt: So zeigt sich das Leiden auf einem weisen Gesicht. Es stellt sich nicht zur Schau; es entsteht nur der Eindruck einer sehr großen Müdigkeit. Sehe auch ich müde aus?

Jedenfalls sind Kakuro und ich zur Loge hinuntergegangen. Doch als wir den Hof überquerten, sind wir plötzlich beide gleichzeitig stehengeblieben: Jemand hatte sich ans Klavier gesetzt, und man hörte ganz deutlich, was dieser jemand spielte. Es war Satie, glaube ich, ich bin nicht ganz sicher (auf jeden Fall war es klassische Musik).

Ich habe nicht wirklich einen tiefgründigen Gedanken zu diesem Thema. Wie könnte man im übrigen auch einen tiefgründigen Gedanken haben, wenn eine verwandte Seele im Kühlschrank eines Krankenhauses ruht! Aber ich weiß, daß wir beide plötzlich stehengeblieben sind und daß wir tief eingeatmet haben, während die Sonne unser Gesicht wärmte und wir der Musik zuhörten, die von dort oben kam. »Ich glaube, Renée hätte diesen Moment gemocht«, hat Kakuro gesagt. Und wir sind noch ein paar Minuten stehengeblieben und haben der Musik zugehört. Ich war ganz seiner Meinung. Aber warum?

Als ich heute abend daran denke, mit einem Herz und einem Magen wie Pudding, sage ich mir, daß das Leben letztlich vielleicht das ist: eine Menge Verzweiflung, aber auch ein paar Momente der Schönheit, in denen die Zeit nicht mehr die gleiche ist. Es war, als hätten die Noten einen Spalt innerhalb der Zeit geöffnet, eine Art Unterbrechung, ein Anderswo im Hier, ein Immer im Nie.

Ja, genau, ein *Immer* im *Nie*.

Keine Angst, Renée, ich werde nicht Selbstmord begehen und ich werde gar nichts anzünden.

Denn für Sie werde ich künftig das Immer im Nie verfolgen.

Die Schönheit in dieser Welt.

Inhalt

Marx
(Einleitung)

Kamelien

Von der Grammatik

Sommerregen

Philippe Besson im dtv

»Besson ist ein Poet der einfachen Worte,
behutsam, aber wirkungsvoll, die einen ins Innere treffen,
ohne je ihr Ziel zu verfehlen.«
Questions des femmes

Zeit der Abwesenheit
Roman · dtv premium
ISBN 978-3-423-**13629**-7
Während des Ersten Weltkriegs in Paris entdeckt ein junger Mann die Welt der Gefühle und der prachtvollen Salons. Er lernt einen Soldaten kennen und auch den berühmten Marcel Proust …

Eine italienische Liebe
Roman · dtv premium
ISBN 978-3-423-**24423**-7
Stilistisch elegante, psychologisch feinsinnige und teilweise schalkhaft erzählte Geschichte einer Liebesbeziehung, deren Dreieckskonstellation erst posthum ans Licht kommt.

Sein Bruder
Roman · dtv premium
ISBN 978-3-423-**24455**-8
Zwei Brüder, die sich ein wenig aus den Augen verloren haben, finden wieder zusammen, als einer der beiden mit einer tödlichen Krankheit ringt.

Brüchige Tage
Roman · dtv premium
ISBN 978-3-423-**24530**-2
»Das trunkene Schiff«, die poetische Chiffre für Arthur Rimbaud, kehrt zerschunden und wider Willen aus Afrika in die Ardennen zurück. Das fiktive Tagebuch seiner Schwester schafft auf brillante Weise den Zugang zu einer kosmopolitischen Seele.

Nachsaison
Roman · dtv premium
ISBN 978-3-423-**24597**-5
Eine Frau in Rot und drei Männer. Philippe Besson schildert die fiktive Geschichte hinter dem berühmten Gemälde ›Nighthawks‹ von Edward Hopper.

Einen Augenblick allein
Roman · dtv premium
ISBN 978-3-423-**24663**-7
Falmouth, eine Hafenstadt in Cornwall. Der Fischer Tom Sheppard kehrt aus dem Gefängnis zurück. Bei einer Fahrt aufs Meer verlor er seinen Sohn im Sturm. Er wurde verurteilt, fahrlässig gehandelt zu haben. Für die Männer in der Hafenstadt aber war es Mord …

Alle Titel übersetzt von Caroline Vollmann.

Französische Literatur der Gegenwart im dtv

Muriel Barbery
Die Eleganz des Igels
Roman · dtv premium
Übers. v. Gabriela Zehnder
ISBN 978-3-423-24658-3

Die letzte Delikatesse
Roman
Übers. v. Gabriela Zehnder
ISBN 978-3-423-13759-1

Jean-Dominique Bauby
Schmetterling und Taucherglocke
Übers. v. Uli Aumüller
ISBN 978-3-423-08393-5

Philippe Besson
Zeit der Abwesenheit
Roman
Übers. v. Caroline Vollmann
ISBN 978-3-423-13629-7

Eine italienische Liebe
Roman · dtv premium
Übers. v. Caroline Vollmann
ISBN 978-3-423-24423-7

Sein Bruder
Roman · dtv premium
Übers. v. Caroline Vollmann
ISBN 978-3-423-24455-8

Philippe Besson
Brüchige Tage
Roman
Übers. v. Caroline Vollmann
dtv premium
ISBN 978-3-423-24530-2

Nachsaison
Roman
Übers. v. Caroline Vollmann
dtv premium
ISBN 978-3-423-24597-5

Einen Augenblick allein
Roman
Übers. v. Caroline Vollmann
dtv premium
ISBN 978-3-423-24663-7

Pierette Fleutiaux
Faß dich kurz, Liebes
Roman
Übers. v. Holger Fock und Sabine Müller
ISBN 978-3-423-13628-0

David Foenkinos
Das erotische Potential meiner Frau
Roman
Übers. v. Moshe Kahn
ISBN 978-3-423-13654-9

Französische Literatur der Gegenwart im dtv

François Gantheret
Verlorene Körper
Roman
Übers. v. Dirk Hemjeoltmanns
dtv premium
ISBN 978-3-423-**24593**-7

Das Gedächtnis des Wassers
Roman
Übers. v. Dirk Hemjeoltmanns
dtv premium
ISBN 978-3-423-**24690**-3

Laurent Gaudé
Die Sonne der Scorta
Roman
Übers. v. Angela Wagner
ISBN 978-3-423-**13602**-0

Der Tod des Königs Tsongor
Roman
Übers. v. Angela Wagner
dtv premium
ISBN 978-3-423-**24419**-0

Eldorado
Roman
Übers. v. Claudia Kalscheuer
dtv premium
ISBN 978-3-423-**24628**-6

Michèle Lesbre
Purer Zufall
Roman
Übers. v. N. Mälzer-Semlinger
ISBN 978-3-423-**13356**-2

Der Sekundenzeiger
Roman
Übers. v. N. Mälzer-Semlinger
dtv premium
ISBN 978-3-423-**24623**-1

Das rote Canapé
Roman
Übers. v. N. Mälzer-Semlinger
dtv premium
ISBN 978-3-423-**24721**-4

Christian Pernath
Ein Morgen wie jeder andere
Übers. v. N. Mälzer-Semlinger
dtv premium
ISBN 978-3-423-**24719**-1

Lydie Salvayre
Milas Methode
Roman
Übers. v. Claudia Kalscheuer
dtv premium
ISBN 978-3-423-**24559**-3

dtv

Jean-Dominique Bauby

Schmetterling und Taucherglocke

Übersetzt von Uli Aumüller

ISBN 978-3-423-08393-5

Der Bestseller zum preisgekrönten Film von Julian Schnabel:
»Ein Wunder von einem Film. Das Ergreifendste,
was seit langem zu sehen war.«
Frankfurter Allgemeine Zeitung

Er war 43 Jahre alt, Vater zweier Kinder und ein erfolgreicher Journalist, als ihn am 8. Dezember 1995 ein Gehirnschlag all seiner bisherigen Lebensmöglichkeiten beraubte. Fünfzehn Monate später beendete er ein Buch, das er allein mit dem Blinzeln seines linken Augenlids – die einzige verbleibende Verständigungsmöglichkeit – diktiert hatte. Mit bewundernswertem Humor analysiert Bauby seine Situation und schafft auf diese Weise ein ermutigendes Selbstzeugnis.

Der Film von Julian Schnabel wurde 2007 in Cannes mit der Goldenen Palme für die beste Regie und 2008 mit zwei Golden Globes für Regie und den besten ausländischen Film ausgezeichnet.

»Ein strahlendes Stück Literatur, von dem die Kraft zur Erschütterung ausgeht. Der Film gehört zum Schönsten, was das Kino bewerkstelligen kann.«
Süddeutsche Zeitung

»Ein literarisch anspruchsvoller und oft humorvoller Report aus dem Zwischenlager nach dem Leben und vor dem Tod.«
Der Spiegel

Thomas Glavinic im dtv

»Erzähler erzählen Geschichten, Erzähler von Rang wie Thomas Glavinic erschaffen Welten, in denen wir uns verlieren.«
Ulrich Weinzierl in der ›Welt‹

Carl Haffners Liebe zum Unentschieden
Roman
ISBN 978-3-423-**13425**-5
Thomas Glavinics hochgelobtes Debüt des 1910 ausgetragenen Schachweltmeisterkampfs zwischen Carl Haffner und dem Philosophen Emanuel Lasker – ein psychologischer Schlagabtausch auf Leben und Tod.

Der Kameramörder
Roman
ISBN 978-3-423-**13546**-7
Das erschütternde Protokoll eines für die Medien arrangierten Doppelmordes und ein ebenso verstörender wie atemberaubender Kriminalroman über die gefährliche Macht des Fernsehens und die Abscheulichkeit von Reality-TV.

Die Arbeit der Nacht
Roman
ISBN 978-3-423-**13694**-5
Wie lebt man in einer menschenleeren Welt? Thomas Glavinic hat einen Albtraum in die literarische Realität geholt. Ein gewagter und suggestiver Roman.

Wie man leben soll
Roman
dtv premium
ISBN 978-3-423-**24392**-6
»Eine wunderbare Anleitung zum Überleben für alle Zeitgenossen, die gern ungestraft dick wären, am liebsten von Erbtanten leben würden und partout nicht kapieren wollen, warum zur Vollständigkeit des Daseins eine schöne Frau unbedingt dazu gehört.« (Nürnberger Nachrichten)

Irene Dische im dtv

»Irene Dische schreibt so leicht und immer ein wenig ungeduldig flink. Sie besitzt einen Humor, der nicht den Zeigefinger hebt, sondern angelsächsisch lustig ein Zwinkern vorzieht.«
Rolf Michaelis in der ›Zeit‹

Der Doktor braucht ein Heim
Übers. v. Reinhard Kaiser
ISBN 978-3-423-**08221**-1

Berühmt wurde der Doktor durch Irene Disches Bestseller ›Großmama packt aus‹. Seinen ersten Auftritt hatte er aber bereits 1990 in dieser brillanten Erzählung, in der ihn seine Tochter in ein Altenheim bringt und der betagte Nobelpreisträger sein turbulentes Leben Revue passieren lässt.

Ein Job
Kriminalroman
Übers. v. Reinhard Kaiser
ISBN 978-3-423-**13019**-6

Ein kurdischer Killer in New York – ein Kriminalroman voll grotesker Komik.

Großmama packt aus
Roman
Übers. v. Reinhard Kaiser
ISBN 978-3-423-**13521**-4
und dtv großdruck
ISBN 978-3-423-**25282**-0

»›Großmama packt aus‹ zeigt das Gesamtbild bürgerlicher Familienkatastrophen. Unbarmherzig, liebevoll, hinreißend.« (Michael Naumann in der ›Zeit‹)

Loves / Lieben
Übers. v. Reinhard Kaiser
ISBN 978-3-423-**13665**-5

Irene Disches Liebesgeschichten sind eigentlich moralische Erzählungen. Sie suchen nach Gerechtigkeit und finden sie nicht. Denn die Liebe ist zutiefst unfair.

Fromme Lügen
Übers. v. Otto Bayer und Monika Elwenspoek
ISBN 978-3-423-**13751**-5

Irene Disches legendäres Debüt: Erzählungen von Außenseitern, von Emigranten und Gestrandeten, von Umsiedlern und Flüchtlingen und nicht zuletzt vom alltäglichen Exil des Greisenalters.

John von Düffel im dtv

»John von Düffels Art zu schreiben ist von meisterhafter Eleganz und berückender Aufrichtigkeit. Er führt keine Geschichten vor, sondern er begibt sich hinein, mit sowohl sprachlicher als auch psychologischer Genauigkeit.«
Undine Materni in der ›Sächsischen Zeitung‹

Vom Wasser
Roman
ISBN 978-3-423-12799-8
Die Geschichte einer Papierfabrikantendynastie, erzählt von einem, der wie magisch angezogen immer wieder zum Wasser zurückkehrt. »Von Düffel ist mit diesem Roman ein großer Wurf gelungen.« (Hubert Spiegel in der ›FAZ‹)

Zeit des Verschwindens
Roman
ISBN 978-3-423-12939-8
Es gibt über jeden Menschen einen Satz, der ihn zerstört. Niemand darf ihn aussprechen … »Ein atmosphärisch dichter Roman, ein spannendes Buch, das es schafft, ohne Wertung in die Abgründe einer Seele zu sehen.« (Lydia Hebbelmann im ›Hamburger Abendblatt‹)

Schwimmen
ISBN 978-3-423-13205-3
Das Schwimmen: eine Passion. Immer wieder verbinden sich im Wasser Sehnsucht und Angst, Schönheit, Gefahr und Triumph.

EGO
Roman
ISBN 978-3-423-13111-7
Ein Turbo-Egoist im Fitness- und Karrierewahn: eine irrwitzige Psychostudie. Rasant, komisch, scharfsinnig.

Houwelandt
Roman
ISBN 978-3-423-13465-1
Der achtzigste Geburtstag des Patriarchen soll drei Generationen der Familie Houwelandt nach langer Zeit wieder zusammenbringen. »Wir denken immer, die großen Familienromane können nur die Amerikaner oder Thomas Mann schreiben – falsch: Von Düffel kann es auch!« (Elke Heidenreich in ›Lesen‹)

Hotel Angst
ISBN 978-3-423-13571-9
Die Geschichte eines magischen Ortes – Bordighera um die Jahrhundertwende der Belle Epoque.

Wilhelm Genazino im dtv

»So entschlossen unentschlossen, so gezielt absichtslos, so dauerhaft dem Provisorischen zugeneigt, so hartnäckig dem Beiläufigen verbunden wie Wilhelm Genazino ist kein anderer deutscher Autor.«
Hubert Spiegel in der ›Frankfurter Allgemeinen Zeitung‹

Abschaffel
Roman-Trilogie
ISBN 978-3-423-**13028**-8
Abschaffel, Flaneur und »Workaholic des Nichtstuns«, streift durch eine Metropole der verwalteten Welt und kompensiert mit innerer Fantasietätigkeit die äußere Ereignisöde seines Angestelltendaseins.

Ein Regenschirm für diesen Tag
Roman
ISBN 978-3-423-**13072**-1
Geld verdienen kann man mit den unterschiedlichsten Tätigkeiten. Zum Beispiel, indem einer seinem Bedürfnis nach distanzierter Betrachtung der Welt folgt; als Probeläufer für Luxushalbschuhe.

Eine Frau, eine Wohnung, ein Roman
Roman
ISBN 978-3-423-**13311**-1
Weigand will endlich erwachsen werden und die drei Dinge haben, die es dazu braucht: eine Frau, eine Wohnung und einen selbst geschriebenen Roman.

Fremde Kämpfe
Roman
ISBN 978-3-423-**13314**-2
Da die Aufträge ausbleiben, versucht sich der Werbegrafiker Peschek auf fremdem Terrain: Er lässt sich auf kriminelle Geschäfte ein …

Die Ausschweifung
Roman
ISBN 978-3-423-**13313**-5
›Szenen einer Ehe‹ vom minutiösesten Beobachter deutscher Alltagswirklichkeit.

Die Obdachlosigkeit der Fische
ISBN 978-3-423-**13315**-9
»Auf der Berliner Straße kommt mir der einzige Mann entgegen, der mich je auf Händen getragen hat. Es war vor zwanzig oder einundzwanzig Jahren, und der Mann heißt entweder Arnulf, Arnold oder Albrecht.«
Eine Lehrerin an der Schwelle des Alterns vergewissert sich einer fatal gescheiterten Jugendliebe inmitten einer brisanten Phase ihres Lebens.

Wilhelm Genazino im dtv

»Wilhelm Genazino beschreibt die deutsche
Wirklichkeit zum Fürchten gut.«
Iris Radisch in der ›Zeit‹

Achtung Baustelle
ISBN 978-3-423-13408-8
Kluge, ironisch-hintersinnige Gedanken über Lesefrüchte aller Art.

Die Liebesblödigkeit
Roman
ISBN 978-3-423-13540-5
und dtv großdruck
ISBN 978-3-423-25284-3
Ein äußerst heiterer und tiefsinniger Roman über das Altern und den Versuch, die Liebe zu verstehen.

Der gedehnte Blick
ISBN 978-3-423-13608-2
Ein Buch über das Beobachten und Lesen, über Schreibabenteuer und Lebensgeschichten, über Fotografen und über das Lachen.

Mittelmäßiges Heimweh
Roman
ISBN 978-3-423-13724-9
Schwebend leichter Roman über einen unscheinbaren Angestellten, der erst ein Ohr und dann noch viel mehr verliert.

Arno Geiger im dtv

»Arno Geiger schreibt große Literatur, mit jonglierender und doch so bodennaher Kunst wie man sie kaum findet im neuen Österreich oder sonst wo.«
Franz Haas in ›Der Standard‹

Schöne Freunde
Roman
ISBN 978-3-423-**13504**-7

Die phantasiereiche Geschichte eines Kindes, das auszieht, erwachsen zu werden. Ein Roman, der die Untiefen der menschlichen Seele berührt und doch durch und durch komisch ist.

Kleine Schule des Karussellfahrens
Roman
ISBN 978-3-423-**13505**-4

Philipp ist ein moderner Taugenichts. Als er der unorthodoxen Lila begegnet, die eine Vorliebe für Pflastersteine und klirrende Fensterscheiben hegt, wird er aus dieser Lethargie jedoch aufgerüttelt. Denn Lila erweist sich als Virtuosin in der Kunst, mit diesem ordentlichen, allzu vorgezeichneten Leben einmal gründlich Karussell zu fahren …

Es geht uns gut
Roman
ISBN 978-3-423-**13562**-7

Philipp Erlach hat das Haus seiner Großmutter in der Wiener Vorstadt geerbt, und die Familiengeschichte, von der er definitiv nichts wissen will, sitzt ihm nun im Nacken. Deutscher Buchpreis 2005.

Irrlichterloh
Roman
ISBN 978-3-423-**13697**-6

Fünf Menschen auf der Suche nach der Liebe und sich selbst – ein wunderbar abgedrehter Liebesroman voll Witz, Drive und lodernder Phantasie.

Anna nicht vergessen
ISBN 978-3-423-**13785**-0

Über Liebesdesaster und Lebensträume, über Menschen, die nicht vergessen werden wollen: Arno Geigers brillante Erzählungen.